LIBROS SIMPLES PARA SU EXITO®

GUÍA Y FORMULARIOS DE INMIGRACION

Angel Robles Peña, JD

InterMedia®
PUBLISHING

PO Box 14932 • Silver Spring • MD 20911

For more information, contact:
InterMedia Publishing, LLC
PO Box 14932
Silver Spring, MD 20911

Phone: 301-920-1186
URL: http://www.intermediapublishing.com

Library of Congress Catalog-in-Publication Data:
Robles-Peña, Angel
   [Immigration Guides and Forms: Visas, Permits, Residency and Citizenship]
   Guía y Formularios de Inmigración: Visas, Permisos, Residencia y Ciudadanía / Angel Robles-Peña

   1. Immigration law – United States – Popular Works 2. Visas—United States—Popular Works 3. Citizenship—United States—Popular Works
       p. cm
   I. Title
   ISBN 0-9764370-0-7

240 Pages.

First edition August 2003
Second edition January 2005

Para más información, comuníquese con:
InterMedia Publishing, LLC
PO Box 14932
Silver Spring, MD 20911

Teléfono: 301-920-1186
URL: http://www.intermediapublishing.com

Biblioteca del Congreso: Catálogo de Publicación:
Robles-Peña, Angel
   [Immigration Guides and Forms: Visas, Permits, Residency and Citizenship]
   Guía y Formularios de Inmigración: Visas, Permisos, Residencia y Ciudadanía / Angel Robles-Peña

   1. Immigration law – United States – Popular Works 2. Visas—United States—Popular Works 3. Citizenship—United States—Popular Works
       p. cm
   I. Title
   ISBN 0-9764370-0-7

240 Paginas.

Primera edicion: agosto 2003
Segunda edicion: enero 2005

Dedicado a mis queridos padres Carmen Peña Cortés y José Robles Negrón,

y en especial a la Dra. Michelle Adato quien en cierta manera es
directamente responsable por la realización y culminación de este proyecto.

Sinceros agradecimientos también a Dra. Sonia Sierra y la
Lcda. Suzane Villano, JD por sus comentarios, guía y participación en la
inclusión y realización del Capítulo sobre Maltrato y Violencia Doméstica, y a la
Lcda. Marisol Pontón, J.D. por su guía en la inclusión del Capítulo sobre Matrimonios.

También a Richard "Businessmaster" Heidorn, MA por su aportación,
al Lcdo. Patrick Dyson, JD y a la Dra. Constance Newman, al Lcdo. Jonathan Lave, JD
y la queridísima Quynh Tran por su apoyo y participación durante este proyecto.

También a la familia en Carolina del Norte: Ilana Dubester, Chuck Jonson, MA,
Andrea Leslie, MS, a al Lcdo. Dick "this-is-just-the-beguining" Robinson, Jr., JD.

Finalmente a Nora Eidelman, de The Law Foundation of Pince George's County, y a
Howard University School of Law, especialmente a los profesores Dr. J. Clay Smith Jr.,
Lcda. Alice Gresham Bullock, JD, y y a la Lcda. Laurence Notan, JD por sus consejos y apoyo.

INDICE EXPRESO

INDICE GENERAL

Formularios de Inmigración Incluidos (Página 167)

Número de Páginas Dentro de Cada Formulario

DS-156	Solicitud para Visas Temporales	2
I-130	Solicitud para Familiares Extranjeros	6
I-131	Solicitud para Documentos de Viaje	9
I-539	Solicitud para Extender o Cambiar la Condición de Inmigrante Temporero o No-inmigrante	10
I-730	Solicitud para Familiares de personas con Refugio o Asilo	6
I-765	Solicitud para una Autorización de Empleo	12
I-821	Solicitud para Protección Temporera	6

Introducción

Nuevo en Esta Edición
y Cómo Usar Esta Guía

Felicitaciones, usted tiene es sus manos una verdadera herramienta para entender y aprender los requisitos y criterios de elegibilidad utilizados por el Servicio de Inmigración y Naturalización para otorgar o denegar cualquiera de las visas, permisos y documentos ofrecidos bajo las leyes de Estados Unidos, incluyendo el proceso de naturalización y ciudadanía. Esta Guía también le ofrece la oportunidad de aprender a solicitar cualquiera de estás visas, permisos y documentos utilizando los formularios incluidos en el Apéndice C, además de explicar quién es un ciudadano de EE.UU., y como evitarse problemas con el Servicio de Inmigración.

Si usted ya tiene un abogado, esta guía también puede ayudarle a entender su caso de inmigración, especialmente si tiene dudas sobre su caso o si su abogado no habla español. Esta guía también es de gran ayuda para entender los pasos a tomar para comenzar a legalizar su condición como inmigrante. Usted también puede estudiar y practicar las preguntas del examen para la ciudadanía en el Capítulo 11: Naturalización y Ciudadanía.

Esta guía también es útil para ayudarle a entender lo que ocurre cuando solicita una visa o un permiso de inmigración y que es lo que debe esperar. Por ejemplo, aprenda cómo pedir que su caso sea reconsiderado o cómo y a quién apelar una decisión del Servicio de Inmigración, qué ocurre cuando una persona es encontrada culpable de violar las leyes de Estados Unidos, y cómo y dónde conseguir ayuda legal.

Nuevo en Esta Edición
Inmigración es una de las áreas de la ley en Estados Unidos que cambia con más regularidad. Para reflejar estos cambios, esta Guía es revisada anualmente. A continuación usted encontrará una lista de los cambios en la ley de Inmigración según afectan a esta Guía.

Nuevos requisitos sobre las FOTOS entregadas al Servicio de Inmigración
- Comenzando el **2 de septiembre de 2004**, Inmigración solo aceptará fotos donde la posicione de la cara de la persona está completamente de frente a la cámara. Las solicitudes de las personas que para esta fecha ya han sido entregadas con fotos según las pasadas reglas no serán afectadas.
- Las nuevas reglas también dicen que las nuevas fotos tiene que ser de solamente la persona, a color, idénticas, y cumplir con los requisitos establecidos para las fotos que son usadas para el pasaporte (2 X 2).

Formularios Modificados por Inmigración (Incluidos en la Guía)
- I-131 Solicitud para Documentos de Viaje.
- I-821 Solicitud para el Programa de Protección Temporera (TPS).

Cómo Usar Esta Guía

1. Lea el Índice Expreso al Principio de la Guía.
2. Vea cuál es su condición como inmigrante y decida cuál es su pregunta y qué es lo que usted desea.
3. Luego vea el Índice General y busque los temas específicos que usted quiere investigar.
4. Vaya directamente al Capítulo o a la página específica y lea el contenido.
5. Si tiene que usar los formularios al final de la Guía siga los pasos a continuación:

Cómo usar los formularios

a) Encuentre el formulario que necesita. El código numérico de cada formulario está marcado en una de las esquinas de cada página.
b) Haga 2 fotocopias del formulario antes de comenzar a escribir.
c) Complete el primer formulario usando lápiz (así podrá hacer cambios).
d) Revise sus contestaciones. Asegúrese que su información es correcta y que todas las preguntas necesarias han sido contestadas.
e) Si está satisfecho con sus contestaciones tome una pluma fuente o una maquina de escribir y pase la información a la segunda copia del formulario.
f) Asegúrese de enviar todos los documentos exigidos.
g) Haga una copia del formulario antes de enviarlo al Servicio de Inmigración y de todos los documentos personales que envíe.
h) Si no encuentra el formulario que necesita llame al Servicio de Inmigración (vea la página 167).

Formularios del Servicio de Inmigración que Exigen Fotografías

Formularios que necesitan 2 fotos:

I-90	I-131	I-485	I-765	I-777	I-821	N-300	N-400	N-565

Formularios que necesitan 3 fotos:

I-698	Envíe una (1) foto con el formulario y entregue las otras el día de la entrevista.
N-600K	Solicitud para de ciudadanía para hijos nacidos en el exterior

Formularios que necesitan 4 fotos:

I-129F	I-130

Los siguientes formularios deben ser entregados de la siguiente manera:

I-129F	Una foto de su prometido(a) y una de usted
I-130	Solicitud para familiar – si esta solicitando para su cónyuge, una foto suya y una de su cónyuge.
I-589	Asilo – una foto suya y una foto de cada familiar que incluido en la solicitud.
I-730	Familiares de una persona con asilo – una foto del familiar para el cual usted esta completando la solicitud.
I-914	Visa T para no inmigrantes – 3 fotos suyas y 3 fotos de cada familiar inmediato para el cual usted ha completado el Suplemento I-914A.

Capítulo 1

Quién es Ciudadano de EE.UU.

Es posible que usted sea ciudadano de los Estados Unidos y no lo sepa. Si usted es ciudadano, usted no puede ser detenido por el Servicio de Inmigración, deportado o repatriado. No importa que usted tenga un historial o récord criminal. De la misma forma, si usted está encarcelado en uno de los centros de detención del Servicio de Inmigración, la mejor forma de evitar ser deportado o repatriado es probar que usted cualifica para convertirse en ciudadano de EE.UU. Una vez usted prueba que cualifica para la ciudadanía, el Servicio de Inmigración no tendrá derecho a detenerlo o encarcelarlo y mucho menos deportarlo.

Formas en que una persona puede ser ciudadano:

1. Automática: cuando una persona nace en EE.UU. o sus posesiones (Guam, Puerto Rico, y las Islas Vírgenes de EE.UU.) o cuando uno o ambos padres es ciudadano de EE.UU. al momento de la persona nacer.
2. Por medio de naturalización: cuando una persona nace en otro país pero luego se convierte en ciudadano de EE.UU.
3. Derivativa: cuando los padres de la persona se convierten en ciudadanos de EE.UU. por medio del proceso de naturalización antes de la persona cumplir los 18 años de edad.
4. Por medio de la ciudadanía adquirida.

A continuación discutiremos cada una de las formas y razones por las cuales una persona puede ser ciudadano de los Estados Unidos.

Usted Puede Ser Ciudadano de EEUU y No Saberlo

- Usted ES ciudadano si usted nació en los EE.UU. o en una de sus posesiones o si usted era un residente permanente que se convirtió en ciudadano por medio del proceso de naturalización.

- Usted PUEDE SER ciudadano si uno de sus padres nació en EE.UU. o una de sus posesiones, o si uno o ambos padres eran ciudadanos de EE.UU. al momento de usted nacer.

- Usted PUEDE SER ciudadano si alguno o ambos de sus padres se convirtió en ciudadano de EE.UU. por medio del proceso de naturalización antes de que usted cumpliera los 18 años de edad.

Por ejemplo, si usted contesta ¡SÍ! a cualquiera de las siguientes preguntas, es posible que usted sea ciudadano:

- ¿Nació usted en EU. o en alguna de sus posesiones (Guam, Puerto Rico, Islas Vírgenes de EE.UU.)?

- ¿Es usted un residente permanente de EE.UU. que fue naturalizado?

- ¿Se convirtieron sus padres en ciudadanos de EE.UU. por medio del proceso de naturalización antes de usted cumplir los 18 años de edad?

- ¿Nacieron sus padres en EE.UU.?¿Eran sus padres Ciudadanos de EE.UU. cuando usted nació?

I. Ciudadanía por Nacimiento

Usted es ciudadano si usted nació en cualquiera de los 50 Estados o en una de las posesiones de EE.UU., o si usted es considerado como una persona "Nacional" de EE.UU (*U.S. National* en inglés). Usted también puede ser ciudadano de EE.UU. si usted nació bajo condiciones especiales dentro o cerca del territorio de EE.UU.

ESTADOS

Alabama	Alaska	Arizona	Arkansas
California	Colorado	Connecticut	Delaware
Georgia	Hawaii	Idaho	Illinois
Indiana	Iowa	Kansas	Kentucky
Louisiana	Maine	Maryland	Massachusetts
Michigan	Minnesota	Mississippi	Missouri
Montana	Nebraska	Nevada	New Hampshire
New Jersey	New Mexico	New York	North Carolina
North Dakota	Ohio	Oklahoma	Oregon
Pennsylvania	Rhode Island	South Carolina	South Dakota
Tennessee	Texas	Utah	Vermont
Virginia	Washington	Washington, D.C.	West Virginia
Wisconsin	Wyoming		

Si usted nació en cualquiera de los estados de EE.UU. usted es ciudadano de EE.UU.

TERRITORIOS Y POSESIONES

Guam	Islas Marianas Norteñas	Islas Vírgenes	Puerto Rico

Si usted nació en cualquiera de estos territorios y posesiones de EE.UU. usted es ciudadano de EE.UU.

PERSONAS NACIONALES (US Nationals)

Las personas nacidas en Samoa Americana y en las Islas Swains son consideradas como Nacionales de EE.UU. Aunque estas personas no son ciudadanos de EE.UU. éstas no necesitan visas o permiso del Servicio de Inmigración y Naturalización para visitar, vivir o trabajar en EE.UU. Estas personas tampoco pueden ser detenidas, deportadas o repatriadas.

Si usted nació en cualquiera de estos territorios de EE.UU. usted no es ciudadano pero no puede ser deportado o detenido por el Servicio de Inmigración.

CASOS ESPECIALES

- Usted nació dentro de un barco o nave marítima en uno de los puertos o bahías dentro de las costas de EE.UU.
- Usted nació dentro de un barco o nave marítima que se encontraba de 3 a 5 millas de distancia de las aguas territoriales de EE.UU.
- Usted nació en un avión o nave aérea dentro del espacio aéreo de EE.UU.

Si usted nació dentro de una nave aérea o marítima extranjera y pública, cómo por ejemplo un barco o avión de las fuerzas armadas de otro país, usted <u>no cualifica</u> para la ciudadanía de EE.UU.

Si usted nació bajo cualquiera de estos casos especiales, usted puede ser ciudadano de EE.UU.

Cómo Probar Que Usted es Ciudadano o Nacional de EE.UU. por Nacimiento

Usted puede probar que es ciudadano o nacional de EE.UU. por medio de su Certificado de Nacimiento. Por ejemplo, las personas nacidas en Puerto Rico pueden presentar su Certificado de Nacimiento como prueba de que son ciudadanos de EE.UU. sin importar que el certificado sea en español.

Si usted no tiene un certificado de nacimiento porque usted no nació en un hospital y su nacimiento no fue registrado, usted debe conseguir los siguientes documentos:
1. **Certificado de Bautizo.**
2. **Certificación de su nacimiento** del doctor que atendió el parto o el nacimiento.
3. **Affidávit o declaración jurada** de uno de los testigos que presenció su nacimiento.

Si usted nació en una nave aérea o marítima
Si usted nació en una nave aérea o marítima y cree que es ciudadano de EE.UU., lo más recomendable es que usted se comunique con un abogado para saber cómo probar que es ciudadano y recibir ayuda.

Si usted no sabe dónde nació
En caso de que usted no sepa donde nació es posible que usted sea ciudadano de EE.UU. si usted: (1) fue encontrado en EE.UU. antes de cumplir los 5 años de edad, (2) ni usted ni nadie conoce a sus padres, y (3) el Servicio de Inmigración y Naturalización no puede probar que usted no nació en EE.UU. Si esta es su situación, es recomendable buscar ayuda legal rápidamente.

II. Ciudadanía por Naturalización

Existen varias formas para ser elegible o cualificar para la ciudadanía de EE.UU. por medio del proceso de naturalización. Por ejemplo, es muy posible que usted sea ciudadano de EE.UU. si usted vivió en el país como residente legal permanente por un periodo de 5 años y luego completó la solicitud de naturalización, tomó y aprobó los exámenes de inglés y de historia de EE.UU., se entrevistó con Inmigración, y tomo el juramento de fidelidad y obediencia a los Estado Unidos de América durante una ceremonia oficial (véase el Capítulo 11, Naturalización y Ciudadanía). Usted puede haber pasado por este proceso si usted obtuvo su residencia legal permanente por medio de la petición de su esposo o esposa que ya era ciudadano(a) de EE.UU.

A. Cómo probar que usted es un ciudadano naturalizado

Si usted recuerda haber pasado por cualquiera de los procesos mencionados en el párrafo anterior, usted debe haber recibido un Certificado de Naturalización. Si usted tiene un Certificado de Naturalización, usted es ciudadano de EE.UU. Si usted perdió su Certificado de Naturalización, usted puede pedir una copia al Servicio de Inmigración y Naturalización.

Definición: Affidávit o Declaración Jurada

Un affidávit o una declaración jurada es un documento escrito donde la persona que dice haber presenciado o haber estado presente durante un acontecimiento jura ante la ley que estuvo presente durante el acontecimiento, y describe detalladamente el lugar, la fecha exacta del acontecimiento, y como la persona sabe de estos hechos.

Una declaración jurada es igual que una declaración en corte donde la persona jura bajo pena de perjurio y cárcel, que la declaración es cierta y verdadera. La declaración jurada debe ser firmada por la persona y por un notario público. Si usted nació en un hospital, pero no tiene un certificado de nacimiento, comuníquese con el hospital y pida una copia oficial que certifique que usted nació en ese hospital.

III. Ciudadanía Derivativa: Usted y la Naturalización de sus Padres

Es posible que usted sea ciudadano de EE.UU. si uno de sus padres o ambos se convirtieron en ciudadanos por medio del proceso de naturalización antes de que usted cumpliera los 18 años de edad. Este tipo de naturalización es llamada Ciudadanía Derivativa y significa que cuando sus padres se convirtieron en ciudadanos de EE.UU., usted obtuvo la ciudadanía a través de ellos (sus padres).

Recuerde, el proceso de naturalización envuelve vivir en EE.UU. como residente legal permanente, completar la solicitud de naturalización, tomar y aprobar los exámenes de inglés y de historia de EE.UU., entrevistarse con inmigración y tomar el juramento de fidelidad y obediencia a los Estados Unidos de América (EE.UU.) durante una ceremonia formal de juramentación.

Por regla general cuando ambos padres de una persona menor de 18 años se convierten en ciudadanos la persona automáticamente también se convierte en ciudadano de EE.UU. Existen diferentes excepciones a esta regla. Por ejemplo: si la persona nació después del 23 de diciembre de 1952 y estaba casada antes de que sus padres se convirtieran en ciudadanos de EE.UU. la persona no es elegible para la Ciudadanía Derivativa aunque la persona fuera menor de 18 años.

Para más información y detalles sobre cómo una persona puede convertirse en ciudadano por medio de la naturalización de sus padres, véase el Capítulo 11 Naturalización y Ciudadanía. También vea las tabla informativa presentadas en la siguiente página para saber si a usted le fue concedida la ciudadanía derivativa.

Recuerde:
- Si usted nació después del 23 de Diciembre de 1952 usted no puede haber estado casado(a) antes de que sus padres se convirtieran en ciudadanos de EE.UU.
- No importa que usted haya llegado a EE.UU. antes o después de cumplir los 18 años de edad. Lo más importante es que sus padres se hayan convertido en ciudadanos naturalizados antes de usted cumplir 18 años.
- No importa si se convirtió en residente legal permanente antes o después de que sus padres se convirtieran en ciudadanos.

A. Cómo probar que usted cualifica o recibió la Ciudadanía Derivativa

Para probar o evidenciar su reclamo de que usted cualifica o recibió la Ciudadanía Derivativa usted tiene que probar o presentar la siguiente información o documentos:

- Que uno o ambos padres son ciudadanos naturalizados de EE.UU.

- Que usted es el hijo o hija de sus padres por medio de la copia de su Certificado de Nacimiento.

- Si usted reclama la Ciudadanía Derivativa por medio de un padre solamente, consiga copia de cualquiera de los siguientes documentos: Sentencia de Divorcio, Orden de Separación Matrimonial, Orden de Custodia, Certificado de Defunción si uno de sus padres murió.

Complete el Formulario N-600 (Solicitud para Certificado de Ciudadanía) con la mayor cantidad de pruebas arriba detalladas.

Es recomendable que usted busque consejo o ayuda legal de un abogado para asegurarse que todos sus documentos están en orden.

Situación de los Padres	Requisitos / Condiciones
Padre y madre naturalizados	1. Usted vino a EE.UU. antes de cumplir 18 años de edad. 2. Usted se convirtió en Residente Legal Permanente antes de cumplir los 18 años de edad. 3. Ambos padres se convirtieron en ciudadanos naturalizados antes de usted cumplir 18 años.
Un padre o madre es ciudadano por nacimiento y el otro padre o madre es ciudadano naturalizado	1. Usted vino a EE.UU. antes de cumplir 18 años de edad. 2. Usted se convirtió en Residente Legal Permanente antes de cumplir los 18 años de edad. 3. Uno de sus padres era ciudadano de EE.UU. 4. El otro padre se convirtió en ciudadano naturalizado antes de usted cumplir 18 años de edad.
Padres Divorciados	1. Usted vino a EE.UU. antes de cumplir 18 años de edad. 2. Usted se convirtió en Residente Legal Permanente antes de cumplir los 18 años de edad. 3. Sus padres se divorciaron o se separaron legalmente antes de que usted cumpliera los 18 años de edad. 4. El padre que tenia la custodia legal se convirtió en ciudadano naturalizado antes de usted cumplir 18 años de edad. Nota: El padre que tiene la custodia legal es el que paga por la mayoría de los gastos del niño y toma la mayoría de las decisiones importantes respecto al niño, cómo por ejemplo la religión y educación que recibe el niño. Regularmente el padre que tiene la custodia legal es el padre con quien el niño vive.
Padre o madre murió	1. Usted vino a EE.UU. antes de cumplir 18 años de edad. 2. Usted se convirtió en Residente Legal Permanente antes de cumplir los 18 años de edad, y 3. Antes de usted cumplir los 18 años uno de sus padres murió y el otro padre se convirtió en ciudadano naturalizado.
Madre soltera	1. Sus padres no estaban casados cuando usted nació. 2. Su madre se convirtió en ciudadana naturalizada antes de usted cumplir los 18 años de edad, y 3. Su padre no lo reclamó legalmente como hijo legítimo (no le dio su apellido entre otras cosas) antes de que su madre se convirtiera en ciudadana naturalizada. Nota: Si su madre se convirtió en ciudadana naturalizada entre el año 1941 y 1952, usted solamente puede recibir la Ciudadanía Derivativa si en Diciembre 24 de 1952 usted era menor de 16 años de edad, usted ya era residente legal permanente, y su madre ya era ciudadana de EE.UU..
Padre soltero	1. Sus padres no estaban casados cuando usted nació. 2. Su padre se convirtió en ciudadano naturalizado antes de que usted cumpliera los 18 años de edad, y 3. Su padre lo reclamó legalmente como su hijo legitimo (le dio su apellido entre otras cosas) antes de que usted cumpliera los 16 años de edad, y 4. Usted se encontraba bajo la custodia legal de su padre cuando él se convirtió en ciudadano naturalizado.

Antes de 1941 la edad máxima para obtener la Ciudadanía Derivativa era 21 años de edad y no 18 años. Si usted cumplió 21 años de edad antes de 1941 y cualifica en cualquiera de las categorías explicada arriba, puede que usted cualifique para la ciudadanía de EE.UU.

Padres Adoptivos / Ciudadanía Derivativa
Anterior a 1978 la ley de inmigración no permitía que hijos adoptados se convirtieran en ciudadanos derivativos cuando sus padres se convertían en ciudadanos naturalizados. Sin embargo la ley cambió en 1978 y nuevamente en 1981. Lea con cuidado la información abajo y recuerde que ésta es solamente información general. Es recomendable que usted busque el consejo y la ayuda de un abogado.

Ley vigente entre Octubre 5 de 1978 y Diciembre 29 de 1981: Solamente aplica a las personas que cumplen con todos los requisitos y que cumplieron 18 años antes de Diciembre 29 de 1981.	1. Sus padres lo adoptaron antes de usted cumplir los 16 años. 2. Usted entró a EE.UU. antes de los 18 años de edad. 3. Usted se convirtió en residente legal permanente antes de cumplir los 18 años de edad. 4. Sus padres adoptivos se convirtieron en ciudadanos naturalizados antes de usted cumplir los 18 años, de edad, y 5. Al momento de sus padres convertirse en ciudadanos naturalizados usted no estaba casado.
Ley vigente desde Diciembre 29 de 1981: solamente aplica a las personas que cumplen con todos los requisitos y que cumplieron 18 años después de Diciembre 29 de 1981.	1. Sus padres lo adoptaron antes de usted cumplir los 18 años. 2. Usted entró a EE.UU. antes de los 18 años de edad. 3. Usted se convirtió en residente legal permanente antes de cumplir los 18 años de edad. 4. Sus padres adoptivos se convirtieron en ciudadanos naturalizados antes de usted cumplir los 18 años, de edad, y 5. Al momento de sus padres adoptivos convertirse en ciudadanos naturalizados, usted no estaba casado.

Las siguientes personas pueden ser elegibles para la Ciudadanía Derivativa

IV. Ciudadanía Adquirida

Si sus padres eran ciudadanos de EE.UU. cuando usted nació usted tiene derecho a la ciudadanía adquirida. Cómo ya hemos discutido, la ciudadanía de EE.UU. puede ser adquirida de varias formas. Por ejemplo, sus padres pueden haber obtenido la ciudadanía porque nacieron en EE.UU. o por medio del proceso de naturalización. Sus padres también pueden haber obtenido la ciudadanía porque los padres de sus padres (sus abuelos) nacieron en EE.UU. o se convirtieron en ciudadanos naturalizados de EE.UU. Si cualquiera de sus padres ya era ciudadano de EE.UU. cuando usted nació, es casi seguro que usted también sea ciudadano de EE.UU.

A. Quién es Elegible

Si usted cualifica o no para la Ciudadanía Adquirida depende de varios factores. Lea y conteste cuidadosamente las preguntas a continuación y vea los detalles debajo de cada una. Luego vea las Tablas de Ciudadanía Adquirida al final de esta sección para saber si usted cualifica para la Ciudadanía Adquirida.

1. ¿Cuál es su fecha de nacimiento?

La ley de inmigración ha cambiado en muchas formas y ocasiones. Para saber si usted cualifica para la Ciudadanía Adquirida, usted debe prestar atención a los requisitos o condiciones que la ley de inmigración exigía en el momento en que usted nació. Al final de esta sección usted encontrará cinco (5) Tablas que especifican los requisitos que se exigen para la ciudadanía de EE.UU. De acuerdo a la fecha de su nacimiento usted sabrá que Tabla debe leer.

Ejemplo: si usted nació en 1965, usted debe leer la información en la Tabla 4 para personas nacidas después de Diciembre 24 de 1952 y antes de Noviembre 14 de 1986. Para entender cómo leer las Tablas, es importante que continúe leyendo esta sección.

2. ¿Era uno o ambos de sus padres ciudadano de EE.UU. al momento de usted nacer?

Si uno o ambos de sus padres era ciudadano de EE.UU. cuando usted nació seguramente usted también es ciudadano. Al contestar esta pregunta recuerde que su madre o padre pueden ser ciudadanos bajo cualquiera de los tipos de ciudadanía explicadas en este libro. Por ejemplo, vea las situaciones presentadas a continuación:

a. Sus padres pueden haber nacido en EE.UU. o en una de sus posesiones (véase Ciudadanía por Nacimiento al principio de este capítulo). Si este es su caso, sus padres deben tener copia del Certificado de Nacimiento. Si no es el caso quizás alguien que presenció el nacimiento de sus padres puede ofrecer una Declaración Jurada, firmada y notariada sobre el día, la hora, y el lugar de nacimiento de su madre o padre. Recuerde, una Declaración Jurada notariada es igual a una declaración hecha en una Corte de justicia.

b. Sus padres pueden haberse convertido en ciudadanos naturalizados antes de que usted naciera. Vea la discusión sobre naturalización en el Capítulo 11, "Naturalización y Ciudadanía." Si este es su caso, sus padres deben tener copia del Certificado de Naturalización.

Si ambos o uno de sus abuelos es o era ciudadano de EE.UU., su padre o madre pueden ser ciudadanos de EE.UU., y en ese caso puede ser que usted también sea ciudadano de EE.UU.

Nota Importante

Recuerde, este libro es sólo una guía sobre las herramientas legales a su alcance. Cada caso y situación es diferente y las leyes cambian constantemente. La información y comentarios sobre sus derechos en esta sección son únicamente de carácter general y de ninguna forma deben ser interpretados como consejos legales específicos sobre su caso. Para obtener consejo legal sobre su caso en específico usted debe comunicarse con un abogado con licencia para ejercer derecho o judicatura en el estado donde usted vive o en la corte donde su caso toma lugar o será decidido.

c. Sus padres pueden ser ciudadanos de EE.UU. a través de sus propios padres (sus abuelos). Sus padres pueden o no saber la contestación a esta pregunta. Si uno de sus padres o ambos están seguros que él o ella son ciudadanos de EE.UU., sus padres deben tener copia del Certificado de Ciudadanía. Este certificado garantiza la ciudadanía de sus padres el día en que estos nacieron.

d. Si sus padres no saben si recibieron la ciudadanía de EE.UU. por medio de los padres de éstos, es recomendable que sus padres sigan los mismos pasos que usted está tomando en este momento para saber si cualquiera de ellos cualifica para la Ciudadanía Adquirida. Sus padres deben hacer esto contestando las mismas 5 preguntas que usted esta contestando en esta sección y luego revisar las Tablas al final de esta sección.

Es decir, si uno o cualquiera de sus abuelos ya era ciudadano de EE.UU. el día en que sus padres nacieron, es muy posible que su padre o madre también haya adquirido la ciudadanía al momento de haber nacido. Si este es el caso, vea entonces si usted puede recibir la Ciudadanía Derivativa por medio de sus padres. Recuerde, esta es un área complicada dentro de la ley de inmigración. Lea la sección de Ciudadanía Adquirida detalladamente para asegurarse de cómo utilizar esta información.

3. ¿ Cuál es su relacion con el padre que es o era ciudadano?

Si usted fue adoptado, es muy posible que usted tenga más de una pareja de padres. Por ejemplo usted puede tener su madre y padre de sangre y una madrastra o un padrastro que puede o no haberlo adoptado legalmente como su hijo o hija.

Si usted fue adoptado legalmente por ciudadanos de EE.UU. usted solamente cualifica para la ciudadanía de EE.UU. si sus padres adoptivos consiguieron un Certificado de Ciudadanía para usted antes de que usted cumpliera los 18 años de edad.

4. ¿Estaban sus padres casados al momento de usted nacer?

De acuerdo a la ley de inmigración, si sus padres de sangre no estaban casados al momento de usted nacer, las exigencias y requisitos para la Ciudadanía Adquirida son diferentes y dependen de los siguientes elementos:

a. Su madre era ciudadana de EE.UU.
b. Su padre era ciudadano de EE.UU.
c. Ambos padres eran ciudadanos de EE.UU.

Si sus padres no estaban casados cuando usted nació busque la Tabla que aplica a su caso de acuerdo a su edad y vea la Columna 4 si su madre era ciudadana de EE.UU. cuando usted nació o la Columna 5 si su padre era ciudadano de EE.UU. cuando usted nació.

Recuerde: Si uno de sus padres era ciudadano de EE.UU. pero sus padres nunca se casaron, puede ser difícil demostrar que su padre o madre de sangre es realmente su padre o madre. Si usted tiene suerte, el apellido de su padre o de su madre puede estar en su Certificado de Nacimiento. Si ese no es el

Certificado de Ciudadanía

Recuerde

Usted solamente puede reclamar la Ciudadanía Adquirida por medio de la ciudadanía de uno o ambos padres de sangre.

- Usted no puede reclamar Ciudadanía Adquirida por medio de uno o ambos padrastros que nunca lo adoptaron legalmente como hijo o hija.

- Usted no puede reclamar la Ciudadanía Adquirida por medio de sus padres adoptivos después de usted cumplir los 18 años de edad.

Recuerde También

Aunque usted no pueda reclamar la Ciudadanía Adquirida, es posible que usted pueda obtener o reclamar la ciudadanía por medio de otros métodos respaldados por la ley de inmigración.

caso, usted debe conseguir una declaración jurada de su madre o su padre o de cualquier otra persona que conocía a sus padres cuando usted nació para identificar a sus padres de sangre.

5. **¿Vivía el padre o la madre que era ciudadano legal en EE.UU. antes de usted nacer?**
Usted quizás tenga que probar a Inmigración que sus padres vivían en EE.UU. antes de usted nacer. En algunos casos existen requisitos de residencia y en otros casos no. Es decir, en ocasiones la ley de inmigración exige que los padres vivan en EE.UU. por un tiempo determinado (entre algunos días y hasta 10 años) dependiendo de las circunstancias. Para asegurarse si existen requisitos de residencia en su caso y cuál es el tiempo requerido, vea la Tabla Informativa que le corresponde en las siguientes páginas.

B. Como Utilizar las Tablas de Ciudadanía Adquirida

Primero identifique la Tabla que le corresponde de acuerdo a su fecha de nacimiento. Luego busque la columna que aplica a su caso y vea las condiciones exigidas por el Servicio de Inmigración para probar su reclamo de que usted es ciudadano de EE.UU. Vea a continuación un ejemplo:

Suponga que Juan del Pueblo:
1. Nació en Octubre 25 de 1975 en Monterrey, México.
2. Los padres se casaron cuando él nació.
3. El padre nació en EE.UU.
4. La madre nació en México y es Residente Legal Permanente de EE.UU.

Pasos para encontrar la Tabla que le corresponde
Primero, Juan tiene que leer el Título de las Tablas para encontrar la que le corresponde. Como él nació en Octubre 25 de 1975, la Tabla 4 es la que le corresponde ya que Juan nació después de Diciembre 24 de 1952, pero antes de Noviembre 14 de 1986.

Segundo, tiene que buscar la Columna que le corresponde. Como uno de sus padres era ciudadano de EE.UU. cuando Juan nació y el otro no, tiene que encontrar y leer la Columna 3 bajo el título, "Cuando Usted Nació Uno de Sus Padres era Ciudadano de EE.UU. y el Otro Padre **NO** era Ciudadano o Nacional de EE.UU."

Tercero, tiene que leer cuidadosamente la Columna que le corresponde para ver los requisitos o condiciones que la Ley de inmigración exige de las personas en las mismas circunstancias o con el mismo caso. Por ejemplo, la Columna 3 dice:

Usted tiene que probar que (A):
- El padre que era ciudadano de EE.UU. estuvo <u>presente físicamente</u> en EE.UU. o en una de sus posesiones por un periodo de 10 años antes de usted nacer.
- Al menos 5 de esos 10 años tienen que haber sido después de que ese padre (con ciudadanía de EE.UU.) cumpliera 14 años de edad.
- Los 5 años de presencia física del padre en EE.UU. después de haber cumplido los 14 años de edad no tienen que haber sido continuos.

Ó, usted puede demostrar también que (B):
- Usted es hijo de un ciudadano de EE.UU. Que usted nació en una de las posesiones de EE.UU. y que su padre o madre estuvo <u>presente físicamente</u> por <u>un año seguido</u> en EE.UU. o en una de sus posesiones en cualquier momento antes de usted nacer.

Como Juan nació en México y no en EE.UU. o una de sus posesiones, él tiene que cumplir con los requisitos detallados bajo "(A)."

Juan entonces tiene que probar o evidenciar la cantidad de años que el padre que es ciudadano vivió en EE.UU. Recuerde que en este caso lo que importa es la cantidad de años que el padre que es ciudadano vivió en EE.UU. antes de que Juan naciera.

C. Cómo probar que usted cualifica o recibió la Ciudadanía Adquirida

1. Usted necesita prueba de que sus padres eran ciudadanos de EE.UU. cuando usted nació. Usted puede probar que sus padres eran ciudadanos de EE.UU. por medio de cualquiera de los siguientes documentos:

   a. Certificado de Nacimiento de sus padres – Certificando de que sus padres son ciudadanos de EE.UU.,
   b. Certificado de Naturalización – Certificado de que sus padres son ciudadanos naturalizados.
   c. Pasaporte de EE.UU. – Sus padres pueden haber conseguido un pasaporte de EE.UU. antes de usted nacer.
   d. Certificado de Ciudadanía – Certificado de que sus padres reclamaron, probaron y ganaron su caso de ciudadanía por medio de sus padres.

2. Usted quizás tenga que probar que sus padres vivieron en EE.UU. por un periodo específico de años. Usted puede conseguir esta información a través de varios métodos, incluyendo los mencionados a continuación:

   a. Pedido de FOIA (Ley de Libertad de Información)
   Es recomendable que usted o su abogado pidan toda la información relacionada a la ciudadanía de sus padres completando un pedido bajo la ley de libertad de información (FIOA, por sus iniciales en Inglés). Pida el formulario FIOA al Servicio de Inmigración y pida la información que usted necesita. Si usted no tiene un abogado, busque ayuda de alguna de las organizaciones que ofrecen ayuda legal para casos de inmigración en el estado donde usted vive (Vea el Capitulo 16, Abogados).

   b. Archivos Escolares de sus Padres
   Es posible que antes de usted nacer sus padres hayan asistido a la escuela primaria, secundaria, o preparatoria en EE.UU. Pregunte a sus padres o a las amistades de sus padres si ellos recuerdan el nombre de la escuela a la que ellos asistieron o el nombre de la ciudad. Sus padres pueden llamar o escribir una carta pidiendo copias de sus archivos escolares. Si sus padres ya no viven usted o su familia pueden pedir los archivos.

   c. Archivos de las Iglesias Visitadas Por sus Padres
   Es posible que antes de que usted naciera sus padres visitaran o fueran miembros de una iglesia, templo, sinagoga, o alguna otra institución religiosa. Pida a sus padres cualquier archivo o información de cualquier bautizo, comunión, o cualquier otra ceremonia religiosa en la cual ellos hayan estado envueltos o que hayan asistido. Si ellos no tienen ninguna información parecida, pida que llamen o escriban una carta a la iglesia pidiendo cualquier información o archivo sobre su envolvimiento o asistencia. La persona que escriba la carta debe especificar las fechas en que sus padres estuvieron envueltos con la iglesia o la visitaron.

Recuerde

Para probar que usted cualifica o recibió la Ciudadanía Adquirida por medio de sus padres, usted tiene que presentar evidencia de que sus padres eran ciudadanos de EE.UU. cuando usted nació.

El Servicio de Inmigración y Naturalización (INS) cambió su nombre y ahora es conocido como el Buró de Servicios de Ciudadanía e Inmigración (BCIS)

9

d. Archivos de Empleo

Si sus padres vivieron en EE.UU. es casi seguro que también hayan trabajado en EE.UU. Sus padres pueden pedir copia de sus archivos del Seguro Social para verificar cualquier empleo que ellos hayan tenido. Solo sus padres pueden pedir los archivos, pero si sus padres ya no viven, cualquier familiar cercano (cómo usted) puede solicitarlos. Para pedir copia de los archivos del Seguro Social de sus padres, usted y su abogado deben completar el Formulario SSA-7004. Para obtener una copia del formulario, envíe una carta a la dirección abajo pidiendo el Formulario SSA-7004 (*Request of Earnings and Benefit Estimate Statement*).

Social Security Administration • Box 3600
Wilkes-Barre, PA 18767-3600

e. Archivos o Copias de Contribuciones sobre Ingresos del IRS (Taxes)

Si uno de sus padres o ambos vivieron y trabajaron en EE.UU., es casi seguro que él o ella hayan completado o rendido los formularios de contribuciones sobre ingresos que exige el Servicio de Rentas Internas de EE.UU. (IRS). En otras palabras, es casi seguro que ellos hayan pagado contribuciones o "taxes" al gobierno de Estados Unidos. Sus padres pueden conseguir copia de estos formularios por medio del IRS. Si sus padres ya no viven usted o sus familiares cercanos pueden pedirlos. Para conseguir copias de esos formularios, usted o su abogado deben completar la Forma 4506: "Pedido de Copia o Transcripción de Formularios Contributivos" (*Request for Copy or Transcript of Tax Form*) del IRS. Usted puede pedir la Forma 4506 al IRS o recogerla personalmente en cualquiera de sus oficinas, y enviarla a la dirección que aplique (de acuerdo al área donde vivían sus padres).

f. Archivos del Censo

Si sus padres fueron contados como ciudadanos de EE.UU. por el Censo antes de que usted naciera, esta puede ser evidencia de que ellos o uno de ellos estaba presente en EE.UU. durante el tiempo que exige la ley de inmigración. El Censo se encarga de contar la población de EE.UU. cada 10 años y es posible que sus padres o uno de ellos hayan sido contados. Tenga en cuenta que es difícil conseguir copias de los archivos del Censo y regularmente usted tiene que pagar cerca de $40 dólares por los archivos de cada año. Si usted no sabe el año en que sus padres fueron contados usted necesita pagar $40 dólares por cada año que desee investigar. Usted también necesita saber la dirección exacta donde vivían sus padres cuando fueron contados por el Censo. Es recomendable que usted o su abogado primero traten de conseguir prueba de la ciudadanía de sus padres por los otros medios discutidos en esta sección antes de pagar por copias del Censo. Si desea conseguir copias del Censo usted puede obtener una solicitud a través de las siguientes oficinas:

Personal Census Search Unit • Bureau of the Census
Box 1545 • Jeffersonville, IN 47131 • Tel: (812) 285-5314

History Staff • Bureau of the Census
Washington, DC 20233 • Teléfono: (301) 457-1167

g. Archivos de Renta o Compra de Hogar

Si sus padres o uno de ellos rentaron o compraron un hogar mientras estaban presentes en EE.UU., es posible que usted pueda encontrar archivos de este periodo. Los siguientes documentos pueden ser usados como prueba de que sus padres o uno de ellos estaban presentes en EE.UU.: Contratos de Renta o Venta; Recibos de Renta; Recibos o Archivos de Pagos de Hipoteca o Casa, Títulos de Propiedad. En el caso de que no existan estos documentos, la persona que le alquiló o vendió un hogar a sus padres o a uno de ellos puede escribir una carta notariada con las fechas y los años cuando su padre o madre alquilaron o compraron el hogar

h. Archivos Militares

Si sus padres o uno de ellos sirvieron o solamente se registraron para servir en las fuerzas armadas de EE.UU. usted puede conseguir copia de sus archivos militares para probar que él o ella estaba presente en EE.UU. durante los años que exige la ley de inmigración. Si sus padres viven, solo ellos pueden pedir estos archivos. Si sus padres ya no viven, usted o cualquier otro familiar cercano puede pedir los archivos. Para pedir archivos militares use el Formulario 180. Es importante que lea las instrucciones para saber a donde tiene que enviar el pedido y la información y documentos que deben ser incluidos. Para saber si sus padres o uno de ellos solamente se registró para servir en las fuerzas armadas, usted solo tiene que llamar gratis al siguiente número: (874) 688-6888. Recuerde tener el nombre completo de sus padres o uno de ellos, la fecha de nacimiento, y el número de seguro social.

Declaraciones Notariadas

Usted o su abogado también pueden usar como prueba declaraciones notariadas de cualquier persona o familiar que conocía a su padre o a uno de ellos y que recuerda precisamente los años en que sus padres estuvieron presentes en EE.UU. Una Declaración Notariada debe contener la siguiente información:

1) El número exacto de años que la persona conoció a sus padres.
2) Cómo conocían a sus padres (por el trabajo, porque eran vecinos, porque eran familia, etc.).
3) El número de años en que la persona asegura que presencio a sus padres vivir en EE.UU.
4) El lugar donde sus padres se encontraban durante esos años (estado, ciudad, pueblo, etc.).
5) Cualquier otra información que la persona recuerde sobre sus padres (lugar y tipo de trabajo que hacían, escuela o iglesia a la que asistían).

Cualquier declaración o carta al INS debe ser escrita en inglés a menos que usted o su abogado incluyan una traducción. Si la declaración es traducida debe incluirse la una nota al final certificando que la persona que tradujo el documento es competente para hacer la traducción y que la traducción es completa y veraz:

Ejemplo:

> *I, __Nombre del Traductor__ , Certify that I am competent to translate this document and that the translation is true and accurate to the best of my knowledge.* **(Firma del Traductor)**

V. Solicitando la Ciudadanía Derivativa o Adquirida

Si usted tiene suficientes pruebas para solicitar la Ciudadanía Derivativa o Adquirida, usted debe completar y presentar el **Formulario N-600** junto con todas las pruebas y evidencias que usted pueda conseguir. El Formulario N-600 tiene que ser enviado a la División de Examinación del Servicio de Inmigración para ser evaluado. Recuerde hacer copias de sus documentos incluyendo el Formulario N-600 antes de enviarlos al Servicio de Inmigración. Recuerde también no enviar documentos originales que se puedan perder.

Asegure enviar los siguientes documentos:

- La copia original del **Formulario N-600**.
- Dos fotografías (tipo pasaporte).
- Un cheque o giro postal por el costo de la solicitud.
- Todas las evidencias que prueben su reclamo de Ciudadanía Derivativa o Adquirida.

Recuerde:
- Es importante reunir la mayor cantidad de pruebas para asegurar el éxito de su caso.
- La mejor evidencia es la que dice específicamente la cantidad de años que sus padres vivieron en EE.UU..
- Declaraciones o cartas notariadas usualmente no son suficientes para probar que sus padres cumplieron con las exigencias de la ley de inmigración si no están acompañadas de documentos oficiales cómo archivos del seguro social, empleo, escolares o militares.
- Usted solamente tiene que probar que sus padres o uno de ellos vivieron en EE.UU. durante el tiempo que exige la ley.
- El periodo de tiempo que importa es el periodo en que sus padres vivieron en EE.UU. antes de usted nacer.

Ciudadanía Adquirida – Tabla 1: Personas nacidas antes de Mayo 24 de 1934

Situación de Sus Padres Como Inmigrantes Cuando Usted Nació

Condiciones y Requisitos del Servicio de Inmigración

Columna 1	Columna 2	Columna 3	Columna 4	Columna 5
Cuando usted nació ambos de sus padres (padre y madre) eran ciudadanos de EEUU.	Cuando usted nació uno de sus padres (padre o madre) era ciudadano de EEUU y el otro era Nacional de EEUU.	Cuando usted nació uno de sus padres (padre o madre) era ciudadano de EEUU y el otro NO era ni ciudadano ni nacional de EEUU.	Cuando usted nació su madre era ciudadana de EEUU y sus padres no estaban casados.	Cuando usted nació su padre era ciudadano de EEUU y sus padres no estaban casados.
• Usted debe demostrar que ambos padres ya eran ciudadanos de EEUU cuando usted nació.	• Usted debe demostrar que uno de sus padres ya era ciudadano y el otro ya era nacional de EEUU cuando usted nació.	• Usted debe demostrar que uno de sus padres ya era ciudadano de EEUU cuando usted nació.	• Usted debe demostrar que su madre era ciudadana de EEUU cuando usted nació.	• Usted debe demostrar que su padre ya era ciudadano de EEUU cuando usted nació y que su padre cumple con todos los requisitos de ciudadanía por medio de descendencia a través del padre.
• Usted puede pedir la ciudadanía de EEUU a través de su padre o de su madre.				
• Usted debe demostrar que el padre por el que usted pide la ciudadanía estaba presente físicamente en EEUU (o en una de sus posesiones dependiendo de la fecha) en cualquier momento antes de que usted naciera. La presencia física tiene que ser mayor de varias horas horas pero no necesita ser mayor de dos días.	• Usted debe demostrar que el padre que es ciudadano estaba presente físicamente en EEUU (o en una de sus posesiones dependiendo de la fecha) en cualquier momento antes de que usted naciera. La presencia física tiene que ser mayor de varias horas pero no necesita ser mayor de dos días.	• Usted debe demostrar que el padre con la ciudadanía estaba presente físicamente en EEUU (o en una de sus posesiones dependiendo de la fecha) en cualquier momento antes de que usted naciera. La presencia física tiene que ser mayor de varias horas pero no necesita ser mayor de dos días.	• Usted debe demostrar que su madre estaba presente físicamente en EEUU (o en una de sus posesiones dependiendo de la fecha) en cualquier momento antes de que usted naciera. La presencia física tiene que ser mayor de varias horas pero no necesita ser mayor de dos días.	• Usted debe demostrar que su padre lo reclamó como hijo legítimo antes de que usted pidiera la ciudadanía de EEUU por medio de él. El proceso de legitimación tiene que cumplir con los requisitos de ley donde su padre vive o vivía.
			• Su padre no puede haberlo reclamado como hijo legítimo antes de Enero 13 de 1941.	

Tabla 2: Personas nacidas en Mayo 24 de 1934 o después, pero antes de Enero 14 de 1941

Situación de Sus Padres Como Inmigrantes Cuando Usted Nació

Condiciones y Requisitos del Servicio de Inmigración

Columna 1	Columna 2	Columna 3	Columna 4	Columna 5
Cuando usted nació ambos de sus padres (padre y madre) eran ciudadanos de EEUU.	Cuando usted nació uno de sus padres (padre o madre) era ciudadano de EEUU y el otro era Nacional de EEUU.	Cuando usted nació uno de sus padres (padre o madre) era ciudadano de EEUU y el otro NO era ni ciudadano ni nacional de EEUU.	Cuando usted nació su madre era ciudadana de EEUU y sus padres no estaban casados.	Cuando usted nació su padre era ciudadano de EEUU y sus padres no estaban casados.
• Usted debe demostrar que ambos padres ya eran ciudadanos de EEUU cuando usted nació. • Usted puede pedir la ciudadanía de EEUU a través de su padre o de su madre. • Usted debe demostrar que cualquiera de sus dos padres vivió en EEUU (o en una de sus posesiones dependiendo de la fecha) en cualquier momento antes de que usted naciera. Ninguno de los padres tiene que haber vivido en EEUU por un periodo de tiempo específico.	• Usted debe demostrar que uno de sus padres ya era ciudadano y el otro ya era nacional de EEUU cuando usted nació. • Usted debe demostrar que el padre que es ciudadano vivió en EEUU (o en una de sus posesiones dependiendo de la fecha) en cualquier momento antes de que usted naciera. El padre no tiene que haber vivido en EEUU por ningún periodo o tiempo específico.	• Usted debe demostrar que el padre que era ciudadano vivió en EEUU antes de usted nacer. El padre no tiene que haber vivido en EEUU por ningún periodo o tiempo específico. **Usted debe demostrar que:** • Usted llegó a EEUU antes de cumplir 23 años de edad. • Inmediatamente después de su llegada, usted estuvo continuamente presente en EEUU por 5 años entre los 14 y 28 años de edad, y que durante ese tiempo usted no salio de EEUU por mas de un año. **Ó usted puede demostrar también que:** • Usted estuvo presente continuamente en EEUU por dos años entre los 14 y 28 años de edad sin salir del país por más de 60 dias. *NOTA: Existen excepciones a estas reglas si usted no se enteró que era elegible para la ciudadanía de EEUU antes los 28 años de edad.*	• Usted debe demostrar que su madre era ciudadana de EEUU cuando usted nació. • Usted debe demostrar que su madre estaba presente <u>físicamente</u> en EEUU (o en una de sus posesiones dependiendo de la fecha) en cualquier momento antes de que usted naciera. La presencia física tiene que ser mayor de varias horas pero no necesita ser mayor de dos dias.	• Usted debe demostrar que su padre ya era ciudadano de EEUU cuando usted nació y que su padre cumple con todos los requisitos de ciudadanía por medio de descendencia a través del padre. • Usted debe demostrar que su padre lo reclamó como hijo legítimo antes de que usted pidiera la ciudadanía de EEUU por medio de él. El proceso de legitimación tiene que cumplir con los requisitos de la ley donde su padre vive o vivía. • Si su padre lo reconoció como hijo legítimo, usted quizás deba probar que usted estuvo <u>continuamente</u> <u>presente</u> en EEUU por un periodo específico de tiempo.

Tabla 3: Personas nacidas en Enero 14 de 1941 o después, pero antes de Diciembre 24 de 1952

Situación de Sus Padres Como Inmigrantes Cuando Usted Nació

Columna 1	Columna 2	Columna 3	Columna 4	Columna 5
Cuando usted nació ambos de sus padres (padre y madre) eran ciudadanos de EEUU.	Cuando usted nació su padre o su madre era ciudadano de EEUU y el otro era Nacional de EEUU.	Cuando usted nació uno de sus padres (padre o madre) era ciudadano de EEUU y el otro NO era ni ciudadano ni Nacional de EEUU.	Cuando usted nació su madre era ciudadana de EEUU y sus padres no estaban casados.	Cuando usted nació su padre era ciudadano de EEUU y sus padres no estaban casados.
• Usted debe demostrar que ambos padres ya eran ciudadanos de EEUU cuando usted nació. • Usted puede pedir la ciudadanía de EEUU a través de su padre o de su madre. • Usted debe demostrar que cualquiera de sus dos padres vivió en EEUU (o en una de sus posesiones dependiendo de la fecha) en cualquier momento antes de que usted naciera. Ninguno de los padres tiene que haber vivido en EEUU por un periodo de tiempo específico, pero mientras vivía él o ella tiene que haber mantenido su hogar principal en EEUU.	• Usted debe demostrar que uno de sus padres ya era ciudadano y el otro ya era nacional de EEUU cuando usted nació. • Usted puede pedir la ciudadanía de EEUU cuando usted nació. • Usted debe demostrar que el padre que es ciudadano vivía en EEUU (o en una de sus posesiones dependiendo de la fecha) en cualquier momento antes de que usted naciera. El padre o la madre no tiene que haber vivido en EEUU por un periodo de tiempo específico pero mientras vivía en EEUU él o ella tiene que haber mantenido su hogar principal en EEUU.	• Usted puede pedir la ciudadanía de EEUU por medio del padre que es ciudadano. • Si usted nació fuera de EEUU debe demostrar que el padre que era ciudadano vivió por 10 años en EEUU o en una de sus posesiones antes de usted nacer. Al menos 5 de esos años tienen que haber transcurrido después de ese padre o madre cumplir los 16 años. **Si usted nació antes de Octubre 10 de 1952, debe demostrar que:** • Usted llegó a EEUU antes de cumplir 23 años de edad. • Inmediatamente después de su llegada usted estuvo presente continuamente en EEUU por 5 años entre los 14 y 28 años de edad y que durante ese tiempo usted no salió de EEUU por más de un año. **Ó usted también puede demostrar que:** • Usted estuvo presente continuamente en EEUU por dos años entre los 14 y 28 años de edad sin salir del país por más de 60 días. *NOTA: Existen excepciones a estas reglas si usted no se enteró que era elegible para la ciudadanía de EEUU antes de los 28 años de edad.* **Ó usted puede demostrar que:** • Usted es hijo de un ciudadano de EEUU. Que usted nació en una de las posesiones de EEUU y que su padre vivió en EEUU o en una de sus posesiones antes de usted nacer.	• Usted debe demostrar que su madre era ciudadana de EEUU cuando usted nació. • Usted debe demostrar que su madre vivió en algún momento antes de EEUU en que usted naciera.	• Usted debe demostrar que su padre ya era ciudadano de EEUU cuando usted nació y que su padre cumple con todos los requisitos de ciudadanía por medio de descendencia a través del padre. • Usted debe demostrar que antes de usted cumplir 21 años de edad su padre lo reconoció como hijo legítimo o lo reconoció como hijo por medio de una corte de justicia. • El proceso de legitimación tiene que cumplir con los requisitos de la ley donde su padre vive o vivía.

Condiciones y Requisitos del Servicio de Inmigración

Tabla 4: Personas nacidas en Diciembre 24 de 1952 o después, pero antes de Noviembre 14 de 1986

Situación de Sus Padres Como Inmigrantes Cuando Usted Nació

Columna 1	Columna 2	Columna 3	Columna 4	Columna 5
Cuando usted nació ambos de sus padres (padre y madre) eran ciudadanos de EEUU.	Cuando usted nació uno de sus padres era ciudadano de EEUU y el otro era nacional de EEUU.	Cuando usted nació uno de sus padres (padre y madre) era ciudadano de EEUU y el otro NO era ni ciudadano ni nacional.	Cuando usted nació su madre era ciudadana de EEUU y sus padres no estaban casados.	Cuando usted nació su padre era ciudadano de EEUU y sus padres no estaban casados.
• Usted debe demostrar que ambos padres ya eran ciudadanos de EEUU cuando usted nació. • Usted debe demostrar que <u>uno de sus dos padres</u> vivió en EEUU o en una de sus posesiones en cualquier momento antes de que usted naciera. Ninguno de los padres tiene que haber vivido en EEUU por un periodo de tiempo específico, pero mientras vivía en EEUU él o ella tiene que haber mantenido su hogar principal en EEUU.	• Usted debe demostrar que uno de sus padres ya era ciudadano y el otro ya era nacional de EEUU cuando usted nació. • Usted debe demostrar que el padre que es ciudadano estaba <u>presente físicamente</u> en EEUU o en una de sus posesiones continuamente por lo menos por <u>un año</u> antes de que usted naciera. • Si su padre sirvió honorablemente en las fuerzas armadas de EEUU, el tiempo servido cuenta como <u>presencia física.</u>	• Usted puede pedir la ciudadanía de EEUU por medio del padre que es ciudadano solamente. **Usted debe demostrar que:** • El padre que es ciudadano estubo <u>presente físicamente</u> en EEUU o en una de sus posesiones por un periodo de 10 años antes de usted nacer. • Al menos 5 de esos 10 años tienen que haber ocurrido después de que el padre que es ciudadano cumpliera los 14 años de edad. • Los 5 años de presencia física del padre en EEUU después de haber cumplido los 14 años de edad no tienen que haber sido continuos. **O usted puede demostrar también que:** • Usted es hijo de un ciudadano de EEUU. Que usted nació en una de las posesiones de EEUU y que su padre estuvo <u>presente físicamente</u> por <u>un año seguido</u> en EEUU o en una de sus posesiones en cualquier momento antes de usted nacer.	• Usted debe demostrar que su madre era ciudadana de EEUU cuando usted nació. • Usted debe demostrar que su madre estuvo <u>presente</u> <u>físicamente</u> en EEUU o en una de sus posesiones por un periodo continuo de un año en cualquier momento antes de que usted naciera.	• Usted debe demostrar que su padre ya era ciudadano de EEUU cuando usted nació y que su padre cumple con todos los requisitos de ciudadanía por medio de descendencia a través del padre. • Usted debe demostrar que antes de usted cumplir 21 años de edad su padre lo reconoció como hijo legítimo o lo reconoció como hijo por medio de una corte de justicia. • El proceso de legitimación tiene que cumplir con los requisitos de la ley donde su padre vive o vivía.

Condiciones y Requisitos del Servicio de Inmigración

Tabla 5: Para personas nacidas después de Noviembre 14 de 1986

Situación de Sus Padres Como Inmigrantes Cuando Usted Nació

Columna 1	Columna 2	Columna 3	Columna 4	Columna 5
Cuando usted nació ambos padres (padre y madre) eran ciudadanos de EEUU.	Cuando usted nació su padre o su madre era ciudadano de EEUU y el otro era nacional de EEUU.	Cuando usted nació uno de sus padres (padre y madre) era ciudadano de EEUU y el otro NO era ni ciudadano ni nacional.	Cuando usted nació su madre era ciudadana de EEUU y sus padres no estaban casados.	Cuando usted nació su padre era ciudadano de EEUU y sus padres no estaban casados.
• Usted debe demostrar que ambos padres ya eran ciudadanos de EEUU cuando usted nació. • Usted debe demostrar que cualquiera de sus dos padres vivió en EEUU o en una de sus posesiones en cualquier momento antes de que usted naciera. Ninguno de los padres tiene que haber vivido en EEUU por un periodo de tiempo específico, pero él o ella tiene que haber mantenido su hogar principal en EEUU.	• Usted debe demostrar que uno de sus padres ya era ciudadano y el otro ya era nacional de EEUU cuando usted nació. • Usted debe demostrar que el padre que es ciudadano estaba <u>presente físicamente</u> en EEUU o en una de sus posesiones por lo menos <u>un año continuo</u> antes de que usted naciera.	• Usted puede pedir la ciudadanía de EEUU por medio del padre que es ciudadano solamente. • Si usted nació fuera de EEUU, usted debe demostrar que el padre que es ciudadano estaba <u>presente físicamente</u> en EEUU o en una de sus posesiones por un periodo de <u>5 años</u> antes de usted nacer. • Al menos 2 de esos 5 años tienen que haber ocurrido después de que el padre que es ciudadano cumpliera los 14 años de edad. • Los 5 años de presencia física del padre en EEUU después de haber cumplido los 14 años de edad no tienen que haber sido continuos. **O usted puede demostrar también que:** • Usted es hijo de un ciudadano de EEUU. Que usted nació en una de las posesiones de EEUU y que su padre estuvo presente físicamente por un año continuo en EEUU o en una de sus posesiones en cualquier momento antes de usted nacer.	• Usted debe demostrar que su madre era ciudadana de EEUU cuando usted nació. • Usted debe demostrar que su madre estuvo <u>presente físicamente</u> en EEUU o en una de sus posesiones por un periodo continuo de un año en cualquier momento antes de que usted naciera.	• Usted debe demostrar que su padre ya era ciudadano de EEUU cuando usted nació y que su padre cumple con todos los requisitos de ciudadanía por medio de descendencia a través del padre. • Usted debe demostrar que antes de usted cumplir 18 años de edad su padre lo reconoció como hijo legítimo, o lo reconoció como hijo por medio de una declaración jurada, o una corte de justicia declaró que él es su padre, y usted debe demostrar que su padre aceptó por escrito apoyarlo económicamente hasta que usted cumpliera los 18 años de edad.

Condiciones y Requisitos del Servicio de Inmigración

Capítulo 2

Visas Temporales
Condiciones y Cómo Solicitar

Una visa es un permiso del Servicio de Inmigración para que una persona extranjera pueda entrar a EE.UU. Existen visas para muchos propósitos, pero solo dos categorías (1) visas temporales que solo permiten a una persona estar en EE.UU. por un tiempo limitado, y (2) visas permanentes que permiten a una persona vivir en EE.UU. permanentemente. Por ejemplo, vea a continuación que tipos de visas existen bajo estas dos categorías.

<table>
<tr>
<td>

Visas Temporales para No-Inmigrantes
Visas para Visitantes y Residentes Temporales

1. Visas para Visitas de Negocio o Placer.
2. Visas para Trabajadores Temporeros.
3. Visas para Estudiantes.
4. Visas para Visitantes Extranjeros en Intercambio.
5. Visas para Personas que se Casarán con un Ciudadano de EE.UU.
6. Visas para Profesionales de NAFTA.
7. Visas K: Visas para Hijos(as) o esposos(as) de Ciudadanos de EE.UU.
8. Visas T: Ley de Visas para la Protección de Mujeres y Víctimas de Violencia y Drogas
9. Visas V: Visas para Hijos(as) o esposos(as) de Residentes Permanentes de EE.UU.

</td>
<td>

Visas Permanentes para Inmigrantes
Visas para Residencia Permanente

1. Visas para Personas que Inmigran por Medio de su Familia.
2. Visas para Personas que Inmigran para Trabajar.
3. Visas para Personas que Desean Ajustar su Situación Como Asilados o Refugiados.
4. Lotería de Visas Permanentes del Servicio de Inmigración y Naturalización.
5. Visas por Medio de Adopción.
6. VAWA: Visas para Personas que Sufren de Maltrato o Violencia Familiar.
7. Visas por medio del Registro del Servicio de Inmigración y Naturalización.

(Vea estas Visas en el Capítulo 3)

</td>
</tr>
</table>

En este capítulo solamente discutiremos las visas temporales y las condiciones para obtener cada una de ellas. También hablaremos brevemente sobre el proceso y los formularios que usted debe completar para conseguir estas visas. En el siguiente capítulo discutiremos las visas permanentes.

Qué es una Visa Temporal: Información General

Una visa temporal es un permiso que da el Servicio de Inmigración a personas extranjeras que desean entrar a EE.UU. por un tiempo específico. Por esa razón las visas temporales también son conocidas como Visas para No-Inmigrantes, Visas de Residencia Temporal, o Visas para Visitantes. Existen varios tipos de Visas Temporales (para estudiantes, turistas, visitantes, de trabajo, etc.), pero todas exigen las mismas condiciones de cualquier extranjero que desee entrar a EE.UU.

Las visas temporales pueden ser extendidas. Es decir, el tiempo por el cual la visa es valida puede ser aumentado por medio de un pedido especial a Inmigración. Por supuesto, la extensión adicional es temporal. Además de poder extender el periodo de tiempo de una Visa temporal, una persona también puede pedir que su visa temporal sea ajustada o cambiada por otra Visa temporal. Por ejemplo, si una persona llega a EE.UU. bajo una visa de estudiante o visitante y luego quiere cambiar su Visa por una Visa temporal de Trabajo, la persona así lo puede hacer siempre y cuando cumpla con las condiciones y restricciones del Servicio de Inmigración.

Condiciones generales para conseguir una visa temporal

1. El propósito de la visita tiene que ser por un tiempo limitado.
2. La persona que pide la visa tiene que asegurar que abandonará EE.UU. al final del periodo de tiempo o de cualquier extensión legal de tiempo autorizada por el Servicio de Inmigración.
3. La persona tiene que poseer un pasaporte válido.
4. La persona tiene que mantener su residencia principal en un país extranjero.
5. La persona puede tener que presentar evidencia o probar que tiene apoyo económico o financiero.
6. La persona tiene que ser admisible o elegible para entrar a EE.UU.
7. La persona tiene que respetar y obedecer los términos y condiciones de admisión a EE.UU.

Extensión de Visas Temporales (extensión de tiempo)

Las visas temporales pueden ser extendidas. Es decir, el tiempo por el cual la visa es valida puede ser aumentado por medio de un pedido especial al Servicio de Inmigración. Por supuesto, la extensión adicional también es temporal. A continuación vea algunas de las condiciones para extender una visa temporal.

1. El tipo de visa que tiene la persona puede ser extendida.
2. La persona no ha cometido ningún acto que prohíba a la persona ser elegible para una extensión de tiempo.
3. La persona tiene que presentar una solicitud para la extensión de la visa antes que la visa corriente expire.

Ajustando su Visa temporal

La ley de inmigración permite ajustar visas temporales si una persona cualifica. A continuación vea algunas de las condiciones generales que exige el Servicio de Inmigración para ajustar una Visa temporal.

1. La persona tiene una visa temporal que puede ser ajustada.
2. La persona es elegible para una Visa temporal diferente de acuerdo a las leyes y normas del Servicio de Inmigración.
3. La persona no ha violado ninguna ley que pueda afectar su elegibilidad para ajustar la Visa temporal.

I. Visas para Visitas de Negocio o Placer

Cualquier extranjero que desea entrar a EE.UU. tiene primero que solicitar permiso por medio de una visa. Las visas para visitas de negocio o de placer están diseñadas para personas que desean entrar a EE.UU. temporalmente por motivos de negocios (Visa B-1) o simplemente por motivos de placer o para obtener tratamiento médico (Visa B-2).

Es importante señalar que una visa no garantiza la entrada a EE.UU. Toda persona que entra al país tiene que pasar por un puerto de entrada. En ese momento un oficial del Servicio de Inmigración debe autorizar la entrada estampando el Formulario I-94 (Acta de Entrada y Salida), el cual señala el periodo de tiempo que la persona estará en EE.UU.

Para cualificar para una visa de negocio o de placer el solicitante tiene que demostrar que él o ella cumplen con todas las condiciones y leyes que rigen al Servicio de Inmigración y Naturalización. El Servicio de Inmigración supone que cada persona que solicita una visa para entrar a EE.UU. lo hace para tratar de inmigrar al país. Cada solicitante tiene entonces que demostrar que su intención es solamente visitar temporalmente el país.

Por ejemplo, cada solicitante debe demostrar que:
1. El propósito de la visita a EE.UU. es por asuntos de negocios, placer, o para recibir tratamiento médico.
2. La visita a EE.UU. es por un tiempo limitado.
3. El solicitante de la visa tiene su residencia permanente en el extranjero además de otras obligaciones que aseguren que el solicitante no se quedará en EE.UU.

A. Cómo solicitar una Visa de Negocio o Placer

Una persona que desea solicitar una visa de negocio o placer debe hacerlo por medio de la embajada o consulado de EE.UU. con jurisdicción sobre el lugar donde la persona vive.

1. Documentos Necesarios
a) Pago del costo de la solicitud.
b) El Formulario DS-156 completado y firmado por el solicitante.
c) Pasaporte válido de su país para viajar a EE.UU. (el pasaporte tiene que continuar siendo válido por lo menos 6 meses después del periodo que la persona desee viajar a EE.UU.). En caso de que la persona tenga un pasaporte para varias personas, cada persona mencionada en el pasaporte debe completar una solicitud DS-156.
d) 2 fotografías (37x37 mm) para cada solicitante, mostrando completamente su cara, sin nada cubriendo la cabeza y frente a una superficie iluminada.

2. Documentos Opcionales (a discreción del Servicio de Inmigración)
a) El solicitante debe demostrar que está debidamente clasificado como visitante bajo las leyes de EE.UU. y debe presentar evidencia que demuestre (1) el propósito de su visita, (2) que la persona saldrá de EE.UU. luego de concluida su visita, y (3) que la persona ha hecho trámites para cubrir los gastos del viaje.
b) Las personas que solicitan una visa de negocios B-1 pueden presentar una carta de la empresa, diciendo que visitarán en EE.UU. indicando el propósito de la visita, el periodo de tiempo que la persona estará en EE.UU., y si la empresa pagará por los gastos del viaje.
c) Las personas que viajan a EE.UU. para obtener tratamiento médico deben tener una carta de su médico o de la institución que realizará el tratamiento médico.

Camioneros Mexicanos

Camioneros mexicanos recogiendo o entregando mercancía comercial pueden entrar a EE.UU. con una Visa B-1

Tratamiento Médico

Las visas de negocio o placer también sirven para obtener tratamiento médico en EE.UU.

Recuerde

Una visa no garantiza la entrada a EE.UU. Toda persona que entra al país tiene que pasar por un puerto de entrada. En ese momento un oficial de Inmigración debe autorizar la entrada al país estampando el Formulario I-94 (Acta de Entrada y Salida) y el cual señala el periodo de tiempo que la persona estará en EE.UU. Aunque se haya conseguido una visa, los oficiales de Inmigración pueden impedir la entrada a EE.UU. si la persona no es elegible o no tiene con ella todos los documentos necesarios.

Diferentes Visas para Trabajadores Temporeros (Visas más Comunes Solamente)

Visa	Tipo de Empleo o Trabajador
E-1	Persona de un país con tratados amistosos o de comercio que visita EE.UU. para intercambio comercial .
E-2	Persona de un país con tratados bilaterales de comercio que visita EE.UU. para dirigir o desarrollar inversiones.
H-1B1	Persona que viene a EE.UU. para realizar servicios en una ocupación especial. Ocupación especial significa que es una ocupación que necesita la aplicación práctica y teorética del conocimiento de la persona. La persona tiene que poseer un bachillerato universitario en esa especialidad ocupacional.
H-1B2	Persona que viene a EE.UU. para realizar servicios para proyectos del Departamento de Defensa de EE.UU.
H-2A	Trabajadores agrícolas que vienen a EE.UU. por un tiempo limitado.
H-2B	Trabajadores que vienen a EE.UU. para realizar labores en empleos temporales o intermitentes.
H-3	Personas que vienen a EE.UU. para participar de entrenamientos de educación especial para niños con dificultades mentales, físicas, o emocionales.
L-1A	Personas que vienen a EE.UU. temporeramente para hacer labores ejecutivas o empresariales.
L-1B	Personas que vienen a EE.UU. temporeramente para hacer labores que exigen conocimiento especializado.
O-1, O-2	Personas que vienen a EE.UU. temporeramente y que poseen habilidades extraordinarias en ciencia, educación, o negocios.
P-1, P-2, P-3	Artistas y su personal de apoyo que vienen a EE.UU. solos o como parte de un grupo por medio de intercambios culturales entre organizaciones de EE.UU. y del país de origen.
Q-1	Personas que vienen a EE.UU. temporeramente para participar en programas de intercambio cultural.
R-1, R-2	Personas que vienen a EE.UU. temporeramente como estudiosos o líderes religiosos.

Tiempo y Extensiones Permitidas (Visas más Comunes Solamente)

Visa	Tiempo Permitido	Extensión Permitida	
E-1	2 años	Hasta 2 años por cada extensión. Con algunas excepciones la visa puede ser extendida cuantas veces sea necesario.	
E-2	2 años	Hasta 2 años por cada extensión. Con algunas excepciones la visa puede ser extendida cuantas veces sea necesario.	
H-1B1	Hasta 3 años	Hasta 3 años. Estadía total limitada a 6 años.	
H-1B2	Hasta 3 años	Hasta 3 años. Estadía total limitada a 6 años. Algunas excepciones aplican.	
H-1C	Hasta 3 años	Estadía limitada a un total de 3 años.	
H-2A, H-2B	Máximo de 1 año.	Mismas reglas que Certificados de Empleo (cada extensión válida por un año). Estadía total limitada a 3 años.	
H-3	Adiestramiento especial hasta 18 meses . Si no, el máximo es un año.	Estadía total para personas recibiendo adiestramiento bajo educación especial está limitada a 18 meses. Estadía total para otras personas recibiendo adiestramiento es 2 años.	
L-1A	Hasta 3 años para personas tomando un empleo existente. 1 año para personas tomando un empleo creado recientemente	Extensiones de hasta 2 años. Estadía total limitada a 7 años.	
L-1B	Hasta 3 años para personas tomando un empleo existente. 1 año para personas tomando un empleo creado recientemente	Una extensión de hasta 2 años. Estadía total limitada a 5 años.	
O-1, O-2	Hasta 3 años	Extensiones de hasta 1 año.	
P-1, P-2, P-3 y su personal de apoyo	Atletas: hasta 5 años por cada. Grupos atléticos o de entretenimiento: Hasta 1 año.	Extensiones de 5 años por cada atleta. Estadía total limitada a 10 años. Extensiones de 1 año para grupos de atletas o entretenimiento.	
Q-1	Hasta 15 meses	Estadía total limitada a 15 meses.	
R-1, R-2	Hasta 3 años	Extensiones de hasta 2 años. Estadía total limitada a 5 años.	
Otras	Hasta 1 año	Extensiones de 1 año.	

d) El visitante de placer puede presentar cartas de familiares o amistades en EE.UU. que la persona planea visitar, o confirmando que la persona participará en un viaje de placer. También se puede presentar una carta de una compañía turística.

3. Información Adicional

    a) Personas que han obtenido visas anteriormente deben preguntar sobre el proceso de <u>visado expreso</u> en el consulado o la embajada de EE.UU.

    b) Una visa es válida hasta el día en que expira a menos que sea cancelada anticipadamente. Por lo tanto, si la persona tiene una visa válida pero su pasaporte se ha vencido, la persona puede usar la misma visa con un nuevo pasaporte.

    c) Si una persona miente o defrauda a las autoridades para conseguir una visa, el Servicio de Inmigración puede rechazar a la persona permanentemente y la persona jamás podrá volver a EE.UU.

    d) Si una visa es rechazada, la persona puede solicitar nuevamente solamente si puede ofrecer nueva evidencia para que el Servicio de Inmigración apruebe la visa.

II. Visas para Trabajadores Temporeros

Un empleador que desea contratar a una persona temporalmente para trabajar, rendir un servicio o recibir adiestramiento debe completar el **Formulario I-129** (solicitud de visa para empleo temporero). Esta solicitud es utilizada por personas que estarán en el país por un periodo específico de tiempo. Al concluir el periodo la persona tiene que abandonar EE.UU.

Existen muchas categorías de trabajadores temporeros que pueden pedir una visa por medio del Formulario I-129. Por ejemplo, vea en la siguiente página las diferentes categorías de visas para trabajadores temporeros y el periodo de tiempo permitido en EE.UU. bajo cada.

A. Cómo solicitar una Visa para Trabajadores Temporeros

Para conseguir una Visa temporal su empleador o patrón tiene que completar el **Formulario I-129** y las secciones que aplican a las diferentes visas. Su empleador tiene entonces que entregar los documentos exigidos por Servicio de Inmigración acompañados del pago para procesar la solicitud. En muchos casos su empleador también debe que obtener un certificado del Departamento del Trabajo antes de completar el Formulario I-129.

Si la solicitud es aprobada, el empleador será notificado por el Servicio de Inmigración por medio del Formulario I-797, informando que la solicitud ha sido aprobada. Es importante entender que la aprobación de la solicitud no garantiza que la persona recibirá una visa del Servicio de Inmigración para entrar a EE.UU.

Cuándo Solicitar

Las peticiones de Visas para Trabajadores Temporeros tienen que ser solicitadas al menos 6 meses antes de la fecha en que comenzará el empleo. Este también es el caso para personas que desean obtener una extensión de tiempo de su visa de trabajo. Si la solicitud no es entregada al Servicio de Inmigración al menos 45 días antes de comenzar el empleo, es casi seguro que el proceso de determinación no será completado y la persona no podrá obtener la visa.

III. Visas para Estudiantes

Existen dos tipos de visas temporales para personas que desean estudiar en EE.UU. Las "Visas F" y las "Visas M." Las Visas F son reservadas para personas que desean obtener una educación académica o que desean recibir adiestramiento lingüístico o ambos. Las Visas M son para personas que desean cursar estudios vocacionales, técnicos, o no-académicos.

Requisitos Generales para las Visas de Estudiantes
1. El estudiante tiene que estar registrado en un programa académico, lingüístico o vocacional.
2. El estudiante tiene que estar registrado como estudiante a tiempo completo en la institución.
3. El estudiante tiene que saber hablar inglés a un nivel aceptable para cursar estudios es ese idioma o estar registrado en cursos de inglés para alcanzar ese nivel.
4. El estudiante debe poseer suficientes fondos para sostenerse económicamente durante sus estudios.
5. El estudiante debe mantener su residencia principal en el extranjero y no tener intención de abandonarla.
6. La escuela o institución educativa tiene que ser o estar aprobada por el Servicio de Inmigración.

Escuelas, Colegios y Universidades Aprobadas por el Servicio de Inmigración (2 categorías)
- Escuelas administradas por el gobierno como una institución pública de educación .
- Escuelas acreditadas por una agencia nacional dedicada a la acreditación de escuelas.

Si una institución de educación superior no cae bajo ninguna de estas categorías, la institución debe someter evidencia de que sus cursos son aceptados por al menos tres escuelas acreditadas.

Si una escuela elemental privada, o una escuela secundaria pública o privada, no cae bajo ninguna de las dos categorías de escuelas aprobadas por el Servicio de Inmigración, la escuela debe ofrecer evidencia de que:

1. Cumple con las condiciones de asistencia obligatoria del estado donde esta localizada, y
2. Cualifica a sus graduados para ser admitidos en instituciones a nivel de educación superior.

Las escuelas elementales y secundarias privadas deben demostrar que están acreditadas por una organización certificada por el Departamento de Educación de EE.UU.

A. Cómo Solicitar

1. Personas fuera de EE.UU.)
Para recibir una visa de estudiante, la persona tiene primero que pedir admisión a una institución educativa en EE.UU. Si la persona es aceptada o admitida, la escuela le enviará el Formulario I-20 M-N/ID ó I-20 A-B/ID (Certificado de Elegibilidad para Estudiante No-migratorio o temporal) dependiendo si el estudiante esta registrado en un programa académico o vocacional. Si la persona necesita una visa para entrar a EE.UU., el Formulario I-20 debe ser llevado a la embajada o a la oficina consular de EE.UU. para conseguir una visa de estudiante. Solamente el Formulario I-20 de la escuela a la que la persona asistirá es necesario. La persona también debe presentar a la embajada o al consulado evidencia de que tiene los recursos o el apoyo económico para pagar por el costo vida y la educación en EE.UU. Si la solicitud es aprobada la persona recibirá instrucciones específicas sobre los siguientes pasos a seguir.

2. Personas que ya están dentro de EE.UU. con otro tipo de visa
Primero la persona tiene que pedir admisión a una escuela aprobada por el Servicio de Inmigración. Si la persona es aceptada la escuela le enviará el Formulario I-20 M-N/ID ó I-20 A-B/IID (Certificado de Elegibilidad para Estudiante No-migratorio o temporal) dependiendo si el estudiante está registrado en un programa académico o vocacional. La persona entonces tiene que presentar este formulario, acompañado de una copia del Formulario I-94 (Acta de Entrada y Salida) y el Formulario I-539 (Solicitud para extender o cambiar el tipo de visa). El Servicio de Inmigración también exige evidencia de que la persona tiene los recursos o el apoyo económico para pagar por el costo vida y de la educación en EE.UU.

3. **Formulario I-17 (solo puede ser completado electrónicamente)**

El Formulario I-17 del Servicio de Inmigración es otro documento que debe ser completado (electrónicamente) para iniciar el proceso de solicitud para una visa de estudiante. El formulario debe ser completado por el director de distrito de la ciudad donde está localizada la escuela. Las siguientes condiciones también deben ser cumplidas:

- El Formulario I-17 debe ser firmado por un oficial autorizado de la institución educativa o de la escuela.
- La institución educativa o la escuela debe presentar una certificación que muestre que está licenciada, aprobada, o acreditada.

4. **Familiares del Estudiante**

El esposo(a) y cualquier hijo(a) menor de 21 años de edad pueden acompañar a la persona que viene a estudiar a EE.UU. Estos familiares deben ir también a la embajada o a las oficinas consulares de EE.UU. y pedir una visa bajo la visa de estudiante de la persona que viene a estudiar en EE.UU.

IV. Visas para Visitantes Extranjeros en Intercambio

El Servicio de Inmigración ofrece dos tipos de visas para personas que participan en programas de intercambio de visitantes en EE.UU. ("Visas J" y Visas Q"). Las Visas J son para intercambios educativos y culturales designados por el Departamento de Estado de EE.UU. Las Visas Q son para intercambios internacionales designados por el Servicio de Inmigración.

"Visas J"

Los programas que trabajan bajo las Visas J están diseñados para promover el intercambio de sabiduría y conocimiento personal en las áreas de educación, artes y ciencias. Las personas incluidas en estos programas son las siguientes:

- Estudiantes académicos en todos los niveles,
- Personas siendo adiestradas en un tipo de empleo,
- Maestros y profesores de primaria, secundaria y de escuelas especializadas,
- Profesores que enseñan o estudian en instituciones de educación superior,
- Académicos,
- Médicos y profesionales en áreas relacionadas,
- Visitantes internacionales que viajan con el propósito de observar, estudiar, adiestrar, compartir o demostrar conocimientos o destrezas especiales.

"Visas Q"

El programa de intercambio internacional bajo las Visas Q está diseñado para proveer entrenamiento, práctica, y empleo y para intercambiar la cultura, historia y tradiciones de EE.UU. con otros países.

A. Condiciones para Visas de Intercambio

1. Fondos Económicos

Las personas que solicitan la Visa J deben presentar evidencia de que poseen suficientes fondos para cubrir los gastos de su visita incluyendo cualquier ayuda económica, préstamo, contribución o pago que la persona reciba por medio de la organización auspiciando su visita. Las personas con Visas Q recibirán el mismo pago o salario establecido para trabajadores de EE.UU.

2. Preparación Académica

Los visitantes con Visas J deben tener suficiente preparación académica para participar en cualquiera de los programas de esa visa. La preparación académica debe incluir el manejo del idioma inglés o el programa debe incluir clases especiales para personas que no hablen inglés. Personas con Visas Q deben tener al menos 18 años de edad y también deben poder comunicar efectivamente los atributos de su país de origen.

3. Visas para Educación Médica y Adiestramiento

Las personas con Visas J bajo programas de estudios graduados o adiestramiento en medicina deben cumplir con ciertas condiciones, incluyendo aprobar el examen FMGEMS (Foreign Medical Graduate Examination in Medical Sciences).

Las personas también tienen que demostrar habilidad para hablar inglés, y disponibilidad para servir automáticamente en el programa de residencia médica en EE.UU., exigido al final de su educación en este país. Las personas también tienen que obedecer los límites de tiempo establecidos por el programa. Los médicos que visitan EE.UU. bajo los programas de intercambio con el propósito de observar, consultar, enseñar o estudiar en áreas de ciencias médicas donde existen pocos pacientes o ninguno, no están sujetos a las condiciones mencionadas anteriormente.

4. Formularios / Peticiones

Las personas que deseen conseguir una **"Visa J"** deben presentar el Formulario IAP-66 (Certificado de Elegibilidad para Visitantes de Intercambio) preparado por la agencia o institución designada que auspicie el programa de intercambio.

Las personas que deseen conseguir una **"Visa Q"** deben presentar el Formulario I-129 (Petición para Trabajadores No-migratorios o temporeros) a través de la organización que auspicie el programa.

V. Visas para Personas que se Casarán con un Ciudadano de EE.UU. (Visas K-1)

Si una persona se va a casar con un ciudadano de EE.UU. y la ceremonia será realizada en EE.UU., la persona que es ciudadana debe presentar al INS el Formulario I-129F (solicitud para una visa para personas que se casarán con un ciudadano de EE.UU.) para que la persona que no es ciudadana y con quien se casará pueda entrar a EE.UU. Si la petición es aprobada, la persona debe entonces pedir una visa en la embajada o en la oficina consular del país donde él o ella se encuentra.

A. Quién es Elegible para una Visa K-1

Las personas que han de recibir una Visa K-1 tienen que cumplir con las siguientes condiciones.

- La persona que es ciudadana de EE.UU. debe presentar el **Formulario I-129F** (solicitud para una visa para personas que se casarán con un ciudadano de EE.UU.) al Servicio de Inmigración,
- Ambas personas están autorizadas para casarse bajo las leyes de EE.UU.,
- La pareja no puede casarse hasta que la persona que no es ciudadana de EE.UU. llegue a EE.UU.
- Ambas personas se han visto personalmente en los últimos 2 años (esta restricción no aplica si la persona violaría alguna costumbre religiosa o cultural, o si crea problemas extremos para la persona que es ciudadano de EE.UU.

Niños de Matrimonios Anteriores
La persona que es ciudadana de EE.UU. también puede pedir visas del Servicio de Inmigración para los niños de la persona con quien se casará.

B. 90 Días para Casarse

El matrimonio tiene que ser realizado como máximo dentro de 90 días después de que la persona entre a EE.UU. Si el matrimonio no es realizado dentro de esos 90 días, o si la persona se casa con otro individuo, la persona deberá abandonar EE.UU. Mientras el matrimonio no sea realizado la persona es considerada como un "visitante no-inmigrante" que solamente tiene como propósito venir a EE.UU. para casarse con la persona que pidió que se le otorgara una visa temporal. La persona no puede conseguir una extensión luego de los 90 días que permite la visa. Es importante recordar que la visa solamente puede ser usada para entrar a EE.UU. una sola vez. Si la persona sale de EE.UU. antes de los 90 días otorgados por la visa o antes de casarse la persona deberá conseguir una nueva visa para volver a entrar a EE.UU.

C. Luego del Matrimonio

Si la persona desea vivir y trabajar permanentemente en EE.UU. y luego de casarse, el Servicio de Inmigración exige que la persona pida un Permiso de Residencia Permanente. Si la persona no desea vivir o trabajar en EE.UU. y no desea pedir la residencia permanente él o ella tiene que salir del país dentro de los 90 días permitidos por la visa. Como regla general cuando una persona extranjera se casa con un ciudadano de EE.UU., el Servicio de Inmigración otorga condicionalmente un Permiso de Residencia Permanente válido por 2 años.

Permisos de Empleo
Luego de llegar a EE.UU., la persona que se casa con un ciudadano de EE.UU. es elegible para solicitar un permiso para trabajar (Formulario I-765: Solicitud de Permiso de Empleo). Si la persona solicita la residencia permanente, ésta debe solicitar nuevamente un permiso de empleo.

VI. Visas para Profesionales de NAFTA

Solamente los ciudadanos de México y Canadá son elegibles para recibir visas temporales para profesionales bajo el Tratado de Libre Comercio de América del Norte (NAFTA por sus iniciales en inglés). Bajo NAFTA los ciudadanos de México y Canadá pueden trabajar como profesionales en EE.UU. bajo las siguientes condiciones:

- La profesión está en la lista de NAFTA (vea a continuación la lista actualizada para el año 2005).
- La persona posee los atributos especiales necesarios para practicar esa profesión.
- El trabajo a ser realizado necesita una persona en esa profesión.
- La persona será empleada por una empresa de EE.UU.

Las personas que cualifican para recibir una visa como profesionales bajo NAFTA pueden venir a EE.UU. con su esposo o esposa y con sus niños menores de 18 años (niños de la persona con la visa principal). Sin embargo, ninguno de estos familiares puede aceptar empleo en EE.UU.

Condiciones para Profesionales bajo NAFTA
(Recuerde: Solo ciudadanos profesionales de México y Canadá son elegibles para esta visa)

1. La empresa tiene que completar una solicitud de Condiciones Laborales.
2. La empresa tiene que completar el Formulario I-129 (Pedido para Empleados Temporeros) y entregarlo al Servicio de Inmigración.
3. Si la solicitud es aprobada, la persona tiene que solicitar una visa temporal por medio de la embajada o una oficina consular de EE.UU. en México o Canadá.

EXTENSIONES
Los ciudadanos mexicanos que deseen extender su visa como profesionales de NAFTA deben hacerlo por medio de la empresa que los contrata. Para extender la visa, la empresa debe renovar el Certificado de Empleo del empleado, y completar otro Formulario I-129 y entregarlo a la oficina local del Servicio de Inmigración.

Profesión / Educación Mínima y Credenciales Alternativas			
Científicos y Profesionales en Ciencias			
Agrónomo	Bachiller o Licenciatura	Genetista	Bachiller o Licenciatura.
Dietista Veterinario	Bachiller o Licenciatura	Geoquímico	Bachiller o Licenciatura.
Científico Veterinario	Bachiller o Licenciatura	Geofísico	Bachiller o Licenciatura.
Apiculturista	Bachiller o Licenciatura	Horniculturista	Bachiller o Licenciatura.
Astrónomo	Bachiller o Licenciatura	Farmacólogo	Bachiller o Licenciatura.
Bioquímico	Bachiller o Licenciatura	Físico	Bachiller o Licenciatura.
Químico	Bachiller o Licenciatura	Dietista de Planta	Bachiller o Licenciatura.
Científico Lácteo	Bachiller o Licenciatura	Científico en Aves	Bachiller o Licenciatura.
Entomólogo	Bachiller o Licenciatura	Científico en Suelo	Bachiller o Licenciatura.
Epidemiólogo	Bachiller o Licenciatura	Zoólogo	Bachiller o Licenciatura.
Maestros y Profesores			
Universitario			Bachiller o Licenciatura.
Seminario			Bachiller o Licenciatura.
Colegio			Bachiller o Licenciatura.

Profesión	Educación Mínima y Credenciales Alternativas
Contador Publico	Bachiller o Licenciatura; C.P.A., C.G.A., o C.M.A.
Arquitecto	Bachiller o Licenciatura; o Licencia Estatal o Provincial.
Analista en Sistemas de Computación	Bachiller o Licenciatura; Diploma Graduado o postsecundario, y tres años de experiencia.
Ajustador de Seguros	Bachiller o Licenciatura, y adiestramiento en las áreas de ajustador de seguros por desastres, o tres años de experiencia en estas áreas.
Economista	Bachiller o Licenciatura.
Ingeniero	Bachiller o Licenciatura, o licencia estatal o provincial.
Empleado Forestal	Bachiller o Licenciatura, o licencia estatal o provincial.
Diseñador gráfico	Bachiller o Licenciatura, o licencia estatal o provincial, o diploma graduado o post-secundario, y tres años de experiencia.
Administrador Hotelero	Bachiller o Licenciatura en administración de hoteles, o diploma o certificado post-secundario en administración de hoteles o restaurantes, y tres años de experiencia en hoteles o restaurantes.
Diseñador Industrial	Bachiller o Licenciatura; diploma o certificado post-secundario, y tres años de experiencia.
Diseñador de Interiores	Bachiller o Licenciatura; diploma o certificado post-secundario, y tres años de experiencia.
Sondeador de Terrenos	Bachiller o Licenciatura; o licencia estatal, federal o provincial.
Arquitecto de Terrenos	Bachiller o Licenciatura.
Abogado o Licenciado en Derecho	L.L.B., J.D., L.L.L., B.C.L., o Licenciatura (5 años), o membresía en un colegio estatal o provincial de abogados.
Bibliotecario	M.L.S., o B.L.S. (para el cual un Bachiller fue prerrequisito)
Consultor en Administración Empresarial	Bachiller o Licenciatura; o experiencia profesional equivalente establecida por sus credenciales profesionales que verifiquen un mínimo de 5 años de experiencia como consultor en administración empresarial, o5 años de experiencia en un área relacionada al contrato de consultoría.
Matemático o Estadístico	Bachiller o Licenciatura.
Conservacionista	Bachiller o Licenciatura.
Asistente de Estudios postgraduados (trabajando en una institución educativa)	Bachiller o Licenciatura.
Técnico Científico/Tecnólogo	Debe poseer conocimiento teórico en cualquiera de las siguientes áreas: ciencias en agricultura, astronomía, biología, química, ingeniería, ciencias forestales, geología, geofísica, meteorología, o física. También debe poseer la habilidad para aplicar cualquiera de esas disciplinas a estudios básicos o aplicados.
Trabajador Social	Bachiller o Licenciatura.
Silviculturista	Bachiller o Licenciatura.
Escritor de Editoriales Técnicos	Bachiller o Licenciatura; diploma o certificado post-secundario, y tres años de experiencia.
Planeador Urbano / Geógrafo	Bachiller o Licenciatura.
Consejero Vocacional	Bachiller o Licenciatura.
Médicos y otras Profesiones en Medicina	
Dentista	D.D.S., D.M.D., Doctor en Odontología o Doctor en Cirugía Dental, o licencia estatal o provincial
Dietista	Bachiller o Licenciatura, o licencia provincial o estatal.
Tecnólogo Medico de Laboratorio o Tecnólogo Medico	Bachiller o Licenciatura, o diploma o certificado post-secundario, y tres años de experiencia.
Nutricionista	Bachiller o Licenciatura.
Trapista ocupacional	Bachiller o Licenciatura, o licencia provincial o estatal.
Farmacéutico	Bachiller o Licenciatura, o licencia provincial o estatal.
Medico o Doctor (profesor o haciendo Estudios Investigativos)	M.D., Doctor en Medicina, o licencia provincial o estatal.
Fisioterapista o Terapista Físico	Bachiller o Licenciatura, o licencia provincial o estatal.
Psicólogo	Bachiller o Licenciatura, o licencia provincial o estatal.
Terapista Recreacional	Bachiller o Licenciatura.
Enfermera Registrada	Licenciatura o licencia provincial o estatal.
Veterinario	D.V.M., D.M.V., o Doctor en Veterinaria, o licencia provincial o estatal.

VII. Visas K: Visas para Hijos(as) y Esposos(as) de Ciudadanos

La Ley de Igualdad/Equidad Familiar de Inmigración Legal y sus enmiendas (LIFE Act) establece una nueva categoría dentro de la ley de inmigración para permitir la entrada temporal a personas que son esposos, esposas, o hijos de ciudadanos de EE.UU. Esta visa permite que estas personas entren a EE.UU. para tramitar o completar el proceso para pedir la residencia permanente en EE.UU. bajo las leyes de inmigración aplicables. Esta visa también permite que estas personas puedan trabajar legalmente en EE.UU. mientras procesan su caso de inmigración.

A. Quién es Elegible

Una persona puede recibir una Visa K-3 si:
- La persona se ha casado con un ciudadano de EE.UU. válida y legalmente,
- El esposo o esposa que es ciudadano de EE.UU. ha completado el Formulario I-130 (Pedido para Familiares Extranjeros) para que la persona pueda recibir la visa.
- El Formulario I-129F (solicitud para personas que se casarán con un ciudadano de EE.UU.) ha sido aprobado y enviado al consulado o a la embajada de EE.UU. donde la persona solicitara una visa "K-3" o "K-4". El consulado o embajada de EE.UU. debe estar localizada en el país donde la persona contrajo matrimonio con el ciudadano de EE.UU. (si existe una oficina consular o una embajada de EE.UU. en ese país). Si el matrimonio fue celebrado en EE.UU., el consulado donde la persona extranjera mantiene su residencia al presente tiene jurisdicción sobre el caso de esa persona.

Una persona es elegible para recibir una **Visa K-4** si esa persona es menor de 21 años de edad y si la persona es el hijo(a) de una persona extranjera elegible para recibir una Visa K-3.

B. Cómo Solicitar una Visa K

Para que una persona extranjera pueda solicitar una Visa K para él, ella, o sus niños, la persona que es residente de EE.UU. primero tiene que completar el Formulario I-130 a favor de la persona extranjera. El Formulario I-130 tiene que ser completado y entregado al Centro de Servicio del Servicio de Inmigración que tenga jurisdicción sobre el lugar de nacimiento del ciudadano de EE.UU. El ciudadano de EE.UU. entonces recibirá el Formulario I-797 (Notificación de Acción) indicando que la solicitud ha sido recibida. La persona que es ciudadana debe entonces completar un Formulario I-129F y enviarlo junto a una copia de la Notificación I-797 al Servicio de Inmigración a la dirección al final de esta página.

El solicitante debe ser cuidadoso y seguir las instrucciones en cada uno de los formularios y presentar todos los documentos necesarios. Una vez el Servicio de Inmigración determina que la persona cualifica para la Visa K la información es enviada al consulado de EE.UU. donde la persona se encuentra para que pueda solicitar la visa al Departamento de Estado.

C. Permisos de Trabajo Bajo las Visas K-3, K-4

Las personas con Visas "K-3" y "K-4" y las personas que se encuentran solicitando un ajuste de su visa temporal a residente permanente son elegibles para solicitar un permiso de empleo mientras sus casos son tramitados por el Servicio de Inmigración (personas que han completado los Formularios I-130 o I-485). Para solicitar un permiso de empleo mientras su caso es tramitado, la persona debe completar el Formulario I-765 (Solicitud para Autorización de Empleo). Si la persona tiene una Visa "K-3" o "K-4", el Formulario I-765 y el pago para procesar el formulario deben ser enviados por correo a la dirección inmediatamente abajo:

U.S. Citizenship and Immigration Services
P.O. Box 7218
Chicago, IL 60680-7218

Las personas que ya tienen un permiso de Residencia Permanente no necesitan un permiso de empleo del Servicio de Inmigración. Las personas con residencia permanente tienen una tarjeta de residente (conocida también como tarjeta verde) que prueba y específica que la persona tiene el derecho de vivir y trabajar en EE.UU. permanentemente.

D. Para Viajar Fuera de EE.UU. (Visas K)

Las personas con Visas K pueden viajar fuera de EE.UU. No importa que la persona esté solicitando que su visa sea ajustada a residencia permanente. Lo único que importa es que la Visa K esté vigente y no esté vencida o cancelada.

VIII. Visas T: Visas temporales para la Protección de Mujeres y Víctimas de Violencia y Tráfico de Drogas

En el año 2000 el Congreso de EE.UU. aprobó una nueva ley para (1) proteger a personas que han sido víctimas de crímenes severos por medio de visas temporales (o periodos de tiempo mas extensos en algunos casos) y ayudas federales y estatales; (2) proteger a víctimas de algunos crímenes en especifico, incluyendo crímenes en contra de la mujer; y (3) para ayudar a las agencias del orden público a capturar y encarcelar a traficantes de drogas. Para información sobre personas que sufren de abuso por parte de sus cónyuges que son ciudadanos o residentes permanentes de EE.UU. vea el Capítulo 3, Sección VI, *Visas para Víctimas de Maltrato o Violencia Familiar.*

Solicitud
Las personas interesadas en conseguir una Visa T deben completar el Formulario I-914 (Solicitud para Visas T), la cual incluye una sección para solicitar visas para otros miembros de la familia y otra sección para que los agentes policíacos o investigativos hagan sus declaraciones respecto a su caso.

Personas que deberían estar interesadas en una Visa T:
- Víctimas de crímenes horrendos y severos que viven en otros países o que han llegado a EE.UU. sin documentos, y organizaciones o agencias que ayudan a estas personas.
- Agentes policíacos o investigadores que desean saber cómo esta ley puede ayudar a resolver un caso criminal.

IX. Visas V: Hijos y Esposos de Residentes Permanentes Completando su Solicitud de Residencia Permanente

La Ley de Igualdad y Equidad Familiar de Inmigración Legal y sus enmiendas (LIFE Act) establece una nueva categoría dentro de la ley de inmigración para permitir que personas que son esposos, esposas, o hijos de residentes permanentes en EE.UU., puedan entrar, vivir y trabajar en EE.UU. bajo una visa para no-inmigrantes. Las Visas V permiten que estas personas entren a EE.UU. para tramitar o completar el proceso de solicitud para la Residencia Permanente en EE.UU. o una visa para inmigrante bajo las leyes de inmigración aplicables. Esta visa también permite que estas personas puedan trabajar legalmente en EE.UU. mientras procesan su caso de inmigración.

A. Quién es Elegible para Recibir una Visa V

Una persona puede solicitar una Visa V mientras está en EE.UU. o a través del consulado o la embajada de EE.UU. en su país si la persona cumple con las siguientes condiciones:

- La persona está casada(o) con una persona que posee un permiso legal de Residencia Permanente en EE.UU., o la persona es el hijo o hija menor de 21 años de edad que nunca se ha casado de una persona que posee un permiso legal de Residencia Permanente en EE.UU., y
- La persona es el beneficiario principal del Formulario I-130 (Pedido para Familiares Extranjeros) completado por la persona con residencia legal permanente, y

- La persona ha esperado al menos tres años desde que la solicitud de Residencia Permanente fue entregada al Servicio de Inmigración porque la solicitud todavía esta siendo procesada o ha sido aprobada, pero,
  1. Una visa para inmigrante todavía no está disponible, o
  2. Existe una solicitud para ajustar la visa o una solicitud para una visa para inmigrante.

Los niños de personas con visas "V-1" o "V-2" son elegibles para recibir cualquiera de las visas "V-3" o "V-4"

B. Cómo Solicitar una Visa V

Si la persona se encuentra fuera de EE.UU., la persona debe comunicarse con el consulado o la embajada de EE.UU. para solicitar la visa.

Si la persona se encuentra dentro de EE.UU., ésta debe completar el **Formulario I-539** (Solicitud para Ajustar Condición como No-Inmigrante) y el "Suplemento A" de la solicitud, y pagar la cuota de la solicitud (o pedir que la cuota sea diferida para que la persona no tenga que pagarla). Personas extranjeras entre las edades de 14 a 79 años de edad que completen el Formulario I-539 para conseguir una Visa "V" deben pagar una cuota adicional al Servicio de Inmigración para que se les tomen sus huellas digitales con la solicitud.

La persona que complete el Formulario I-539 tiene que seguir las instrucciones del formulario además de las instrucciones del "Suplemento A" del Formulario. El solicitante además tiene que someterse a un examen médico y completar el **Formulario I-639** (Examen Médico para Extranjeros Ajustando su Condición Migratoria) sin el suplemento de vacunación. La solicitud debe ser enviada a: **CIS, P.O. Box 7216; Chicago, IL 60680-7216.**

C. Permisos de Trabajo para Personas con "Visas V"

Personas con cualquiera de las visas "V-1", "V-2", o "V-3", son elegibles para un permiso de trabajo en EE.UU. El solicitante debe completar el Formulario I-765 (Solicitud Para Autorización de Empleo), y usar el código "(a) (15)" para contestar la pregunta número #16. La solicitud debe ser enviada al **CIS, P.O. Box 7216; Chicago, IL 60680-7216.** Recuerde, el Servicio de Inmigración asigna una dirección diferente para cada tipo de caso. Asegúrese de enviar sus documentos a la dirección con el número de "P.O. Box" correcto.

D. Personas con "Visas V" que Necesitan Viajar Fuera de EE.UU.

Las personas con una visa "V" pueden viajar fuera de EE.UU. y regresar siempre y cuando la visa no esté vencida y la persona cumpla con las condiciones de la visa. Cuando el Servicio de Inmigración otorga un permiso para una "Visa V" la persona tiene que obtener la visa por medio del consulado o la embajada de EE.UU. en el extranjero para poder entrar a EE.UU. (la persona no necesita solicitar una "Visa V" para entrar a EE.UU. si la persona ha viajado a los territorios de EE.UU. o islas adyacentes, tiene otra visa válida y es elegible para revalidación automática).

Una persona que se encuentre procesando o tramitando el Formulario I-485 (Solicitud para Residencia Permanente o Para Ajustar su Condición Migratoria) no necesita obtener permiso antes de salir del país. Esto significa que un extranjero con una "Visa V" puede ser readmitido a EE.UU. como un "extranjero no-inmigrante" sin importar que la persona esté intentando inmigrar a EE.UU. por medio de una Solicitud para Residencia Permanente o Para Ajustar su Condición Migratoria (I-485). La salida de una persona con una solicitud pendiente para ajustar su condición migratoria no es interpretada por Inmigración cómo que la persona ha abandonado su solicitud. Recuerde, que es recomendable que antes de salir de EE.UU. usted se asegure de que no tendrá problemas al regresar.

Recuerde también que si una persona se queda ilegalmente en EE.UU. más de 180 días, viaja al extranjero, y luego es admitido bajo una "Visa V," esa persona ha provocado una suspensión, prohibición, o exclusión automática de EE.UU. por un periodo de 3 a 10 años. La ley de inmigración excusa a extranjeros con "Visas V" de esta penalidad cuando entran a EE.UU. cómo "extranjero no-inmigrante" pero no más tarde cuando estas personas solicitan una visa permanente o residencia permanente. Esto significa que aunque una persona será admitida o readmitida a EE.UU. bajo una "Visa V," la persona no podrá convertirse en residente permanente sin un permiso especial.

Capítulo 3

Visas Permanentes
Condiciones para Vivir y Trabajar en EE.UU.

Una visa es un permiso del Servicio de Inmigración para que una persona extranjera pueda entrar a EE.UU. Existen dos categorías de visas: (1) visas temporales que solo permiten a una persona estar en EE.UU. por un tiempo limitado y (2) visas permanentes que permiten a una persona vivir en EE.UU. permanentemente. Vea a continuación los tipos de visas que existen bajo cada una de estas dos categorías.

Visas Temporales para No-Inmigrantes	Visas Permanentes para Inmigrantes
Visas para Visitantes y Residentes Temporeros	*Visas para Residencia Permanente*
(Capítulo 2)	

Visas Temporales para No-Inmigrantes

1. Visas para Visitantes de Negocio o Placer.
2. Visas para Trabajadores Temporeros.
3. Visas para Estudiantes.
4. Visas para Visitantes Extranjeros en Intercambio.
5. Visas para Personas que se Casarán con un Ciudadano de EE.UU.
6. Visas para Profesionales de NAFTA.
7. Visas K: Visas para Hijos(as) o esposos(as) de Ciudadanos de EE.UU.
8. Visas T: Ley de Visas para la Protección de Mujeres y Víctimas de Violencia y Drogas
9. Visas V: Visas para Hijos(as) o esposos(as) de Residentes Permanentes de EE.UU.

Visas Permanentes para Inmigrantes

1. Visas para Personas que Inmigran por Medio de su Familia.
2. Visas para Personas que Inmigran para Trabajar.
3. Visas para Personas que Desean Ajustar su Situación Como Asilados o Refugiados.
4. Lotería de Visas Permanentes del Servicio de Inmigración y Naturalización.
5. Visas por Medio de Adopción.
6. VAWA: Visas para Personas que Sufren de Maltrato o Violencia Familiar.
7. Visas por medio del Registro del Servicio de Inmigración.

En este capítulo solamente discutiremos las visas permanentes y las condiciones para obtener cada una de ellas. También hablaremos sobre el proceso y los formularios que usted debe completar para conseguir estas visas.

Introducción

Los permisos de residencia permanente están divididos en dos grupos principales. El primer grupo son las visas permanentes que no son limitadas por el Servicio de Inmigración. Estas visas son otorgadas o asignadas sin importar el número total de inmigrantes que entre a EE.UU. en un año específico. El Segundo grupo son las visas que son limitadas por las leyes de inmigración. A continuación discutiremos brevemente ambos grupos, las diferentes visas dentro de cada uno, y las personas que son elegibles para solicitarlas.

Visas que no son limitadas por el Servicio de Inmigración
- Visas para familiares inmediatos: Esposo(a), viudo(a), e hijos solteros menores de 21 años de edad de ciudadanos de EE.UU., y padres de ciudadanos de EE.UU. mayores de 21 años de edad.
- Visas para Residentes permanentes legales que regresan a vivir a EE.UU. luego de estar fuera del país por más de un año.

Visas limitadas por el Servicio de Inmigración
El numero de visas bajo esta categoría esta limitado por el Servicio de Inmigración a 675,000 visas por año.
- Visas basadas en lazos familiares (226,000 visas por año divididas en 4 categorías).
- Visas basadas en empleo (140,000 visas por año divididas en 5 categorías).
- Programa de Lotería de Visas basadas en diversidad (55,000 visas por sorteo).

Otras Visas
Existen otros tipos de visas permanentes bajo leyes relativamente nuevas.
- Visas por medio del Registro del Servicio de Inmigración para personas extranjeras que han estado presentes en EE.UU. continuamente desde Enero 1ro de 1972.
- Visas para Víctimas de Maltrato y Violencia Familiar bajo el Acta de Violencia contra la Mujer (VAWA) (aplica a personas de ambos sexos viviendo ilegal o legalmente en EE.UU.).
- Visas para Refugiados y Asilados que Desean convertirse en Residentes Permanentes

Solicitudes para las Diferentes Visas Permanentes	
I-130	Solicitud para visas permanentes para familiares.
I-140	Solicitud para visas permanentes para empleo (puede necesitar primero una certificación del Departamento del Trabajo demostrando que no existen suficientes trabajadores con las cualidades necesarias para ese tipo de empleo en EE.UU.).
I-485	Solicitud para Registrar la Residencia Permanente o para Ajustar la Condición Migratoria. Esta solicitud es utilizada por personas que luego de conseguir un numero de visa disponible desean registrar su residencia permanente. La solicitud también es utilizada por personas con asilo o refugio en EE.UU para ajustar su condición a residente permanente.
I-560	Solicitud para visas para inversionistas y empresarios.
I-360	Solicitud para inmigrantes especiales

Recuerde, este libro es sólo una guía de herramientas legales a su alcance. Cada caso y situación es diferente y las leyes cambian constantemente. La información y comentarios sobre sus derechos en esta sección son únicamente de carácter general y de ninguna forma deben ser interpretados como consejos legales específicos a su caso. Para obtener consejo legal sobre su caso en específico usted debe comunicarse con un abogado con licencia para practicar derecho o judicatura en el estado donde usted vive o donde el caso tome lugar.

Personas que No Son elegibles para Una Visa y Excepciones

Las leyes de EE.UU. prohíben que algunas personas reciban una visa. Entre estas personas están incluidas:

- Personas con enfermedades que pueden ser transmitidas como tuberculosis.
- Personas con enfermedades mentales o físicas peligrosas.
- Personas que usan o son adictas a drogas ilegales.
- Personas que han cometido crímenes graves, incluyendo crímenes inmorales, tráfico de drogas, o prostitución.
- Personas que son terroristas, subversivas, miembros de un partido político totalitarista o criminales de guerra Nazi.
- Personas con el potencial de convertirse en una carga pública para el gobierno de EE.UU.
- Personas que han usado métodos fraudulentos o cualquier otro método para entrar ilegalmente a EE.UU.
- Personas que son inelegibles para convertirse en ciudadanos de EE.UU.

Si cualquiera de las restricciones arriba mencionadas aplica a una persona, las leyes de inmigración ofrecen diferentes alternativas para que la persona pueda conseguir una visa sin importar sus acciones en el pasado. Para saber con exactitud los métodos disponibles y las circunstancias en que una persona puede pedir que su pasado no sea tomado en consideración es recomendable consultar a un abogado .

I. Lotería de Visas Permanentes

Cada año el Servicio de Inmigración acepta solicitudes para la Lotería de Visas. La Lotería otorga 55,000 visas de residencia permanente (tarjetas verde).

Es relativamente sencillo participar en este programa y no hay que pagar por procesar la solicitud. Si una persona es seleccionada en la lotería de visas la persona tiene la oportunidad de solicitar una visa de residencia permanente en EE.UU. Si el Servicio de Inmigración aprueba la solicitud la persona puede venir a EE.UU. para vivir, trabajar, o estudiar permanentemente. La persona también puede ser autorizada para traer a sus hijos y familiares inmediatos (esposo o esposa). Con un permiso o visa de residencia permanente una persona también puede solicitar la ciudadanía de EE.UU. Recuerde, para que una persona pueda recibir un permiso de residencia permanente o más tarde la ciudadanía de EE.UU., la persona tiene que cumplir con otras condiciones de la Ley de inmigración, incluyendo cualquier caso pendiente con el Servicio de Inmigración.

La Lotería de Visas Permanentes por Diversidad no está disponible para todo el mundo. Personas o extranjeros de países que ya están representados adecuadamente en la población total de EE.UU. no pueden participar (a menos que puedan reclamar ser nativos de un país diferente y elegibles por medio de su esposo, esposa, o padre o madre). Es decir, personas de países que en los últimos 5 años han contribuido al ingreso de una cantidad total mayor de 50,000 personas no pueden participar.

Lotería de Visas 2006

Lista de países hispanohablantes que PUEDEN PARTICIPAR:

ARGENTINA
BOLIVIA
BRAZIL
CHILE
COSTA RICA
CUBA
ECUADOR
GUATEMALA
HONDURAS
NICARAGUA
PANAMA
PARAGUAY
PERU
URUGUAY
VENEZUELA

Lista de países hispanohablantes que NO PUEDEN PARTICIPAR

COLOMBIA
REPUBLICA DOMINICANA
EL SALVADOR
MEXICO

IMPORTANTE

Recuerde que la lista de países elegibles y no elegibles puede cambiar cada año.

Para aumentar sus oportunidades de ser elegido en la lotería de visas, manténgase informado sobre todos los detalles al respecto.

El Servicio de Inmigración y Naturalización (INS) ahora es conocido como el Buró de Servicios de Ciudadanía e Inmigración (BCIS)

A. Condiciones para Participar en la Lotería

Edad: 18 años o más.

Educación: Equivalencia a un diploma de escuela superior o 2 años trabajando en un empleo que exige al menos dos años de experiencia o entrenamiento.

Ser Nativo de un país elegible para participar en la lotería o reclamar ser nativo de un país elegible por medio de su esposo, esposa, padre o madre: El país nativo es el país de procedencia de donde la persona reclama ser originario. Aunque la mayoría de las personas son nativas del país donde nacieron algunas persona que nacen en un país pueden reclamar ser nativos de otro país.

- **Cómo reclamar ser nativo de una país elegible por medio de su esposo o esposa:** Si una persona nació en un país que no es elegible para participar en la lotería (vea el listado de países en la página anterior) pero su esposo o esposa es nativo de un país que sí es elegible para participar, la persona puede reclamar ser nativo del país elegible por medio su esposo o esposa. Si este es el caso la persona tiene que indicar que esta reclamando ser nativo de un país diferente por medio de su esposo o esposa en el formulario.

- **Cómo reclamar ser nativo de una país elegible por medio de sus padres:** Si una persona nació en un país que no es elegible para participar en la lotería de visas pero ninguno de los padres de la persona nació o vivía en ese país al momento del nacimiento del solicitante de la visa, la persona puede reclamar ser nativo de cualquiera de los países en donde nacieron sus padres y que sea elegible para participar en la lotería de visas. Si este es el caso, la persona tiene que indicar que está reclamando ser nativo de un país diferente por medio de su padre o madre en el formulario.

Localización Actual del Solicitante: El solicitante puede estar dentro o fuera de EE.UU. al momento de solicitar.

Idiomas: No es necesario saber hablar o escribir en inglés.

Familiares: No es necesario tener familiares que vivan en EE.UU.

Empleo / Dinero: No es necesario tener un empleo esperando en EE.UU. o una cantidad mínima de dinero, pero si hay que demostrar que la persona puede trabajar y mantenerse por si misma.

Récord Criminal: la persona no puede tener un récord criminal o tener problemas mentales y no puede representar una amenaza para los intereses nacionales de EE.UU.

Otras Solicitudes: Cualquier persona puede participar de la lotería de visas no importa que la persona este solicitando otro tipo de visa al mismo tiempo.

B. Solicitud

El Servicio de Inmigración aceptará solicitudes electrónicas para la **Lotería de Visas del año 2006** desde el 5 noviembre del 2004 hasta el 7 de enero del 2005. La solicitud tiene que ser completada y enviada exclusivamente por computadora (electrónicamente) junto con las fotos. Solicitudes y fotos enviadas por fax, correos, o de cualquier otra forma serán rechazadas. Solicitudes de personas que han sometido más de una solicitud también serán rechazadas. La solicitud debe contener la siguiente información exactamente cómo es pedida.

Información Necesaria para Completar el Formulario Electrónico

- **Nombre completo** – Apellido paterno / Apellido materno, Nombre, Segundo nombre.
- **Fecha** – Día / Mes / año
- **Sexo** – Masculino (Male) o Femenino (Female)
- **Ciudad / Pueblo de Nacimiento**
- **País de Nacimiento** – Que el solicitante usa como su país nativo.
- **Fotografía del Solicitante** – Vea la tabla "Foto"
- **Dirección postal** – Dirección, Ciudad / Pueblo, Distrito / País / Provincia / Estado, Código Postal, País.
- **Numero de Teléfono** – Opcional
- **Dirección Electrónica (buzón electrónico / E-mail)** – Opcional
- **El país nativo del solicitante si es diferente al país donde nació** – Si la persona dice ser nativo de un país que no es el país donde la persona nació, la persona tiene que indicarlo claramente en el formulario.
- **Estado Civil** – Casado, Soltera, Divorciado, viuda, separado legalmente.
- **Número de Hijos no Casados Menores de 21 Años** – Excepto hijos que son ciudadanos americanos o residentes permanentes legales de EE.UU.
- **Información del Esposo(a)** - Nombre del esposo o esposa del solicitante, sexo, fecha, pueblo o ciudad, país de nacimiento, y una fotografía.
- **Información de cada uno de sus hijos(as)** - Nombre, sexo, fecha, pueblo o ciudad, y país de nacimiento, y una fotografía.

Recuerde que todas las solicitudes tienen que incluir la fecha y el lugar de nacimiento de su esposo(a), así cómo de cada uno de sus hijos(as) (de sangre, adoptados o hijastros(tras)) no casados y menores de 21 años de edad (excepto aquellos que ya son ciudadanos o residentes permanentes de EE.UU.) aunque la persona que solicita ya no esté casada con la madre o el padre de los hijos(as) o estos hijos(as) no vivan con el solicitante o no migraran a EE.UU. con el solicitante. Niños menores de 21 años pero casados no cualifican. Si la persona que solicita no lista a todos sus hijos(as), la solicitud será rechazada.

Fotos

La persona tiene que enviar una foto reciente de su persona, además una foto de su esposo(a), y otra por cada uno de sus hijos(as) de sangre, adoptados, o hijastros (vivan o no con la persona). Fotos en grupo o fotos familiares no serán aceptadas y su solicitud será rechazada. Las fotos deben ser enviadas electrónicamente con la solicitud (al mismo tiempo). Ninguna foto será aceptada por correo, fax. Ninguna foto enviada electrónicamente será aceptada si no acompaña la solicitud.

Fotos Electrónicas
Condiciones y Especificaciones Técnicas

Como obtener una foto electrónica (digital)

Usted puede obtener una foto digital (que puede enviar electrónicamente al Servicio de Inmigración junto con su solicitud), 1) usando una cámara fotográfica digital, 2) usando un "scanner" para convertir fotos normales en archivos digitales, o 3) utilizando a una persona que le tome una foto digital o pueda convertir sus fotos en archivos digitales. Recuerde, si no obedece las reglas del INS su solicitud será rechazada.

Tamaño – Las fotos deben medir exactamente 2 X 2 pulgadas (tamaño de foto de pasaporte).

Pose – La persona en la foto tiene que estar directamente de cara a la cámara fotográfica. La cabeza de la persona tiene que estar completamente derecha y mirando hacia la cámara. La cara de la persona tiene que cubrir al menos la mitad de la superficie de la fotografía.

Luz – La foto debe ser tomada con la persona frente a una superficie de color neutral y claro. Fotos tomadas frente a una superficie de color oscuro o con patrones de colores no serán aceptadas.

Fotos borrosas o mal enfocadas no son aceptadas – Fotos que no estén bien enfocadas o donde la cara de la persona aparece borrosa no serán aceptadas.

Espejuelos o gafas – Fotos donde la persona tiene puestos espejuelos o gafas (o cualquier otra cosa que tape la cara) no serán aceptadas.

Sombreros, capuchas o pañuelos – Fotos donde la persona tiene puesto sombreros, pañuelos o capuchas no serán aceptadas a menos que sea por motivos religiosos. En todo caso, estos aditamentos no pueden obscurecer o tapar ninguna parte de la cara de la persona. Fotos de personas con sombreros o boinas militares no serán aceptadas, tampoco serán aceptadas fotos de personas con sombreros o adornos culturales o indígenas.

¿Color o blanco y negro? – las fotos tienen que ser a color.

Especificaciones Técnicas

Las fotos sometidas electrónicamente deben seguir las siguientes especificaciones o el sistema las rechazará automáticamente.

Con una Cámara Digital (ajustando su cámara)

- **Formato de la imagen fotográfica** (Image file format) El formato debe ser JPEG (Joint Photographic Experts Group).
- **Tamaño del Archivo de la Foto** (Image File Size) El tamaño de la foto debe ser como máximo 62,500 bytes.
- **Resolución de la Imagen** (Image Resolution) 320 píxeles (pixels) de alto, por 240 píxeles de ancho.
- **Densidad del Color** (Image Depth) 24-bits de color, o 8-bits de color o en escalas de color gris.

Convirtiendo una foto de cualquier tamaño a una foto digital con un "scanner"

- **Ajuste el Tamaño para Impresión** (Print Size) – 2 X 2 (50m X 50mm).
- **Ajuste el Color para Impresión** (Print Color) – la foto puede ser a color o en escalas de color gris.

Convirtiendo una foto 2 X 2 a una foto digital con un "scanner"

- **Resolución del Scanner** (Scanner Resolution) –150 dpi.
- **Formato de la imagen fotográfica** (Image file format) – el formato de la foto debe ser JPEG (Joint Photographic Experts Group)
- **Tamaño del Archivo de la Foto** (Image File Size) – el tamaño digital de la foto debe ser como máximo 62,500 bytes.
- **Resolución de la Imagen** (Image Resolution) – 300 píxeles (pixels) de alto, por 300 píxeles de ancho.
- **Densidad del Color** (Image Depth) – 24bit de color, o 8bit de color o en escalas de color gris.

Múltiples Solicitudes por Familia

Presentar dos solicitudes por familia en vez de una aumenta sus oportunidades de ser elegido. Es por esta razón que el Servicio de Inmigración permite que esposos y esposas puedan presentar solicitudes separadas para cada uno. En caso de que cualquiera de las dos solicitudes sea escogida y la persona obtenga una visa de residencia permanente el otro cónyuge y los hijos(as) menores de 21 años de edad del matrimonio también recibirán el permiso de residencia permanente al mismo tiempo. Todos los niños no casados menores de 21 años pueden ser incluidos en la solicitud de su padre o madre.

Una Solicitud por Persona (por periodo de solicitud)

Aunque el Servicio de Inmigración permite que más de una persona dentro de una familia envíe una solicitud, una persona no puede enviar dos solicitudes en un mismo año. Si una persona envía más de una solicitud bajo su propio nombre el mismo año, la solicitud será rechazada inmediatamente sin siquiera ser procesada.

Por ejemplo: Raúl y Mónica están casados y ambos están solicitando participar en la lotería de visas Raúl solamente puede enviar una solicitud bajo su nombre y Mónica solamente puede enviar una solicitud bajo su nombre. Ninguno de los dos puede enviar una solicitud por el otro.

Pose Incorrecta

Foto Perfecta

Reglas Para Fotos Digitales

Comenzando el 1ro de agosto del 2004 todas las fotos sometidas electrónicamente con la solicitud para la Lotería de Visas deben obedecer las condiciones y especificaciones del Servicio de Inmigración o las fotos serán rechazadas automáticamente.

Tamaño Perfecto

Contraste Muy Alto

Contraste Correcto

Imagen Muy Oscura

Imagen Borrosa

C. Proceso de Selección

El sorteo de visas es realizado electrónicamente por medio de computadora. Solamente personas que han seguido las instrucciones de la solicitud y que cumplen con las condiciones del sorteo pueden participar. Las personas que son elegidas son notificadas por correo. En la notificación el Servicio de Inmigración le dice a la persona que es lo próximo que tiene que hacer, incluyendo cualquier cantidad de dinero que haya que pagar. Las personas que no son seleccionadas no reciben ninguna notificación. Las embajadas de EE.UU. en el extranjero no publican o tienen listas de nombres sobre el sorteo de visas.

D. Para Recibir la Visa

Si una persona es seleccionada durante el sorteo, la persona todavía tendra que solicitar formalmente una visa. El ser seleccionado durante el sorteo no garantiza una visa. La persona y su familia tienen entonces un tiempo específico para solicitar la visa. Si la persona no solicita la visa dentro de ese tiempo limitado, la persona pierde la oportunidad. Por ejemplo, el 30 de Septiembre de 2004 fue el último día para solicitar una visa para las personas que fueron seleccionadas durante el sorteo del año 2003-2004.

Si la persona cumple con todas las condiciones de las leyes de inmigración la visa de la persona será aprobada. Estas condiciones incluyen cualquier caso que la persona pueda tener pendiente con el Servicio de Inmigración y Naturalización.

E. Cambios en las Condiciones para Participar en la Lotería

Recuerde que las leyes cambian constantemente y que la lista de países elegibles y no elegibles puede cambiar cada año. Para aumentar sus oportunidades de ser elegido en la lotería de visas es importante que usted se mantenga informado sobre estos cambios, además de nuevos requisitos en la forma de solicitar.

> **El Formulario para participar de la Lotería de Visas por Diversidad tiene que ser completado electrónicamente.**

II. Visas Permanentes para Personas que Inmigran por Medio de su Familia

Un residente permanente es una persona extranjera que ha obtenido un permiso legal para vivir y trabajar en EE.UU. Las personas que tienen familiares que son ciudadanos o residentes permanentes de EE.UU. también pueden convertirse en residentes permanentes de EE.UU. por medio de una visa. La persona solamente tiene que cumplir con el siguiente proceso.

Primero, la persona con familiares en EE.UU. tiene que pedir a un familiar que ya es residente permanente o ciudadano de EE.UU. que complete el Formulario I-130 (Solicitud para una visa por familia). El Formulario I-130 debe ser presentado al Servicio de Inmigración en nombre del familiar de la persona junto a los documentos necesarios que prueben que el familiar es (1) residente permanente o ciudadano de EE.UU. y (2) que existe una relación familiar entre las dos personas. El Servicio de Inmigración tiene entonces que aprobar la solicitud.

Segundo, el Departamento de Estado tiene que determinar si hay un numero de visa disponible para la persona que solicita la residencia permanente (no importa que la persona ya esté en EE.UU.). Recuerde, el numero de visas otorgado cada año es limitado. En caso de haber un numero de visa disponible, la persona puede solicitarlo.

Tercero, si la persona que está solicitando la visa ya está en EE.UU., la persona puede solicitar que su condición sea ajustada a residente permanente en caso de que haya un número de visa disponible. Si la persona no está en EE.UU. y un número de visa está disponible, la persona tendrá que completar el proceso de inmigración por medio del consulado o embajada de EE.UU. en el país donde esté.

A. Elegibilidad y Requisitos para <u>Traer</u> a un Familiar

A continuación discutiremos lo que tiene que hacer el familiar que es residente permanente legal para auspiciar a un familiar y traerlo a EE.UU.

- La persona que vive en EE.UU. tiene ser ciudadano o residente permanente, y tiene que presentar documentos que así lo prueben, como por ejemplo el Certificado de Nacimiento o la tarjeta de Residente Permanente que otorga el Servicio de Inmigración .
- La persona tiene que probar que puede mantener al familiar por encima del 125% del índice de pobreza en EE.UU. (vea la tabla en la próxima página para saber si cualifica). Es importante saber que la persona que auspicia a un familiar puede ser responsable al estado por cualquier servicio, beneficio, o asistencia pública que reciba el familiar auspiciado.
- Las personas que son <u>ciudadanas de EE.UU.</u> pueden traer a los siguientes familiares:
    - Esposo o esposa.
    - Niños no casados menores de 21 años de edad.
    - Hijo o hija mayores de 21 años y solteros.
    - Hijo o hija casada(o) de cualquier edad.
    - Hermano o hermana, si la persona que los trae es mayor de 21 años de edad.
    - Padre o madre, si la persona que los trae es mayor de 21 años de edad.
- Las personas que son <u>residentes permanentes de EE.UU.</u> pueden traer a los siguientes familiares:
    - Esposo o esposa.
    - Hijo o hija soltera(o) de cualquier edad.

B. Elegibilidad y Requisitos de un Familiar para <u>Venir</u> a EE.UU.

A continuación discutiremos lo que tiene que hacer la persona que intenta venir al país por medio de un familiar que ya es Residente Permanente Legal de EE.UU.

- La persona tiene que tener un familiar que es ciudadano o residente permanente de EE.UU. que pueda proveer documentación probando su ciudadanía o residencia permanente, y que este dispuesto a patrocinar su entrada a EE.UU.
- El familiar de la persona tiene que demostrar por medio de documentos que es capaz de mantenerlo económicamente por encima del 125% del índice de pobreza en EE.UU. (vea la tabla en la próxima página para saber si cualifica). Es importante saber que la persona que auspicia a un familiar puede ser responsable al estado por cualquier servicio, beneficio, o asistencia pública que reciba el familiar auspiciado.
- Si el familiar de la persona es <u>ciudadano de EE.UU.</u> y puede probar legalmente que la persona es parte de una de las siguientes relaciones, esa persona puede ser elegible para la residencia permanente:
    1. Esposo o esposa.
    2. Hijos o hijas menores de 21 años de edad.
    3. Hijos o hijas mayores de 21 años de edad no casados.
    4. Hijo o hija casados y de cualquier edad.
    5. Hermano o hermana si la persona tiene 21 años de edad o mayor.
    6. Padre o madre si la persona es 21 años de edad o mayor.
- Si el familiar de la persona es <u>Residente Permanente</u> y puede probar legalmente que la persona es parte de una de las siguientes relaciones, esa persona puede ser elegible para la residencia permanente:
    1. Esposo o esposa.
    2. Hijos o hijas casadas y de cualquier edad.

Para los 48 Estados Continentales, el Distrito de Colombia, Puerto Rico, Las Islas Vírgenes y Guam:

Personas en el Hogar	100% del Índice de pobreza	125% del Índice de Pobreza
2	12,490	15,612
3	15,670	19,587
4	18,850	23,562
5	22,030	27,537
6	25,210	31,512
7	28,390	35,487
8	31,570	39,462
X	Añada $3,140 por cada persona adicional	Añada $3,925 por cada persona adicional

Alaska

Personas en el Hogar	100% del Índice de pobreza	125% del Índice de Pobreza
2	15,610	19,512
3	19,590	24,487
4	23,570	29,462
5	27,550	34,437
6	31,530	39,412
7	35,510	44,387
8	39,490	49,362
X	Añada $3,930 por cada persona adicional	Añada $4,912 por cada persona adicional

Hawai

Personas en el Hogar	100% del Índice de pobreza	125% del Índice de Pobreza
2	14,360	17,950
3	18,020	22,525
4	21,680	27,100
5	25,340	31,675
6	29,000	36,250
7	32,660	40,825
8	36,320	45,400
X	Añada $3,180 por cada persona adicional	Añada $3,975 por cada persona adicional

Si la persona que es ciudadano o residente permanente no alcanza el mínimo de ingresos que exige el INS, existen varias soluciones:

La persona que es residente o ciudadano puede sumar a su salario el valor total en efectivo de sus bienes y propiedades, como por ejemplo casas, vehículos, negocios, bonos, inversiones, dinero en cuentas de ahorro o de cheques, etc. Para determinar la cantidad del valor de los bienes y propiedades necesarios para cualificar reste (-) el ingreso (salario) de la persona que es residente o ciudadano a la cantidad mínima (125% del índice de pobreza) correspondiente a una familia de su tamaño. La diferencia tiene que ser entonces multiplicada por 5 y esa es la cantidad que la persona debe probar que tiene en bienes y propiedades

Ejemplo: un hogar de 4 personas incluyendo el familiar que desea venir a EE.UU.

125% del índice de pobreza	$23,562
Menos el Ingreso o salario de la persona	-$19,500
Diferencia	$4,063
Multiplicado por 5	X 5
Cantidad que debe ser probada	$20,315

La persona que es residente o ciudadano también puede tomar en cuenta y sumar los ingresos y propiedades de sus familiares en el hogar relacionados por nacimiento, matrimonio, o adopción. Para añadir estos ingresos y propiedades la persona que es residente o ciudadano tiene que haber identificado y enumerado a estas personas como dependientes en la planilla sobre ingreso rendida al Servicio de Rentas Internas (IRS). La persona también puede añadir a estos familiares si han vivido en su hogar por los últimos 6 meses. Estos familiares tienen que firmar el Formulario I-864A (Contrato entre el auspiciador y los miembros del hogar). Los ingresos y bienes de la persona solicitando la visa también pueden ser incluidos, pero esta personas no tiene que firmar el Formulario I-864A a menos que venga acompañada de otros familiares.

También la persona que es residente o ciudadano puede tomar en cuenta y sumar los ingresos y propiedades de los miembros del hogar que están siendo auspiciados.

C. Categorías de Inmigrante Familiar y Preferencias

La persona que desea recibir una visa por medio de sus familiares tiene que esperar a que un número de visa para su categoría esté disponible.

- **Familiares Inmediatos**
  Las personas que desean migrar a EE.UU. son clasificadas en diferentes categorías basadas en un sistema de preferencia. Los familiares inmediatos de Ciudadanos de EE.UU. (esposa, esposo, hijos o hijas solteros menores de 21 años de edad, y padres y madres) no tienen que esperar a que un número de visa esté disponible luego de aprobada su solicitud. Un número de visa es ofrecido automáticamente a estos familiares porque la cantidad total de estos familiares que vienen a EE.UU. cada año no está limitada.

  Todos los otros familiares (primera, segunda, tercera, y cuarta preferencia) deben esperar por un número de visa porque el número total de estos familiares que vienen a EE.UU. cada año está limitado.

- **Primera Preferencia**
  Hijos(as) solteros mayores de 21 años de edad de ciudadanos de EE.UU.
- **Segunda Preferencia**
  Esposos y esposas de residentes permanentes, sus hijos(as) solteros menores de 21 años de edad, y los hijos(as) solteros de residentes permanentes.
- **Tercera Preferencia**
  Hijos(as) casados de ciudadanos de EE.UU.
- **Cuarta Preferencia**
  Hermanos y hermanas de ciudadanos de EE.UU.

D. Solicitud

Una vez el Formulario I-130 (Solicitud de visa para familiares) es enviado (si la solicitud es enviada desde EE.UU.) o al consulado de EE.UU. (si la solicitud es enviada desde el país donde está el familiar que desea venir a EE.UU.), el Servicio de Inmigración aprobará o rechazará la solicitud. Si la solicitud es aprobada la persona será notificada. La persona solo tiene que comunicarse con el Centro Nacional de Visas para cambiar su dirección postal.

III. Visas Permanentes por Empleo

Por definición un inmigrante documentado o legal es un extranjero que ha sido autorizado por el Servicio de Inmigración y Naturalización para vivir y trabajar en EE.UU. Aquellas personas que desean inmigrar porque tienen un empleo permanente esperando en EE.UU. deben seguir los 5 pasos a continuación:

Primero: La persona que será empleada y el patrón deben determinar si la persona es elegible para convertirse en residente permanente bajo las leyes de inmigración.

Segundo: La mayoría de las categorías de visas por empleo exigen que el patrón complete una Solicitud de Certificación de Empleo (Formulario ETA 750) para el futuro empleado. Esta solicitud debe ser presentada a la Administración de Empleo y Adiestramiento del Departamento del Trabajo de EE.UU.

Esta oficina aprobará o denegará la solicitud. Personas que son doctores en Medicina no tienen que cumplir con esta condición si vienen a trabajar en áreas geográficas de EE.UU. que han sido certificadas por el Departamento de Salud y Servicios Humanos como áreas que necesitan médicos.

Tercero: El Servicio de Inmigración tiene que aprobar la solicitud para una visa de inmigrante permanente por empleo (Formulario I-140) para la persona. El patrón que desea traer a la persona debe completar este formulario. Si una Solicitud de Certificación de Empleo es necesaria, el Formulario I-140 solo puede ser enviado luego de que la certificación sea producida por el Departamento del Trabajo. Recuerde, el patrón o empleador sirve como patrocinador de la persona que desea venir a EE.UU.

Cuarto: El Departamento de Estado de EE.UU. tiene que asignar un número de inmigrante a la persona. No importa que la persona esté en EE.UU. Cuando la persona recibe este número significa que una visa permanente ha sido asignada a la persona.

Quinto: Si la persona ya está en EE.UU. él o ella tiene que ajustar su visa a residente permanente luego de obtener un número de inmigrante. Si la persona está fuera de EE.UU. el Departamento de Estado le notificará cuando un número de inmigrante esté disponible. La persona tiene entonces que completar el proceso por medio de la embajada o el consulado de EE.UU. en ese país.

A. Categorías para Visas Permanentes Bajo Empleo

Cada una de estas categorías está basada en las destrezas de la persona en orden de importancia. Para información más detallada sobre estas categorías vea el Formulario I-140.

EB-1 Trabajadores de Prioridad
- Personas extranjeras de habilidades extraordinarias en las ciencias, artes, educación, negocios, o deportes.
- Personas extranjeras con habilidades extraordinarias como profesores o que realizan estudios científicos o especiales.
- Personas extranjeras que son empresarios o personas de negocios sujetas a ser transferidos a EE.UU.

EB-2 Profesionales con Títulos Avanzados o Personas con Habilidades Especiales
- Personas extranjeras con habilidades excepcionales en las ciencias, artes, o negocios.
- Personas extranjeras que son profesionales con títulos avanzados.
- Médicos extranjeros cualificados que practican medicina en un área de EE.UU. donde se necesitan médicos.

EB-3 Trabajadores Profesionales o con Destrezas
- Profesionales extranjeros con un título de Bachiller (que no cualifican para una categoría de más prioridad).
- Trabajadores extranjeros con títulos avanzados (con 2 años de adiestramiento o experiencia mínima).
- Trabajadores extranjeros sin destrezas.

EB-4 Inmigrantes Especiales
- Personas extranjeras trabajando con una organización religiosa.
- Empleados y ex-empleados del Gobierno de EE.UU. en el extranjero.

EB-5 Inversionistas Inmigrantes
- Inversionistas extranjeros. La inversión tiene que ser cómo mínimo entre $500,000 y $1,000,000 de dólares.

B. Cómo Solicitar una Visa Permanente de Empleo

El Formulario I-140 debe ser completado por las personas que solicitan una visa permanente por medio de empleo. El solicitante tiene que cualificar bajo una de las cinco categorías discutidas arriba y cumplir con todas las condiciones dentro de esa categoría específicamente. Las personas que desean venir a EE.UU. bajo la categoría EB-4 (Inmigrantes Especiales) deben completar el Formulario I-360.

IV. Visas para Refugiados o Personas con Asilo que Desean Obtener la Residencia Permanente

Personas con refugio o asilo que han estado en EE.UU. por un año o más pueden ser elegibles para pedir un permiso de residencia permanente por medio del Formulario I-485 (Solicitud para Registrar la Residencia Permanente o para Ajustar la Condición Migratoria). En esta sección primero discutiremos la residencia permanente para personas con asilo y luego la residencia permanente para refugiados.

A. Residencia Permanente para Personas con Asilo

El Formulario I-485 debe ser completado para ajustar la condición de una persona cómo asilado. Por medio de este formulario la persona puede solicitar un permiso de residencia permanente o cualquier otra visa que aplique. Para utilizar este formulario la persona tiene que haber estado presente en EE.UU. por un periodo de al menos un año bajo el programa de asilo.

1. **El Formulario I-485 debe ser completado y enviado con los siguientes documentos y en el orden indicado:**

   a) El pago por huellas digitales (todo solicitante entre las edades de 14 a 79 años tiene que pagar este cargo).
   b) El Formulario I-485.
   c) El Formulario G-28 (Notificación de Comparecencia Como Abogado o Representante) firmado por la persona y su abogado (si aplica).
   d) El Formulario I-485 firmado y con el Encasillado "d" marcado en la "Parte 2".
   e) Dos (2) fotos dentro de un sobre grapado en la parte baja izquierda del Formulario I-485. El nombre del solicitante y el "Número A" (número de inmigrante) deben ser escritos a lápiz en la parte de atrás de cada foto. El tamaño y otros detalles sobre las fotos pueden ser encontrados en el Formulario I-485.
   f) El Formulario Médico I-693 con el Suplemento de Vacunación deben ser completados y entregados al Servicio de Inmigración . Solamente un médico designado por el Servicio de Inmigración para examinar a la persona puede completar el Formulario I-693 y el Suplemento de Vacunación. Para una lista de los médicos designados y autorizados por el Servicio de Inmigración, llame gratis al teléfono del Centro Nacional de Servicio al Cliente: 1 (800) 375-5283.
   g) La persona tiene que ofrecer prueba y evidencia de que tiene asilo. Copias del Formulario I-94 y de la carta del Servicio de Inmigración garantizando asilo a la persona pueden servir cómo prueba. Si la persona obtuvo asilo condicional tiene que presentar evidencia de que las restricciones han sido removidas.
   h) Formulario IRS-9003 (opcional).
   i) Formulario I-602 (Solicitud para Personas que no Pueden ser Admitidas) si el Servicio de Inmigración determina que la persona no puede ser admitida.
   j) Evidencia y prueba de que la persona ha estado presente físicamente en EE.UU. por un año. Como evidencia la persona puede presentar una carta de su trabajo, un contrato de renta o alquiler, archivos escolares o cualquier documento que cubra el periodo de tiempo en cuestión.
   k) Evidencia y prueba de cualquier periodo de ausencia de EE.UU. desde que la persona tiene asilo. Copias de las páginas del pasaporte o los documentos de viaje del asilado sirven como evidencia.
   l) Certificado de Nacimiento.
   m) Evidencia o prueba de cualquier cambio legal de nombre desde la entrada de la persona a EE.UU.

El Servicio de Inmigración y Naturalización (INS) cambió su nombre y ahora es conocido como el Buró de Servicios de Ciudadanía e Inmigración (BCIS)

2. Familiares

Cualquier persona que haya recibido asilo en EE.UU. por medio de un familiar (esposo, esposa, hijo, hija, etc.) que solicita ajustar su condición a residente permanente o su visa, tiene que ofrecer evidencia de que su relación con ese familiar todavía existe. Por ejemplo el Servicio de Inmigración pide que la solicitud de la persona incluya el "Número A" (número de inmigrante) del familiar por el cual la persona obtuvo asilo en EE.UU. La solicitud también debe incluir lo siguiente:

- Evidencia o prueba de la relación entre el solicitante y el familiar (por ejemplo, un certificado de matrimonio, divorcio, o defunción del esposo o la esposa con asilo principal, o un certificado de nacimiento demostrando que la persona principal con asilo es el padre o la madre del solicitante).
- Copia de la carta del Servicio de Inmigración otorgando asilo al solicitante por haber sido incluido en la solicitud original de la persona principal con asilo o por ser beneficiario derivativo de una solicitud I-730 (solicitud para traer a familiares de personas con asilo o refugio).

Si la persona consiguió asilo por ser hijo de una persona con asilo y ahora es mayor de 21 años de edad y soltero(a), la persona debe comunicarse con la Oficina de Asilo del Servicio de Inmigración más cercana y pedir una solicitud *"Nunc Pro Tunc"* completando el Formulario I-589 (Solicitud para Asilo en EE.UU.) y el Formulario I-485 al mismo tiempo.

B. Residencia Permanente para Refugiados

El Formulario I-485 debe ser completado para ajustar la condición de una persona como refugiado a residente permanente. Para solicitar la residencia permanente la persona tiene que haber estado presente en EE.UU. como refugiado por un periodo de al menos un año. La solicitud es gratis para personas en EE.UU. como refugiados.

1. El Formulario I-485 debe ser completado y presentado al Servicio de Inmigración con los siguientes documentos (en el orden indicado):

a) El pago por huellas digitales (todo solicitante entre 14 a 79 años de edad tiene que pagar este cargo).

b) El Formulario I-485 firmado y con el Encasillado (Box) "h" marcado en la Parte 2, con la palabra "REFUGIADO—REFUGEE" escrita en esa línea.

c) 2 fotos dentro de un sobre grapado en la parte baja izquierda. El nombre del solicitante y el "Número A" (número de inmigrante) deben ser escritos a lápiz en la parte de atrás de cada foto. El tamaño y otros detalles sobre las fotos pueden ser encontrados en el Formulario I-485.

d) El Formulario G-28 (Notificación de Comparecencia Como Abogado o Representante) si aplica o es necesario, firmado por la persona y su abogado.

e) El Formulario G-325 firmado (si el solicitante tiene 14 años de edad o más).

f) El Suplemento de Vacunación del Formulario Médico I-693. El Formulario I-693 solamente debe ser completado en su totalidad si:
   - Existen restricciones médicas para entrar a EE.UU. que fueron notificadas al momento de la persona entrar al país, o
   - Si la condición de refugiado fue aprobada por medio de un Formulario I-730 (Solicitud para Familiares de Refugiados o Asilados).
   - Si ninguna de estas condiciones aplica, el Servicio de Inmigración solamente exige el Suplemento de Vacunación. Este suplemento puede ser completado por cualquier Departamento de Salud local o estatal, o por un médico designado por el Servicio de Inmigración para conducir el examen médico. Para una lista de los médicos designados en su área llame gratis al teléfono del Centro Nacional de Servicio al Cliente: 1-800-375-5283.

g) La persona tiene que ofrecer prueba y evidencia de su condición como refugiado. Copias del Formulario I-94 o copia del Permiso de Empleo del Servicio de Inmigración .

h) Formulario IRS-9003 (opcional).

i) Formulario I-602 (Solicitud para Personas que no Pueden ser Admitidas) si el Servicio de Inmigración determina que la persona no puede ser admitida.

j) Evidencia y prueba de que la persona ha estado presente físicamente en EE.UU. por un año. Como evidencia la persona puede presentar una carta de su trabajo, un contrato de renta o alquiler, archivos escolares o cualquier documento que cubra el periodo de tiempo en cuestión.

k) Evidencia y prueba de cualquier periodo de ausencia de EE.UU. desde que la persona es refugiado. Copias de las páginas del pasaporte o los documentos de viaje del refugiado sirven como evidencia.

l) Certificado de Nacimiento.

m) Evidencia o prueba de cualquier cambio legal de nombre desde la entrada de la persona a EE.UU.

C. Solicitando Permisos para Viajar o Trabajar (Personas con Asilo o Refugio)

Los siguientes documentos pueden ser completados y entregados junto con el Formulario I-485.

- Formulario I-765 (Solicitud para Permiso de Empleo) si la persona desea trabajar mientras su solicitud es procesada y considerada.
- Formulario I-131 (Solicitud para Permiso para Viajar) si la persona desea viajar fuera de EE.UU. y regresar mientras su solicitud es procesada y considerada.

Ambos formularios son procesados por el Servicio de Inmigración por separado. Es muy importante que cada formulario sea completado con mucho cuidado y que sea presentado con todos los documentos necesarios.

Recuerde: si una persona ya ha conseguido un permiso de trabajo o un permiso para trabajar, la persona no tiene que solicitar un nuevo permiso hasta 90 días antes de la fecha de expiración del permiso.

Personas con asilo o refugio que solicitan un permiso de trabajo y no reciben el permiso dentro de 90 días pueden conseguir un permiso temporero. Luego de pasar los 90 días la persona simplemente debe visitar la oficina del Servicio de Inmigración más cercana y presentar prueba de que ha completado y presentado el Formulario I-765.

D. Solicitud

El Formulario I-485 debe de ser completado individualmente por cada persona en la familia. Por ejemplo, si la persona principal con asilo o refugio tiene un esposo(a) y dos hijos, cada uno debe completar la I-485.

- El INS exige que las solicitudes sean presentadas en el orden anteriormente descrito. Use una grapa para mantener todos los documentos juntos.
- Si la persona envía varias solicitudes (una por cada familiar), éstas pueden ser enviadas en el mismo sobre de correos. El Servicio de Inmigración pide sin embargo que las unidades sean identificadas. Por ejemplo, todas las solicitudes de la familia Buendía deben ser unidas por una banda elástica para que el oficial del Servicio de Inmigración sepa que todas van juntas.

1. Pagos y Cuotas

El Servicio de Inmigración solo acepta Formularios acompañados del pago correcto por cuotas de servicio. Asegúrese de enviar el pago correcto y seguir las instrucciones del Servicio de Inmigración.

- Si un cheque es presentado para pagar por el total de todas las solicitudes, el cheque debe ser grapado en la parte superior izquierda de las solicitudes.
- Si cada solicitud es pagada por cheques individuales, cada cheque debe ser grapado en la parte superior izquierda del tope de cada solicitud.
- Si un cheque es presentado para pagar por todas las solicitudes, éstas serán rechazadas si la cantidad total del cheque no es correcta o si el cheque no ha sido firmado.

Cualquier documento que no sea en inglés tiene que ser presentado junto a una traducción certificada. El traductor debe certificar que él o ella es competente para traducir el documento y que la traducción es veraz. Recuerde, el Servicio de Inmigración no acepta traducciones de documentos si los documento originales no pueden ser leídos claramente.

2. Dónde Solicitar

Todas las solicitudes de asilo o refugio que tengan que ser presentadas al mismo tiempo junto a cualquier formulario solicitando un permiso de viaje o de trabajo, deben ser enviadas diferentes direcciones dependiendo si la persona esta en EE.UU. como refugiado o bajo el programa de asilo. Para información detallada, vea las instrucciones de la solicitud I-765.

Recuerde también que si su solicitud ha sido referida a una oficina local del Servicio de Inmigración, cualquier documento también debe ser enviado a esa oficina local para que sea considerado.

3. Cuándo Solicitar

- **Personas con asilo** deben solicitar un Permiso de Residencia Permanente luego de haber estado presente físicamente en EE.UU. por lo menos durante un año luego de la fecha de haber obtenido asilo.
- **Personas con refugio** pueden solicitar un Permiso de Residencia Permanente por lo menos un año después de haber entrado a EE.UU. como refugiado.

4. Debe Notificar al INS de Cualquier Cambio de Dirección

El Servicio de Inmigración y Naturalización exige que toda persona inmigrante, incluyendo personas con asilo o refugio, notifique cualquier cambio en su dirección 10 días después de cambiar de hogar o domicilio. Para notificar al Servicio de Inmigración la persona solo tiene que enviar una carta a la oficina local que tiene jurisdicción sobre la nueva dirección de la persona.

La carta debe incluir la siguiente información:
- El nombre de la persona (como aparece en el Formulario I-485).
- El Número de Inmigrante de la persona.
- Su vieja dirección y la nueva dirección.
- El día en que comenzará o comenzó a vivir en la nueva dirección.
- En la parte de afuera del sobre la persona debe escribir en inglés, "CHANGE OF ADDRESS" (cambio de dirección).

V. Visas por Medio de Adopción (Cómo Solicitar para Adoptar a un Niño Extranjero)

Debido a la complejidad de los temas relacionados con la adopción de niños extranjeros, este libro no incluye información al respecto. El título de esta sección sí está incluido para dejar saber al lector de que hay leyes de inmigración que regulan este proceso. En caso de tener preguntas al respecto, es recomendable ir directamente a un abogado o buscar ayuda o consejos legales de una organización dedicada a ofrecer servicios de inmigración gratis. Para más información sobre cómo buscar un abogado o una de estas organizaciones, vea el Capítulo 16: Abogados.

VI. Visas para Víctimas de Maltrato y Violencia Familiar: Ley de Violencia Contra la Mujer (aplica a ambos sexos viviendo legal o ilegalmente en EE.UU.)

Generalmente las leyes del Servicio de Inmigración exigen que una persona que es Ciudadano o Residente Permanente de EE.UU. sea la persona que pida la visa para sus hijos, esposo o esposa para que estos familiares puedan venir y quedarse en EE.UU. Desafortunadamente muchas persona que abusan de sus familiares más cercanos utilizan este proceso para aumentar los abusos y para amenazar a los familiares con reportarlos al Servicio de Inmigración si se atreven a buscar ayuda contra la violencia y abuso familiar. Como resultado, muchas personas que son víctimas de abuso y violencia familiar no reportan estos crímenes a la policía o a las autoridades pertinentes.

Por ejemplo, las personas que son ciudadanas o residentes permanentes completan el Formulario I-130 para pedir una visa al Servicio de Inmigración para sus familiares. La persona que completa el formulario básicamente tiene control total sobre el caso de inmigración de la otra persona.

Bajo la Ley de Violencia Contra la Mujer de 1994 (VAWA) las esposas(os) o hijos(as), que sufren de maltrato a manos de ciudadanos o residentes permanentes de EE.UU. pueden solicitar la residencia permanente por si solos y sin la ayuda, autorización, o conocimiento de la persona que les abusa. La ley ayuda a inmigrantes que sufren de abusos y maltratos a buscar ayuda, independencia y seguridad.

AYUDA INMEDIATA PARA VÍCTIMAS DE VIOLENCIA FAMILIAR O DOMESTICA

Inmigrantes que son víctimas de abuso o violencia familiar pueden conseguir ayuda llamando gratis a la Línea Nacional de Violencia Doméstica: **1-800-799-7233** o **1-800-787-3224** [TDD]. A través de estos teléfonos la persona puede conseguir asistencia legal, mental, de salud, y hasta hogares donde la persona puede quedarse si necesita salir de su casa inmediatamente, además de información y ayuda para solicitar la residencia permanente sin que la persona que le abusa se entere.

A. Quién es Elegible

1. **Esposa / Esposo**
   Personas que son víctimas de abuso y están casadas con un Ciudadano o Residente Permanente de EE.UU. pueden pedir la residencia permanente sin la ayuda o conocimiento de la otra persona. Hijos solteros menores de 21 años de edad que no han completado su propia solicitud pueden ser incluidos en la solicitud como "Beneficiarios Derivativos".

Vea la Página 132 para saber si usted es víctima de violencia

Maltrato y Violencia Familiar - Guía de Ayuda para Víctimas: Capítulo 15

2. Padres / Madres

Personas con hijos que son abusados por el padre o madre que es ciudadano o residente permanente pueden pedir la residencia permanente sin la ayuda o conocimiento de la persona que les abusa. Los hijos deben ser menores de 21 años de edad y solteros. Los hijos que no han sido abusados también pueden ser incluidos en la solicitud cómo "Beneficiarios Derivativos".

3. Hijos

Hijos menores de 21 años de edad y solteros abusados por sus padres (o personas con la custodia) que son ciudadanos o residentes permanentes pueden pedir la residencia permanente sin la ayuda o conocimiento de esas personas. Los niños de estos hijos (también menores de 21 años de edad y solteros) pueden ser incluidos en la solicitud cómo "Beneficiarios Derivativos" sin importar que hayan sido abusados o no.

B. Condiciones Básicas: Esposa / Esposo

- La persona tiene que estar casada legalmente con un Ciudadano o Residente Permanente de EE.UU. que le abusa o maltrata. El Formulario puede ser completado sin la ayuda del ciudadano o residente permanente si el matrimonio terminó porque la persona murió y el Formulario es completado dentro de un periodo máximo de 2 años luego de la muerte de la persona. El Formulario también puede ser completado si el matrimonio terminó por medio de un divorcio a causa de abusos o violencia familiar, y el Formulario es completado dentro de un periodo máximo de 2 años luego del divorcio.

- El abuso o maltrato a la persona tiene que haber ocurrido en EE.UU., excepto cuando la persona que abusa o maltrata a sus familiares es un empleado del Gobierno de EE.UU. o miembro de las fuerzas armadas de EE.UU. en el extranjero.

- El abuso tiene que ocurrir durante el matrimonio y tiene que ser de modo cruel o físico contra la persona que esta casada con el ciudadano o residente permanente de EE.UU., o contra los hijos de la persona durante el matrimonio.

- El solicitante tiene que ser una persona de buen carácter moral.

- El solicitante debe haberse casado con la persona en buena fe y no solamente con el propósito de obtener los beneficios de inmigración.

C. Condiciones Básicas: Hijos(as)

- Tiene que cualificar bajo la definición de "hijo" del Servicio de Inmigración (legítimo, de sangre, etc.) de la persona que le abusa o maltrata.

- Toda evidencia creíble y relevante será considerada por el Servicio de Inmigración para determinar si existe una relación de sangre o familia entre hijos y padres.

D. Cómo Solicitar

Para solicitar la residencia permanente como víctima de abusos y maltrato familiar la persona tiene que completar el Formulario I-360 (Petición para Asiático-Americanos, Personas Viudas, o Inmigrantes Especiales) y también incluir todos los documentos y pruebas necesarias con el Formulario. Estos formularios deben ser enviados al Centro de Servicios de Vermont solamente. El Servicio de Inmigración recomienda que el Formulario sea enviado por "correo certificado" o cualquier otra forma que pueda demostrar que el Formulario fue entregado. La persona también debe mantener copia de todos los documentos que envíe con el Formulario, incluyendo una fotocopia del formulario una vez completado y copia de la notificación del correo de que el Formulario fue entregado al Centro de Servicios de Vermont.

Proceso de la Solicitud

- **Notificación de Recibo**

  El Servicio de Inmigración notifica a cada solicitante de residencia permanente bajo la Ley para Victimas de Abuso y Maltrato que la solicitud y el pago han sido recibidos.

- **Determinación Inicial para Ayudas y Servicios Públicos**

  Víctimas de abuso o violencia familiar que pueden probar inicialmente que cualifican para la residencia permanente son consideradas como "Inmigrantes Cualificados" para solicitar y conseguir beneficios y servicios públicos (como por ejemplo asistencia económica o vales para alimentos). El Servicio de Inmigración examina cada solicitud para determinar si la persona cumple con las condiciones mencionadas anteriormente y si ha presentado la evidencia necesaria para cada condición. Esta determinación inicial es llamada "Prima Facie".

  Si el Servicio de Inmigración hace una determinación inicial a favor del solicitante, la persona recibirá una Notificación Prima Facie válida por 150 días. Esta notificación puede ser presentada a las agencias de gobierno que ofrecen ayudas y servicios como comprobante de elegibilidad para esos programas.

- **Aprobación (no importa que la persona no esté en EE.UU. legalmente)**

  Si el Formulario I-360 es aprobado Inmigración puede optar por poner a la persona en "Acción Aplazada" si la persona no está en EE.UU. legalmente. "Acción Aplazada" significa que inmigración no deportará (por un periodo de tiempo específico) a la víctima de abuso o violencia familiar por no estar en EE.UU. legalmente. El Centro de Servicios de Vermont hace las determinaciones de "Acción Aplazada" y en la mayoría de los casos éstas son aprobadas. Determinaciones de "Acción Aplazada" de deportación tienen una duración de 27 meses para las personas que tienen una visa en la fecha que la petición es aprobada. En todos los otros casos las determinaciones de "Acción Aplazada" son válidas por un periodo de 24 meses luego del número de visa estar disponible. El Centro de Servicios de Vermont tiene la autoridad para extender el periodo de "Acción Aplazada" tras recibir un pedido de extensión del solicitante.

E. Autorización de Empleo

Personas (y sus hijos) que han conseguido que el Servicio de Inmigración apruebe su Formulario I-360 y su condición es puesta en "Acción Aplazada" son elegibles para un permiso de trabajo. Para solicitar el permiso, el Formulario I-765 (Solicitud de Autorización de Empleo) debe ser completado y enviado también al Centro de Servicios de Vermont. El solicitante debe especificar que desea obtener un permiso de trabajo de acuerdo a la sección aplicable de la ley de inmigración escribiendo en la parte superior del Formulario *"Pursuant to 8 CFR 274ª. 12(c) (14)."* El solicitante también debe presentar una copia de la notificación del INS aprobando su Formulario I-360.

¿Quién es un familiar inmediato?

- El esposo o la esposa de un ciudadano de EE.UU.

- Hijos solteros (menores de 21 años de edad) de ciudadanos de EE.UU.

- El padre o la madre de un ciudadano de EE.UU. si el ciudadano tiene al menos 21 años de edad.

- El viudo o la viuda de un ciudadano de EE.UU., si:

1. la persona estuvo casada con el ciudadano de EE.UU. por lo menos dos años antes de que el ciudadano de EE.UU. muriera,
2. la persona y el ciudadano de EE.UU. no estaban separados legalmente,
3. la persona y el ciudadano de EE.UU. no se han casado nuevamente (se divorciaron y casaron nuevamente), y
4. la residencia permanente es solicitada antes de cumplirse 2 años de la muerte del ciudadano de EE.UU.

F. Ajustando su Condición a Residente Permanente

Solicitantes que cualifican como familiares inmediatos de ciudadanos de EE.UU. no tienen que esperar por un número de inmigrante. Estas personas pueden completar el Formulario I-485 (Solicitud para Registrar la Residencia Permanente o Ajustar Condición Migratoria) y presentarlo a su oficina local de Inmigración. Los solicitantes que tienen que esperar por un número de inmigrante para ajustar su situación deben esperar a que el Servicio de Inmigración les de el número para entonces completar y presentar el Formulario I-485. Recuerde tener mucha paciencia, el tiempo de espera para recibir un número de visa puede tomar entre 2 y 10 años.

G. Algunas Preguntas y Respuestas Importantes

¿Puede un hombre solicitar una visa bajo la Ley de Violencia Contra la Mujer?
Si. La ley de Violencia Contra la Mujer aplica a víctimas de ambos sexos.

¿Tiene que mantenerse casada la víctima con la persona que la abusa?
No. La ley solo exige que la persona esté casada al momento de completar y presentar los formularios del Servicio de Inmigración. Una vez los formularios son presentados al Servicio de Inmigración el matrimonio puede concluir y la solicitud no es afectada. Es recomendable que la persona busque consejo o ayuda legal para saber los últimos cambios en la ley y no correr ningún riesgo. Por ejemplo, cambios que entraron en efecto en Octubre 28 del año 2000 permiten que las víctimas de maltrato y violencia familiar puedan solicitar visas hasta dos años después del matrimonio haber terminado. Por supuesto muchas restricciones aplican y es necesario que usted consulte con un abogado para entender cómo estos cambios y la ley afectan su caso en particular.

¿Puede una víctima divorciada solicitar?
Si. Como indicado anteriormente, cambios en la ley que entraron en efecto en Octubre 28 del año 2000 permiten que las víctimas de maltratos y violencia familiar puedan solicitar visas hasta dos años después del matrimonio haber terminado. Las personas víctimas de abusos y violencia familiar que no cumplen con estas condiciones pueden ser elegibles para que el Servicio de Inmigración cancele su deportación o repatriación (sección 240A(b)(2) de la ley de inmigración). Para cualificar la persona tiene que haber estado presente físicamente en EE.UU. por los 3 años antes de completar la petición de cancelación de deportación además de cumplir con las otras condiciones que son necesarias para la aprobación de la solicitud.

Las personas que se vuelven a casar antes de que su solicitud sea aprobada no son elegibles para la residencia permanente. Las personas que se vuelven a casar luego de que la petición I-360 es aprobada no son afectadas.

¿Qué ocurre si existe un Formulario I-130 que fue entregado al Servicio de Inmigración por la persona que abusa y el formulario todavía no ha sido aprobado o fue retirado por la persona?
Las víctimas de abusos y maltratos que son o serian beneficiadas por el Formulario I-130 completado y entregado al Servicio de Inmigración por la persona que las abusa pueden transferir la fecha de su nueva solicitud I-360 a la fecha de la solicitud inicial I-130. Esto es muy importante para aquellas personas que tienen que esperar a que el Servicio de Inmigración les asigne un número de inmigración porque la fecha más temprana significa un ahorro considerable de tiempo. Recuerde, el periodo de tiempo promedio para obtener un número de inmigración es entre 2 y 10 años.

VII. Visas por Medio del Registro del INS para Extranjeros Presentes en EE.UU. desde el 1ro de Enero de 1972

Si una persona extranjera ha estado continuamente presente en EE.UU. desde Enero 1ro de 1972, es probable que la persona sea elegible para obtener una visa permanente (residencia permanente) bajo el Registro del Servicio de Inmigración. No importa si la persona entró o está ilegalmente en EE.UU.

A. Quién es Elegible

Para solicitar un permiso de residente permanente bajo el registro del Servicio de Inmigración la persona tiene que cumplir con las siguientes condiciones:

1. La persona entró a EE.UU. antes del 1ro de enero de 1972;
2. Ha residido continuamente en EE.UU. desde su llegada;
3. Es de buen carácter moral;
4. No ha participado en actividades terroristas o criminales, o no es elegible por razones de seguridad o por transportar inmigrantes a EE.UU. ilegalmente;
5. Tampoco es inelegible para recibir la ciudadanía de EE.UU.;
6. Nunca ha participado en persecuciones nazistas o en actos de genocidio;
7. La persona no tiene ninguna otra forma de convertirse en residente permanente legal de EE.UU.

Cualquier persona que no ha comparecido o haya faltado a una audiencia de deportación, o que no se marcha del país luego de aceptar su deportación voluntaria, no es elegible para obtener la residencia permanente por medio del registro del Servicio de Inmigración.

B. Cómo Solicitar

La persona tiene que completar el Formulario I-485 y el Formulario G-325A (formulario de información biográfica) autentificando que la persona ha residido continuamente en EE.UU. desde antes del 1ro de enero de 1972, y enviarlos a su oficina local del Servicio de Inmigración con el pago para procesar la solicitud. El Solicitante tiene que probar que es elegible. Las decisiones de residencia de la oficina de distrito del Servicio de Inmigración no pueden ser reconsideradas, sin embargo un juez de inmigración puede renovar la solicitud.

C. Autorización de Empleo

Solicitantes que están dentro de EE.UU. que han completado el Formulario I-485 pueden ser elegibles para solicitar un permiso de trabajo mientras su solicitud es tramitada o procesada por el Servicio de Inmigración . Para solicitar un permiso de trabajo del Servicio de Inmigración el Formulario I-765 debe ser completado. La persona no necesita solicitar un permiso de trabajo luego de conseguir un permiso de residencia permanente.

D. Autorización para Viajar Fuera de EE.UU. Mientras la Solicitud es Procesada

Las personas que desean viajar fuera de EE.UU. (y regresar) sin poner en riesgo su solicitud de residencia permanente deben completar el Formulario I-131. Si el formulario es aprobado por el Servicio de Inmigración , entonces la persona puede viajar fuera del país. Sin embargo, si la persona ha estado presente ilegalmente más de 180 días en EE.UU. y luego viaja fuera del país, la persona no puede entrar al país por un periodo de 3 a 10 años. Cómo la mayoría de las personas que solicitan la residencia permanente por medio del Registro del Servicio de Inmigración entraron o están ilegalmente en EE.UU., es recomendable que estas personas no viajen fuera de EE.UU. sin primero conseguir un permiso para viajar. Para más información sobre permisos para viajar, vea el Capítulo 10.

Recuerde también: Los residentes permanentes que viajen fuera de EE.UU. por más de 6 meses deben solicitar admisión nuevamente en el "puerto de entrada" de EE.UU.

Capítulo 4

Ley NACARA
Personas de El Salvador y Guatemala

La Ley NACARA (Acta de Ajuste para Nicaragüenses y Alivio para Centro América) ofrece varias maneras para beneficiar a personas de El Salvador y Guatemala y a sus dependientes. Sin embargo, la parte de la ley NACARA que aplica a personas de Cuba y Nicaragua venció en abril del año 2000.

NACARA ofrece un permiso del Servicio de Inmigración para personas que ya viven en EE.UU. puedan obtener un permiso de residencia permanente, el cual permite a una persona vivir, trabajar y estudiar en Estados Unidos permanentemente.

Aunque el tiempo para solicitar beneficios bajo NACARA ya ha vencido para la mayoría de las personas, NACARA todavía puede ser utilizada para evitar la deportación de personas de El Salvador y Guatemala que cualifican para NACARA y que han sido detenidas por el Servicio de Inmigración.

Recuerde, este libro es sólo una guía de las herramientas legales a su alcance. Cada caso y situación es diferente y las leyes cambian constantemente. La información y comentarios sobre sus derechos en esta sección son únicamente de carácter general y de ninguna forma deben ser interpretados como consejos legales específicos respecto a su caso de inmigración.

Para obtener consejo legal sobre su caso en específico usted debe comunicarse con un abogado con licencia para practicar derecho o judicatura en el estado donde usted vive o donde el caso toma lugar. Para una lista de organizaciones y abogados que ayudan con casos de inmigración, vea el Capitulo 16: Abogados.

El tiempo aproximado para que el INS complete los trámites bajo la ley NACARA es de 9 meses.

La ley NACARA todavía puede ser utilizada en algunos casos específicos por personas que han sido detenidas por el INS para evitar ser deportadas. Este proceso es extremadamente complicado sin embargo, y es altamente recomendable obtener ayuda legal tan pronto sea posible.

Sección 203: El Salvador y Guatemala

Las personas de El Salvador y Guatemala son elegibles para NACARA siempre y cuando cumplan con los requisitos de la ley. A continuación vea una breve explicación al respecto.

Las personas de **El Salvador** son elegibles para la cancelación o suspensión de una orden de deportación o del proceso de remoción bajo las siguientes dos categorías.

Categoría 1 (salvadoreños): la persona tiene que probar:
1. Que llegó a EE.UU. el 19 de septiembre de 1990 o antes de esa fecha y se registró bajo el "ABC" o por medio del programa de TPS (Estatus de Protección Temporal) antes del 31 de octubre de 1991.
2. Que no fue detenida al momento de ingresar al país después del 19 de diciembre de 1990.
3. Que no ha sido encontrada culpable de un delito o un crimen grave (vea el Capítulo 12: Ofensas a la Ley y Su Caso de Inmigración).

Categoría 2 (salvadoreños): la persona tiene que probar:
1. Que solicitó asilo en Estados Unidos por medio del Servicio de Inmigración en o antes del 1ro de abril de 1990, y
2. Que no ha sido encontrada culpable de un delito o un crimen grave (vea el Capítulo 12: Ofensas a la Ley y Su Caso de Inmigración).

Las personas de **Guatemala** son elegibles para la cancelación o suspensión de una orden de deportación o del proceso de remoción bajo las siguientes dos categorías.

Categoría 1 (guatemaltecos): la persona tiene que probar:
1. Que entró por primera vez a los Estados Unidos en o antes del 1ro de octubre de 1990 bajo el "ABC".
2. Que se registró para los beneficios del programa del "ABC" en o antes del 19 de diciembre de 1991.
3. Que no ha sido encontrada culpable de un delito o un crimen grave (vea el Capítulo 12: Ofensas a la Ley y Su Caso de Inmigración).

Categoría 2 (guatemaltecos): la persona tiene que probar:
1. Que solicitó asilo en Estados Unidos por medio del Servicio de Inmigración en o antes del 1ro de abril de 1990, y
2. Que no ha sido encontrada culpable de un delito o un crimen grave (vea el Capítulo 12: Ofensas a la Ley y Su Caso de Inmigración).

Miembros de la Familia que pueden beneficiarse

El esposo o esposa del solicitante y los hijos(as) menores de 21 años de edad que se encuentren en Estados Unidos también pueden beneficiarse. Sin embargo, estas personas tienen que solicitar por separado los beneficios de la ley NACARA. Es decir, cada uno de los hijos(as) o cónyuges del solicitante principal tiene que presentar su propia solicitud. Los beneficios de la ley no pueden ser obtenidos en forma derivativa. Bajo las leyes de inmigración, los beneficios derivativos son aquellos que una persona obtiene por estar casado(a) o por ser hijo del solicitante principal.

Para poder solicitar como hijo(a) o esposo(a) del solicitante principal la persona tiene que proveer la siguiente información:

1. Evidencia de que el padre o madre o esposo(a) solicitó o está solicitando la residencia permanente por medio de NACARA.
2. Evidencia de la relación familiar.

Los hijos(as) solteros(as) mayores de 21 años del solicitante principal también pueden beneficiarse, pero solamente si muestran la siguiente evidencia:

1. Que entraron a EE.UU. en o antes del 1ro de octubre de 1990.
2. Que el Servicio de Inmigración o la Oficina Ejecutiva de Apelaciones de Inmigración (EOIR) ha aprobado la solicitud de cancelación o suspensión de remoción del padreo o de la madre bajo NACARA.
3. Que la relación familiar existía en el momento en que el Servicio de Inmigración o el EOIR aprobaron la solicitud de cancelación o suspensión de remoción del padre o madre.

Cómo Solicitar Beneficios bajo NACARA

Solicitud
1. La persona debe completar el Formulario I-881 para NACARA.
2. Asistir a la cita para tomarse las huellas digitales.
3. Entrevistarse con el Servicio de Inmigración.
4. El formulario I-881 debe de ser completado, firmado y acompañado de los documentos necesarios. También debe incluir una fotocopia del formulario y de todos los documentos.

Documentos
1. Cuatro fotografías recientes tipo pasaporte.
2. Certificado de nacimiento.
3. Certificado de nacimiento del cónyuge y/o hijos.
4. Prueba de haber obtenido un permiso de trabajo entre 1990 y 1992.
5. Prueba de que sus hijos han vivido con usted o de que los ha mantenido durante los últimos años.
6. Certificado de matrimonio (si es casado(a)).
7. Copia del último permiso de trabajo.
8. Copia de la Tarjeta de Seguro Social.
9. Dos cartas de recomendación de dos ciudadanos o residentes permanentes legales de EE.UU. certificando que el solicitante es una persona honesta, trabajadora y de alta moral.
10. Una carta de su trabajo o de su patrón diciendo cuándo comenzó a trabajar, cuál es su salario, y cuántas horas trabaja por semana.
11. Certificación de buena conducta de los departamentos de policía de cada estado donde ha vivido más de seis meses.
12. Una lista con el nombre, dirección y la fecha correspondiente de todos los lugares donde ha <u>trabajado</u> desde que llegó a EE.UU.
13. Una lista con la dirección y fecha correspondiente de todos los lugares donde ha <u>vivido</u> desde que llegó a EE.UU.
14. Prueba de haber pagado sus impuestos desde que llegó a EE.UU.
15. Lugar y fecha por donde entró a EE.UU.

El tiempo aproximado para que el Servicio de Inmigración complete los trámites bajo la ley NACARA es de 9 meses.

Crímenes y Violaciones Menores a la Ley

Si la persona tiene un historial criminal, pero no ha cometido un crimen agravado o solamente ha cometido ofensas menores a la Ley, la persona tiene que solicitar al Servicio de Inmigración que su historial criminal no sea tomado en consideración (para ver una lista de crímenes que el INS considera como crímenes agravados, vea el Capítulo 12, Su Historial Criminal y Violaciones a la Ley). Cualquier pedido para que sus crímenes o violaciones menores a la ley no sean tomados en consideración puede ser hecha bajo la Sección 212(h) de la Ley de inmigración.

Capítulo 5

Asilo Para Extranjeros

Diferencia entre Asilo y Refugio

La definición y las condiciones necesarias para conseguir asilo o refugio en EE.UU. son básicamente las mismas. La diferencia es el lugar desde donde la persona solicita. Un pedido de asilo es realizado dentro de EE.UU., mientras que un permiso de refugio es realizado fuera de EE.UU.

Este capítulo discute las solicitudes y pedidos de asilo. Para ver como una persona puede solicitar la residencia permanente luego de conseguir asilo, vea el Capítulo 3, Sección III, "Visas para Personas que Desean Ajustar su Situación de Refugiado o Asilo".

Asilo

El Programa de Asilo del Servicio de Inmigración esta diseñado para ayudar y proteger a personas que tienen que abandonar su país y no pueden regresar porque:

- Son perseguidas, o
- Tienen razones legítimas para temer ser perseguidas,
- Por razón de su raza, religión, nacionalidad, membresía en un grupo social en especifico, o por sus opiniones políticas.

Cuando una persona consigue asilo en EE.UU. significa que la persona puede vivir y trabajar en EE.UU. Un año después de conseguir asilo la persona puede solicitar un permiso de residencia permanente. Una persona que pide asilo también puede incluir en su solicitud original a su esposo o esposa y a sus hijos(as) solteros menores de 21 años de edad. No importa que los familiares estén en EE.UU. Este proceso se llama asilo "derivativo" porque es producto del asilo del padre, madre, esposo, o esposa.

Recuerde, este libro es sólo una guía de referencia sobre las herramientas legales a su alcance. Cada caso y situación es diferente y las leyes cambian constantemente. La información y comentarios sobre sus derechos en esta sección son únicamente de carácter general y de ninguna forma deben ser interpretados como consejos legales específicos a su caso. Para obtener consejo legal sobre su caso en específico usted debe comunicarse con un abogado con licencia para practicar derecho o judicatura en el estado donde usted vive o donde el caso toma lugar.

I. Quién es Elegible para Asilo

Existen dos condiciones básicas para ser elegible para el Programa de Asilo del Servicio de Inmigración: (1) cualificar para asilo bajo la definición de Refugiado y (2) pedir asilo dentro de un periodo máximo de un año luego de llegar a EE.UU.

A. Para ser elegible para asilo una persona tiene que cualificar bajo la definición de Refugiado

- La elegibilidad de una persona está basada en la información que la persona ofrece en su solicitud de asilo y durante su audiencia con un oficial del Servicio de Inmigración o un juez de inmigración.

La ley de Inmigración y Nacionalidad define "Refugiado" en la Sección 101(a)(42) de la siguiente manera:

(A) cualquier persona que se encuentra fuera de su país nacional o, en el caso de personas sin nacionalidad, se encuentra fuera del país donde esa persona mantiene su última residencia habitual, y quien no puede o quiere regresar, y no puede o quiere beneficiarse de la protección de ese país porque él o ella es perseguido o tiene razones creíbles para temer ser perseguido por razón de raza, religión, nacionalidad, o por pertenecer a un grupo social especifico, o por su opinión política, o

(B) en circunstancias en las cuales el Presidente de los Estados Unidos, luego de consultar apropiadamente con las ramas de gobierno concernientes (según definido por la Sección 207(e) de esta ley) especifique a una persona que se encuentre dentro de su país nacional, o en el caso de personas sin nacionalidad, se encuentra fuera del país donde esa persona mantiene su última residencia habitual, y quien no puede o quiere regresar, y no puede o quiere beneficiarse de la protección de ese país porque él o ella es perseguido o tiene razones legítimas para temer ser perseguido por razón de raza, religión, nacionalidad, o por pertenecer a un grupo social especifico, o por su opinión política. La palabra "Refugiado" no incluye a ninguna persona que haya ordenado, incitado, asistido, o de alguna forma participado en la persecución de cualquier persona por motivo de raza, religión, nacionalidad, o por pertenecer a un grupo social específico, o por su opinión política. Para propósitos de determinaciones bajo esta ley, cualquier persona que haya sido forzada a abortar un embarazo o someterse a una operación de esterilización, o quien ha sido perseguido por no someterse o rehusarse a someterse a dicha intervención, o por resistir cualquier otro programa de control de población, debe ser clasificado como una persona que ha sido perseguida por razones de opinión popular, y una persona que tiene razones creíbles para temer que él o ella será forzado a someterse a estos procedimientos o que será perseguido por no realizarse, negarse, o resistir estos procedimientos, debe ser calificado como una persona que tiene razones legítimas para temer ser perseguido por sus opiniones políticas.

B. Periodo de Un Año para Pedir Asilo

La persona tiene que pedir asilo dentro de un periodo máximo de un año luego de llegar a EE.UU. sin importar que la persona haya llegado a EE.UU. ilegalmente. La persona puede hacer esto inmediatamente al llegar a uno de los puertos de entrada de EE.UU. (aeropuerto, puerto marítimo, o en una estación fronteriza) , o por medio de una solicitud.

El periodo de un año es calculado desde la última llegada de la persona a EE.UU. o desde el 1ro de Abril de 1977, cualquiera de las dos fechas más cercanas al presente. La persona también puede solicitar asilo luego del tiempo límite de un año si sus circunstancias (o en su país de origen) han cambiado antes de pedir asilo y esos cambios afectan positivamente la elegibilidad de la persona para conseguir asilo en EE.UU.

1. Cuando el periodo de un Año para solicitar no puede ser cumplido

Una persona puede ser excusada del periodo máximo de un año para pedir asilo si por circunstancias o sucesos extraordinarios la persona no pudo solicitar asilo luego de su llegada a EE.UU., siempre y cuando la persona solicite dentro de un periodo razonable luego de cumplirse el periodo de un año.

Circunstancias Extraordinarias:

Una persona que desea solicitar asilo luego del periodo máximo de un año tiene que probar lo siguiente:

a) Que las circunstancias no fueron creadas intencionalmente por medio de las acciones del solicitante o por su falta de acción,

b) Que las circunstancias están directamente relacionadas al hecho de que la persona no pudo solicitar asilo dentro del periodo máximo de un año luego de llegar a EE.UU., y

c) Que el retraso de la solicitud es razonable dentro de las circunstancias.

Ejemplos de Circunstancias Extraordinarias

Las circunstancias extraordinarias incluyen, pero no están limitadas a lo siguiente: consejo legal erróneo o inapropiado del abogado, permiso del Servicio de Inmigración o problemas con la solicitud, y muerte o enfermedad del abogado o un familiar. A continuación vea estos ejemplos en detalle.

Salud:

La persona puede reclamar que no pudo solicitar asilo dentro del periodo mínimo de un año porque:

- La persona está enferma seriamente, o está incapacitada mental o físicamente, incluyendo cualquier condición que haya impedido a la persona solicitar asilo dentro del periodo máximo de un año luego de llegar a EE.UU., y que sea como resultado de ser perseguido o haber sido perjudicado violentamente en el pasado en su país de origen.
- La persona no tenía la capacidad legal (la persona era un menor de edad que entró a EE.UU. sin un acompañante o la persona está incapacitada mentalmente) para solicitar asilo dentro del periodo máximo de un año luego de llegar a EE.UU.

Una persona que llega a EE.UU. con o sin permiso del Servicio de Inmigración, tiene un periodo máximo de un año para pedir asilo.

El periodo de un año comienza el día que la persona llega a EE.UU.

Si la persona no puede cumplir con el periodo máximo de un año, la persona todavía puede solicitar asilo en caso de que circunstancias extraordinarias hayan impedido que la persona solicitara.

Si la persona se encuentra en un proceso de deportación frente a un juez de inmigración, la persona tiene que completar el Formulario I-589 y entregarlo a la corte de inmigración.

Consejo legal erróneo o inapropiado del abogado:

La persona puede reclamar que no pudo solicitar asilo dentro del periodo mínimo de un año porque recibió consejo legal inapropiado de su abogado, siempre y cuando:

- La persona ofrezca una declaración notariada con los detalles del acuerdo entre la persona y su abogado con los pasos y acciones a ser tomados y con las promesas que su abogado hizo o no hizo a la persona,
- El abogado que la persona acusa de ineptitud o falta de integridad haya sido informado de las alegatos en su contra y haya tenido la oportunidad de responder a los alegatos, y
- La persona indique si una queja formal ha sido levantada en contra del abogado con las autoridades disciplinarias apropiadas por violaciones de ética o responsabilidad legal. Si una queja formal no ha sido levantada, la persona tiene que explicar porqué no se ha quejado.

Permiso del Servicio de Inmigración o problemas con la solicitud:

La persona puede reclamar que no pudo solicitar asilo dentro del periodo mínimo de un año porque:

- La persona gozaba de un permiso de Inmigración (como por ejemplo, Condición Temporeramente Protegida, Inmigrante o No-Inmigrante Legal, o gozaba de "PAROLE") durante un tiempo razonable antes de solicitar asilo dentro del periodo máximo de un año luego de llegar a EE.UU.
- La persona solicitó asilo antes del periodo máximo de un año pero su solicitud fue rechazada por no ser completada correctamente y la solicitud fue devuelta a la persona para ser corregida, y la persona envió nuevamente la solicitud corregida dentro de un tiempo razonable.

Muerte o enfermedad del abogado o un familiar:

La persona puede reclamar que no pudo solicitar asilo dentro del periodo mínimo de un año porque:

- El representante legal o un familiar inmediato de la persona murió o sufrió una enfermedad o incapacidad seria y esto impidió a la persona solicitar asilo dentro del periodo máximo de un año luego de llegar a EE.UU.

II. Qué Puede Esperar una Persona que Solicita Asilo

El Servicio de Inmigración y Naturalización (INS) cambió su nombre y ahora es conocido como el Buró de Servicios de Ciudadanía e Inmigración (BCIS)

Si una persona solicita asilo y no se encuentra en un proceso de deportación, la persona será entrevistada por un oficial de asilo del Servicio de Inmigración. El oficial de asilo decidirá si la persona es elegible para asilo o no, y aprobará o denegará la solicitud.

Si el oficial de asilo determina que la persona no es elegible para asilo y la persona esta legalmente en EE.UU., la persona recibirá una notificación por correo indicando que el Servicio de Inmigración tiene planificado rechazar la solicitud de asilo. La persona tiene entonces una oportunidad para responder a la notificación antes de que una decisión final sea tomada en su caso.

Si el oficial determina que la persona no es elegible para asilo y que la persona está en EE.UU. ilegalmente, el oficial puede referir el caso a un juez de inmigración y poner a la persona bajo un proceso de deportación.

Si la persona es puesta bajo un proceso de deportación, o la persona ya se encuentra en un proceso de deportación en una corte de inmigración, la solicitud de asilo será referida a un juez de inmigración para que éste haga una decisión final luego de escuchar el caso. Generalmente un juez de inmigración ordenará que una persona sea deportada si la persona está en EE.UU. ilegalmente y no es elegible para asilo.

III.Cómo Solicitar Asilo

Para pedir asilo una persona tiene que completar el Formulario I-589 (Solicitud de Asilo y Suspensión de Deportación) y seguir las instrucciones requeridas. El Formulario I-589 y todos los otros formularios del Servicio de Inmigración pueden ser ordenados por teléfono llamando gratis al 1-800-870-3676.

El Formulario I-589 tiene que ir acompañado de:

- Original y dos copias,
- 2 fotos (estilo pasaporte) de la persona principal que pide asilo, y
- 2 fotos (estilo pasaporte) de cada familiar inmediato en la solicitud.
- Si alguno de los documentos presentado con la solicitud no está escrito en inglés, el documento debe venir acompañado de una traducción en inglés certificada.

Generalmente las solicitudes de asilo son procesadas en 180 días (seis meses). Las solicitudes de asilo que son enviadas por correo deben ser dirigidas al Centro de Servicios de Servicio de Inmigración que tiene jurisdicción sobre el área geográfica donde la persona reside. Para más información sobre donde enviar la solicitud de asilo, vea el Formulario I-589 (Solicitud de asilo).

Notificaciones de la Oficina de Asilo del Servicio de Inmigración
Una vez se envía la solicitud a la oficina de asilo del Servicio de Inmigración correspondiente y la solicitud es procesada correctamente, la persona recibirá las siguientes notificaciones en un periodo de 21 días:

- Notificación de que su solicitud ha sido recibida.
- Una citación para presentarse al Centro de Apoyo de Solicitudes (o a la agencia del orden público designada) para que sus huellas digitales sean tomadas. Sus huellas digitales serán enviadas al Buró Federal de Investigaciones (FBI) para que esa agencia investigue y verifique la información y antecedentes de la persona.
- Una citación para una entrevista personal en cualquiera de las 8 oficinas de asilo del Servicio de Inmigración o en una de sus oficinas de distrito. Durante esta entrevista la persona puede ir acompañada de un intérprete, representante, abogado, o testigos que deseen declarar a su favor.

A. Qué Ocurre Durante la Entrevista Inicial

Durante la audiencia inicial la persona que pide asilo será entrevistada por un oficial de Inmigración. El oficial verificará la identidad de la persona por medio de documentos con fotos como una licencia de conducir,

---

Certificación para Traducciones de Documentos Oficiales

I, <u>Nombre del Traductor</u> , *Certify that I am competent to translate this document and that the translation is true and accurate to the best of my knowledge.*

(Firma del Traductor)

Una persona que obtiene asilo derivativo no puede pedir asilo para otra persona o completar un Formulario I-730 pidiendo asilo para otra persona.

pasaportes, certificado de nacimiento, etc. El oficial hará preguntas biográficas (dónde nació, etc.) al solicitante, además de preguntas sobre las razones por las cuales la persona pide asilo.

B. Luego de la Entrevista Inicial

En la mayoría de los casos la persona será citada para regresar a la oficina del Servicio de Inmigración dos semanas después de la entrevista inicial para conocer la decisión sobre su solicitud de asilo.

1. Si Inmigración decide que la persona es <u>ELEGIBLE</u> para asilo.

Si la persona es elegible, el Servicio de Inmigración le entregará una carta final de aceptación si el recibió los resultados de la investigación del FBI. Si el Servicio de Inmigración no ha recibido estos resultados del FBI, la persona recibirá una carta recomendando a la persona para asilo. El Servicio de Inmigración puede aprobar una solicitud solamente cuando recibe los resultados del FBI. Una vez la persona recibe la carta recomendando la aprobación de la solicitud o la carta final de aprobación, la persona puede solicitar un permiso para trabajar en EE.UU. (para información sobre los permisos de empleo vea el Capítulo 9, Permisos de Empleo).

2. Si Inmigración decide que la persona <u>NO es ELEGIBLE</u>.

Si la persona no es elegible, el Servicio de Inmigración puede actuar de dos formas (dependiendo si la persona está en EE.UU. legalmente). La persona puede recibir una notificación de que el Servicio de Inmigración piensa denegar la solicitud de asilo, o el caso de la persona puede ser referido a una corte de inmigración.

a) Solicitantes <u>ilegalmente en EE.UU.</u> con solicitudes de asilo rechazadas.

Si la persona está ilegalmente en EE.UU., la oficina de asilo emitirá una orden para que la persona sea puesta en el proceso de deportación en una corte de inmigración. Esto quiere decir que la persona puede ser citada para presentarse en una corte de inmigración o que la persona sea puesta bajo custodia por entrar a EE.UU. ilegalmente en violación a las leyes de inmigración. La oficina de asilo también referirá la solicitud de la persona a un juez de inmigración para una decisión final.

b) Solicitantes <u>legalmente en EE.UU.</u> con solicitudes de asilo rechazadas.

Si la persona está legalmente en EE.UU. la oficina de asilo no referirá la solicitud a una corte de inmigración. En vez, la oficina de asilo le enviará una carta a la persona explicando las razones por las cuales la solicitud de asilo ha sido rechazada. La persona tiene entonces 10 días laborales para responder a esta notificación antes de que una determinación final sea tomada. Luego de recibir la respuesta de la persona, la oficina de asilo tomará una decisión final.

Intérprete Durante las Entrevistas

Durante la entrevista con el Servicio de Inmigración la persona tiene derecho a llevar un intérprete si la persona no entiende o habla el idioma inglés con fluidez. El intérprete tiene que ser mayor de 18 años de edad y no puede ser el representante, abogado, o uno de los testigos de la persona. El intérprete tampoco puede ser un oficial de gobierno del país de origen de la persona.

IV. Cómo Obtener Asilo para sus Hijos(as) y Esposos(as): Asilo Derivativo

Una persona que pide asilo puede incluir en su solicitud a sus hijos(as) solteros menores de 21 años y a su esposo(a). Si la persona ya obtuvo asilo también puede solicitar asilo derivativo para estos familiares a través del Formulario I-730 (Solicitud de asilo para familiares).

Quién es elegible para asilo derivativo y por cuánto tiempo

- Esposos(as) y los hijos(as) solteros menores de 21 años son elegibles para asilo derivativo hasta dos años después de que la persona principal haya obtenido asilo en EE.UU., ó después de Febrero 28 del 2000, cualquiera de las fechas que sea más cercana al presente.

- Si los hijos(as) de la persona no están en EE.UU. y han sido aprobados para asilo derivativo, estos hijos(as) pueden entrar a EE.UU. en cualquier momento mientras sean menores de 21 años de edad, solteros, y mantenga una relación con la persona.

- Familiares inmediatos que ya están en EE.UU. pueden ser elegibles para asilo derivativo sin importar que estén en EE.UU. ilegalmente.

- Si el esposo(a) de la persona se encuentra fuera de EE.UU. y ha sido aprobado(a) para asilo derivativo el esposo(a) de la persona puede entrar a EE.UU. en cualquier momento, siempre y cuando se mantenga casado(a) con la persona principal a quien le ha sido otorgado asilo.

- Hijos(as) que no han nacido pero que ya han sido concebidos (la madre se encuentra en cinta) el día que la persona principal recibe asilo, son elegibles para asilo derivativo.

- Hijos(as) del esposo(a) de la persona principal que pide o tiene asilo son elegibles para asilo derivativo si el matrimonio entre la persona principal y el padre o la madre de los hijos(as) ocurrió antes de que estos hijos(as) cumplieran los 18 años de edad.

- Hijos(as) adoptivos son elegibles para asilo derivativo si la adopción fue realizada antes de que el hijo(a) cumpliera los 16 años de edad y el hijo(a) ha estado bajo la custodia legal de la persona principal con asilo o en proceso de solicitar asilo.

- La relación entre la persona principal que solicita o ya tiene asilo y sus hijos(as) y esposo(a), tiene que haber existido cuando a la persona principal le fue otorgado el asilo, y tiene que continuar existiendo al momento que la solicitud de asilo para familiares (Formulario I-730) es entregada al Servicio de Inmigración. La relación tiene que continuar existiendo cuando los familiares son admitidos bajo el programa de asilo.

- La madre o el padre de los hijos(as) de la persona principal con asilo o pidiendo asilo son elegibles para asilo derivativo solamente si estaban casados con la persona principal al momento de la persona obtener asilo.

1. Solicitud de Asilo Derivativo para Esposo o Esposa
A continuación vea las responsabilidades de personas casadas cuando una de ellas pide asilo para la otra.

a) Responsabilidades de la persona que pide asilo para su esposo(a)
La persona principal con asilo tiene que completar y presentar los siguientes documentos al Servicio de Inmigración para pedir asilo para su esposo(a):

- El Formulario I-730 (solicitud de asilo o refugio para familiares) dentro de un periodo máximo de dos años luego de que la persona principal haya recibido asilo en EE.UU. El periodo de dos años puede ser extendido en casos especiales.
- Prueba de su condición de asilo (cartas o certificados del Servicio de Inmigración).

- Una fotografía reciente y clara de su esposo(a).
- Una copia del certificado de matrimonio.
- Una copia del certificado de divorcio, muerte, o anulación de matrimonio si la persona principal con asilo o su esposo(a) han estado casados con otra persona anteriormente.
- Evidencia de cualquier cambio legal de nombre si la persona principal con asilo o su esposo(a) han cambiado su nombre legalmente en algún momento.

b) Responsabilidades del esposo(a)

El esposo(a) de la persona principal con asilo tiene las siguientes responsabilidades:

- Esposos(as) que viven fuera de EE.UU. tienen que presentarse al consulado o la embajada de EE.UU. en su país de origen para completar la solicitud de asilo.
- Esposos(as) que ya están dentro de EE.UU. serán notificados por correo si su solicitud de asilo ha sido aprobada. El Servicio de Inmigración enviará el Formulario I-797 (notificación de acción).
- Esposos(as) que obtienen asilo derivativo no puede pedir asilo para otra persona o completar un Formulario I-730 pidiendo asilo para otra persona.

2. Solicitud de Asilo Derivativo para Hijos(as)

Los documentos que tiene que completar y presentar la persona que solicita asilo derivativo para sus hijos, dependen si la persona que pide el asilo es la madre o el padre y el tipo de relación de esta persona con el hijo. A continuación vea las diferentes categorías: madre, padre, padrastro o madrastra, y padre o madre adoptivo.

a) Responsabilidades de la persona que pide asilo para un hijo(a)

Madres pidiendo asilo para sus hijos(as) deben completar y presentar los siguientes documentos:
- El Formulario I-730 (solicitud de asilo o refugio para familiares) por cada uno de los hijos(as) dentro de un periodo máximo de 2 años luego de la madre recibir asilo en EE.UU. El periodo de dos años puede ser extendido en casos especiales.
- Prueba de su condición de asilo (cartas o certificados del Servicio de Inmigración).
- Una fotografía reciente y clara del hijo(a).
- Una copia del certificado de nacimiento del hijo(a) con el nombre del hijo(a) y de la madre.

Padres pidiendo asilo para sus hijos(as) deben completar y presentar los siguientes documentos:
- El Formulario I-730 (solicitud de asilo o refugio para familiares) por cada uno de los hijos(as) dentro de un periodo máximo de 2 años luego de el padre recibir asilo en EE.UU. El periodo de dos años puede ser extendido en casos especiales.
- Prueba de su condición de asilo (cartas o certificados del Servicio de Inmigración).
- Una fotografía reciente y clara del hijo(a) en la solicitud.
- Una copia del certificado de nacimiento del hijo(a) con el nombre del hijo(a) y del padre y de la madre.
- Una copia del certificado de matrimonio si el padre está o estuvo casado con la madre del hijo(a).
- Si el padre nunca se casó con la madre del hijo(a), el padre tiene que presentar prueba de que el hijo fue legitimizado o reconocido legalmente frente a las autoridades civiles, o prueba de que una relación entre padre e hijo(a) existe o existía.
- Una copia de cualquier certificado de divorcio, muerte, o anulación de matrimonio, si la persona principal con asilo o su esposo(a) han estado casados con otra persona anteriormente.

Padrastros o Madrastras pidiendo asilo para sus hijos(as) deben presentar los siguientes documentos:
- El Formulario I-730 (solicitud de asilo o refugio para familiares) por cada uno de los hijos(as) dentro de un periodo máximo de 2 años luego del padrastro o la madrastra recibir asilo en EE.UU. El periodo de dos años puede ser extendido en casos especiales.
- Prueba de su condición de asilo (cartas o certificados del Servicio de Inmigración).
- Una fotografía reciente y clara del hijo(a) en la solicitud.

- Una copia del certificado de nacimiento del hijo(a) con el nombre del hijo(a) y de la madre.
- Una copia del certificado de matrimonio entre el padrastro o la madrastra y la madre o el padre natural del hijo(a).
- Una copia del certificado de divorcio, muerte, o anulación de matrimonio si la persona principal con asilo o su esposo(a) han estado casados con otra persona anteriormente.

Padres o Madres Adoptivos pidiendo asilo para sus hijos(as) deben completar y presentar los siguientes documentos:
- El Formulario I-730 (solicitud de asilo o refugio para familiares) por cada uno de los hijos(as) dentro de un periodo máximo de 2 años luego del padre o la madre adoptiva recibir asilo en EE.UU. El periodo de dos años puede ser extendido en casos especiales.
- Prueba de su condición de asilo.
- Una fotografía reciente y clara del hijo(a).
- Una copia del certificado de adopción.
- Copia del certificado de custodia si el padre adoptivo tenía la custodia del hijo(a) antes de ser adoptado.
- Prueba de que el hijo(a) ha vivido con el padre adoptivo por un periodo mínimo de 2 años.

b) **Responsabilidades del hijo(a)**
- Hijos(as) que viven fuera de EE.UU. tienen que presentarse al consulado o a la embajada de EE.UU. para completar la solicitud de asilo.
- Hijos(as) que ya están dentro de EE.UU. serán notificados por correo si su solicitud de asilo ha sido aprobada. El Servicio de Inmigración enviará el Formulario I-797 (notificación de acción).
- Hijos(as) que obtienen asilo derivativo no pueden pedir asilo para otras personas o familiares o completar un Formulario I-730 pidiendo asilo para otras personas o familiares.

V. Permisos de Empleo

Las personas que piden asilo no pueden solicitar permisos de trabajo al mismo tiempo que solicitan asilo. Como mínimo, la persona tiene que esperar 150 días luego de que el Servicio de Inmigración reciba la solicitud de asilo para pedir un permiso de trabajo. El Servicio de Inmigración tiene 30 días para aprobar o denegar la solicitud de trabajo.

Hijos(as) y esposos(as) que solicitan asilo derivativo y que han alcanzado los 14 años de edad son elegibles para trabajar solamente si la solicitud de asilo derivativo es aprobada y si han sido admitidos a EE.UU. Una vez admitidos a EE.UU. el INS proporcionará el documento I-94 (Acta de Entrada y Salida) el cual sirve como prueba de que los hijos(as) y esposo(a) poseen asilo derivativo y tienen derecho a trabajar en EE.UU.

Personas que solicitan asilo derivativo pueden completar el Formulario I-765 (solicitud para un permiso de trabajo) al mismo tiempo que el familiar principal con asilo pide asilo derivativo para ellos. Sin embargo, un permiso de empleo no será aprobado hasta que la solicitud de asilo derivativo sea aprobada y los hijos(as) y esposo(a) hayan sido admitidos a EE.UU. Para más información sobre cómo obtener un permiso de empleo vea el Capítulo 9.

VI. Viajes Fuera de EE.UU. Mientras Solicita Asilo

Una persona que está solicitando asilo y que quiere viajar fuera de EE.UU. tiene que pedir permiso al Servicio de Inmigración antes de salir del país. Este permiso es llamado "*Parole*" por el Servicio de Inmigración. Si una persona no solicita un permiso antes de salir de EE.UU., el Servicio de Inmigración concluye que la persona ha abandonado su solicitud de asilo. Cuando esto ocurre, la persona generalmente no es autorizada a regresar a EE.UU.

Si una persona consigue un permiso para viajar fuera de EE.UU., la persona generalmente podrá salir y regresar sin ningún problema. La persona solo tiene que cumplir con las condiciones del permiso, en especial con el periodo de tiempo permitido por el Servicio de Inmigración para que la persona viaje y regrese a EE.UU.

Dónde Conseguir Ayuda Adicional

El Servicio de Inmigración recomienda que las personas con preguntas o dudas sobre el proceso de asilo se comuniquen con la Oficina del Alto Comisionado para Refugiados de las Naciones Unidas en EE.UU. (UNHCR), la cual está localizada en la siguiente dirección:

UNHCR
1775 K Street, NW,
Suite 300
Washington, DC 20006

TEL. (202) 296-5191

Las Oficinas de Distrito del Servicio de Inmigración también pueden ofrecer una lista de organizaciones comunitarias que ofrecen ayuda a personas que necesitan asilo.

En el caso de hijos(as) o esposo(a) que son admitidos a EE.UU. bajo el programa de asilo derivativo, estas personas tienen que consultar al Servicio de Inmigración para saber si pueden viajar fuera de EE.UU. Salir del país sin antes pedir permiso es igual que abandonar el programa de asilo. La persona no puede abandonar el programa de asilo y luego regresar a EE.UU. para pedir asilo nuevamente. Para más información sobre cómo obtener un permiso para viajar fuera de EE.UU. vea el Capítulo 10: Viajes Fuera de EE.UU - Permisos y Documentos.

VII. Apelaciones y Pedidos de Reconsideración si la Solicitud de Asilo es Rechazada

Si la solicitud de asilo de una persona es rechazada, la persona tiene 33 días laborables para apelar la decisión del Servicio de Inmigración . Luego de la persona completar la solicitud de reconsideración y pagar la cuota, la solicitud será referida a la Junta de Apelaciones de Inmigración en Washington, DC (*Board of Immigration Appeals*). Para más información sobre cómo apelar las decisiones del Servicio de Inmigración vea el Capítulo 14: Apelaciones y Pedidos de Reconsideración.

En el caso de solicitudes de asilo derivativo para hijos(as) y esposos(as), si la solicitud es rechazada, el Servicio de Inmigración enviará una carta donde le notificará y explicará la decisión. Esta decisión no puede ser apelada o revisada por una autoridad superior. Sin embargo, la persona puede pedir a la oficina que tomó la decisión que reconsidere su decisión o que abra el caso nuevamente.

- Una petición de reconsideración tiene que establecer y dejar claro que la decisión rechazando la solicitud estuvo basada en la aplicación incorrecta de la ley o políticas de inmigración. La petición también tiene que establecer que la decisión rechazando la solicitud no es correcta dada la evidencia disponible cuando la decisión fue tomada.

- Una petición para que el caso sea abierto nuevamente tiene que identificar y presentar nuevas circunstancias y pruebas, las cuales tienen que estar acompañadas de declaraciones notariadas y otros documentos y evidencia.

PARA AYUDA LEGAL CON CASOS Y SOICITUDES DE ASILO
Vea la el Capítulo 16: Abogados, para dos listas de organizaciones y abogados que ofrecen ayuda gratis con casos y solicitudes de asilo.

Recuerde, este libro es sólo una guía de referencia sobre las herramientas legales a su alcance. Cada caso y situación es diferente y las leyes cambian constantemente. La información y comentarios sobre sus derechos en esta sección son únicamente de carácter general y de ninguna forma deben ser interpretados como consejos legales específicos a su caso. Para obtener consejo legal sobre su caso en específico usted debe comunicarse con un abogado con licencia para practicar derecho o judicatura en el estado donde usted vive o donde el caso toma lugar.

Capítulo 6

Programa de Refugio

Cada año millones de personas son forzadas a abandonar sus países de origen por guerras, hambre, y conflictos civiles o políticos. Otros son forzados a escapar de situaciones donde están en peligro de muerte o tortura. En 1998 las Naciones Unidas estimó que el total de refugiados en el mundo estaba compuesto por unas 13 millones de personas. Los Estados Unidos de América (EE.UU.) trabaja junto a otras organizaciones gubernamentales, internacionales, y privadas para proveer comida, servicios de salud, y albergue a millones de refugiados a través del mundo.

El programa de refugiados también incluye la relocalización a terceros países (incluyendo a EE.UU.) de personas con necesidades especiales por razones humanitarias. Aquellas personas que cualifican bajo la definición de refugiados y quienes no estarían cualificados de ninguna otra forma para entrar a EE.UU., son admitidos a EE.UU. como refugiados si estas personas no se han establecido en un tercer país. Por lo general una persona que es refugiada ha tenido que abandonar su país de origen y su hogar porque son perseguidos o tienen razones validas para temer ser perseguidos por razón de raza, religión, nacionalidad, o por pertenecer a un grupo social en especifico, o por su opinión política. En las páginas a continuación discutiremos el Programa de Refugiados de EE.UU., quién es elegible y cómo solicitar.

Recuerde, este libro es sólo una guía de referencia sobre las herramientas legales a su alcance. Cada caso y situación es diferente y las leyes cambian constantemente. La información y comentarios sobre sus derechos en esta sección son únicamente de carácter general y de ninguna forma deben ser interpretados como consejos legales específicos a su caso. Para obtener consejo legal sobre su caso en específico usted debe comunicarse con un abogado con licencia para practicar derecho o judicatura en el estado donde usted vive o donde el caso toma lugar.

Diferencia entre Asilo y Refugio: La definición y las condiciones necesarias para conseguir asilo o refugio en EE.UU. son básicamente las mismas. La diferencia es el lugar desde donde la persona solicita. Un pedido de asilo es realizado desde EE.UU. Un permiso de refugio es realizado desde fuera de EE.UU.

Personas que han ordenado, incitado, asistido, o de alguna forma participado en la persecución de cualquier persona por razón de raza, religión, nacionalidad, o por ser miembro de un grupo social específico, o por su opinión política, no son elegibles para el programa de refugiados.

I. Diferencia Entre Asilo y Refugio

Según el Servicio de Inmigración la diferencia entre permisos de asilo y permisos para refugiados, es el lugar desde donde la persona hace el pedido o solicita el permiso. Por ejemplo, un pedido de asilo es hecho desde dentro de EE.UU. Un permiso de refugio es hecho desde fuera de EE.UU. Sin embargo las condiciones necesarias para cualquiera de los dos permisos son las mismas. De hecho, cualquier persona que pide asilo tiene que cumplir con la definición de refugiado (y las condiciones necesarias) de acuerdo a las leyes del Servicio de Inmigración (vea abajo la definición de refugiado). Las personas que no cualifican para un permiso de asilo pero temen convertirse en víctima de tortura si regresan a su país de origen pueden solicitar que su solicitud sea reconsiderada bajo la Convención de Tortura de las Naciones Unidas.

II. Quién es Elegible para Solicitar Refugio en EE.UU.

Cada año EE.UU. admite un número limitado de refugiados al país. Una persona es elegible para refugio si:

- El Comisionado para Refugiados de las Naciones Unidas o la embajada de EE.UU. refiere a la persona para ser admitido como refugiado en EE.UU., o
- La persona es miembro de un grupo especifico con cualidades especificas en ciertos países según así lo determine periódicamente el gobierno de EE.UU. (algunos grupos solamente son elegibles si tienen familiares en EE.UU.).

Para cualificar como refugiado, la persona tiene que probar que cualifica bajo la definición de refugiado del Servicio de Inmigración.

Definición de Refugiado

La ley de Inmigración define "Refugiado" en la Sección 101(a)(42) de la siguiente manera:

a) cualquier persona que se encuentra fuera de su país nacional o, en el caso de personas sin nacionalidad, se encuentra fuera del país donde esa persona mantiene su última residencia habitual, y quien no puede o quiere regresar, y no puede o quiere beneficiarse de la protección de ese país porque él o ella es perseguido o tiene razones creíbles para temer ser perseguido por razón de raza, religión, nacionalidad, o por pertenecer a un grupo social especifico, o por su opinión política, o

b) en circunstancias en las cuales el Presidente, luego de consultar apropiadamente (según definido por la Sección 207(e) de esta ley) especifique a una persona que se encuentre dentro de su país nacional, o en el caso de personas sin nacionalidad, se encuentra fuera del país donde esa persona mantiene su última residencia habitual, y quien no puede o quiere regresar, y no puede o quiere beneficiarse de la protección de ese país porque el o ella es perseguido o tiene razones legitimas para temer ser perseguido por razón de raza, religión, nacionalidad, o por pertenecer a un grupo social especifico, o por su opinión política. La palabra "Refugiado" no incluye a ninguna persona que haya ordenado, incitado, asistido, o de alguna forma participado en la persecución de cualquier persona por motivo de raza, religión, nacionalidad, o por pertenecer a un grupo social específico, o por su opinión política. Para propósitos de determinaciones bajo esta ley, cualquier persona que haya sido forzada ha abortar un embarazo o someterse a una operación de esterilización, o quien ha sido perseguido por no someterse o rehusarse a someterse a dicha intervención, o por resistir cualquier otro programa de control de población, debe ser clasificado como una persona que ha perseguido por razones de opinión popular, y una persona que tiene razones creíbles para temer que él o ella será forzado a someterse a estos procedimientos o que será perseguido por no realizarse, negarse, o resistir estos procedimientos, debe ser calificado como una persona que tiene razones legitimas para temer ser perseguido por sus opiniones políticas.

A. Quién es Elegible

Una persona NO es elegible para el programa de refugiados si:

- La persona ha ordenado, incitado, asistido, o de alguna forma participado en la persecución de cualquier persona por razón de raza, religión, nacionalidad, o por ser miembro de un grupo social específico, o por su opinión política.

- La persona se ha establecido firmemente en un tercer país. Una persona es considerada "establecida firmemente" si un tercer país que no es EE.UU. o su país de origen le ha ofrecido residencia, ciudadanía, o cualquier otro tipo de residencia permanente. Una persona también es considerada como "establecida firmemente" si la persona tiene doble ciudadanía en otro país además de su país de origen, o si la persona tiene derecho a ciudadanía automática en un tercer país donde la persona no es perseguido o no tiene razones para temer ser perseguido.

- La persona es un familiar inmediato de un ciudadano de EE.UU. o un inmigrante especial. Si este es el caso, la persona tiene que solicitar una visa para inmigrante. Familiares inmediatos son los padres, esposo(a), o hijos(as) solteros menores de 21 años de edad.

B. Quién Puede ser Admitido

Aunque una persona sea elegible para el programa de refugiados, esto no garantiza que la persona será admitida a EE.UU. Las personas determinadas como refugiados tienen que ser admisibles a EE.UU. o conseguir un permiso especial llamado *"waiver of admisibility."* Este permiso especial es otorgado a personas que de otra manera no son admisibles a EE.UU. Algunas condiciones que son exigidas a la mayoría de las personas que inmigran a EE.UU. (como por ejemplo certificaciones de empleo, documentos necesarios, o garantías de que la persona no se convertirá en una carga publica) no son exigidas a personas bajo el programa de refugiados. Sin embargo refugiados que por ejemplo tienen un historial criminal o serios problemas de salud, no son admisibles a EE.UU.

Una persona NO puede ser admitido a EE.UU. si:

- La persona sufre de alguna seria enfermedad transmisible de importancia para la salud pública.
- La persona sufre de algún desorden físico o mental serio.
- La persona es adicto o abusa de drogas ilegales.
- La persona es un ex ciudadano de EE.UU. que renunció a la ciudadanía para evitar pagar impuestos.
- La persona ha cometido crímenes inmorales.
- La persona ha violado leyes relacionadas a sustancias controladas.
- La persona ha cometido crímenes serios por los cuales ha recibido inmunidad.
- La persona intenta estar casado con más de una persona a la vez (poligamia) en EE.UU.

- La persona intenta o ayuda a otra persona a entrar a EE.UU. en violación a las leyes de inmigración.
- La persona ha estado envuelta en el secuestro internacional de niños.
- La persona quiere entrar a EE.UU. para realizar actividades ilegales.
- La admisión de la persona a EE.UU. puede traer serias consecuencias negativas para la política exterior de EE.UU.

III. Cómo Solicitar Refugio en EE.UU.

Cualquier persona que crea que necesite protección debe pedir ayuda inmediatamente al Alto Comisionado de las Naciones Unidas para Refugiados (UNHCR) o a una agencia internacional. Si ninguna de estas organizaciones están disponibles o no pueden ayudar, la persona debe entonces comunicarse con la embajada o consulado de EE.UU. en ese país y pedir ayuda.

En los casos apropiados, un representante de cualquiera de las organizaciones entrevistará a la persona para determinar si la persona cualifica para el programa de refugiados de EE.UU. Si cualifica, la persona deberá completar los formularios del Servicio de Inmigración. Luego el Servicio de Inmigración entrevistará formalmente a la persona para determinar si cualifica para refugio en EE.UU. Si el Servicio de Inmigración determina que la persona cualifica, el Departamento de Estado de EE.UU. con la ayuda de otras organizaciones, terminará de resolver el proceso de refugio de la persona. Recuerde, no hay que pagar ninguna cantidad de dinero o cargos para solicitar refugio en EE.UU.

IV. Refugio para Hijos(as) o Esposos(as) en EE.UU.

En general, una persona que pide refugio en EE.UU. puede incluir a sus hijos(as) solteros menores de 21 años de edad y a su esposo(a) como "refugiados derivativos" en la solicitud o luego de ser admitida como refugiado. La condición de refugiado de los hijos(as) y del esposo(a) es otorgada a través de la persona que consiguió refugio originalmente (el refugiado principal). A continuación vea quién cualifica como refugiado derivativo y cuáles son los pasos y los documentos necesarios para solicitar.

Quién es Elegible

- Hijos(as) solteros menores de 21 años o su Esposo(a) son elegibles hasta dos años después de que la persona principal haya conseguido refugio en EE.UU., o Febrero 28 del 2000, cualquiera de las fechas que sea más cercana al presente.

- Familiares inmediatos que ya están en EE.UU., pueden ser elegibles para refugio derivativo sin importar que estén en EE.UU. legal o ilegalmente.

- La relación entre la persona principal que es admitido como refugiado y sus hijos(as) y esposo(a) tiene que haber existido cuando la persona principal consiguió refugio, tiene que continuar existiendo cuando el Formulario I-730 (solicitud para familiares pidiendo asilo o refugio) es completado y presentado al Servicio de Inmigración, y tiene que continuar existiendo cuando esos familiares son admitidos a EE.UU. bajo el programa de refugiados.

- Si los hijos(as) de la persona no están en EE.UU. y han sido aprobados como refugiados derivativos, estos hijos(as) pueden entrar a EE.UU. como refugiados en cualquier momento mientras sean menores de 21 años de edad, solteros, y mantenga una relación con el refugiado principal.

- Si el esposo(a) de la persona se encuentra fuera de EE.UU. y ha sido aprobado(a) como refugiado derivativo, el esposo(a) de la persona puede entrar a EE.UU. como asilado en cualquier momento siempre y cuando se mantenga casado(a) con el refugiado principal.

- Hijos(as) que no han nacido pero que ya han sido concebidos (la madre se encuentra en cinta) para el día en que el refugiado principal es admitido, son elegibles para refugio derivativo.

- Hijos(as) del esposo(a) del refugiado principal son elegibles para refugio derivativo si el matrimonio entre la persona principal y el padre o la madre de los hijos(as) ocurrió antes de que el hijo(a) en cuestión cumpliera los 18 años de edad.

- Hijos(as) adoptados son elegibles para refugio derivativo si la adopción fue realizada antes de que el hijo(a) cumpliera los 16 años de edad y el hijo(a) ha estado bajo la custodia legal del refugiado principal.

- El refugiado principal no puede solicitar refugio derivativo para la madre o el padre de los hijos(as) del refugiado principal a menos que la madre o el padre haya estado casado(a) con el refugiado principal al momento de ser admitido a EE.UU.

A. Solicitud de Refugio Derivativo para Esposo o Esposa

Una persona que ha sido admitida a EE.UU. como refugiado puede solicitar al Servicio de Inmigración que admita a su esposo(a) a EE.UU. como refugiado derivativo, siempre y cuando se sigan los procedimientos a continuación.

1. Responsabilidades de la persona que pide refugio para su esposo(a)
El refugiado principal tiene que completar los siguientes documentos para pedir refugio derivativo para su esposo(a):

a) El Formulario I-730 (solicitud de asilo o refugio para familiares) dentro de un periodo máximo de 2 años luego de que la persona principal haya recibido asilo en EE.UU. El periodo de dos años puede ser extendido por razones especiales.
b) Prueba de la condición de refugiado.
c) Una fotografía reciente y clara de su esposo(a).
d) Una copia de su certificado de matrimonio.
e) Una copia de cualquier certificado de divorcio, muerte, o anulación de matrimonio si la persona principal con asilo o su esposo(a) han estado casados con otra persona anteriormente.
f) Evidencia de cualquier cambio de nombre legal si el refugiado principal o su esposo(a) han cambiado su nombre legalmente en algún momento.

2. Responsabilidades de la persona para quien se pide refugio
El esposo(a) del refugiado principal tiene las siguientes responsabilidades:

a) Esposos(as) que viven fuera de EE.UU. tienen que presentarse al consulado o la embajada de EE.UU. en su país de origen para completar la solicitud de refugiado.
b) Esposos(as) que ya están dentro de EE.UU. serán notificados por correo si su solicitud de refugio ha sido aprobada. El Servicio de Inmigración enviará el Formulario I-797 (notificación de acción).
c) Hijos(as) que obtienen asilo derivativo no pueden pedir refugio para otras personas o familiares o completar un Formulario I-730 pidiendo refugio para otras personas o familiares.

Diferentes Refugiados Derivativos

Refugiado Derivativo Acompañante (*Accompaning Refugee*): Un hijo(a) o esposo(a) que puede conseguir refugio si vino acompañando a la persona principal (padre, madre, o esposo o esposa) que consiguió refugio originalmente, cuado la persona principal fue admitida a EEUU o si ese hijo(a) o esposo(a) se reunió o reunirá con la persona principal dentro de un periodo de hasta cuatro meses después de que la persona principal haya sido admitida como refugiado.

Refugiado Derivativo que Seguirá y se Reunirá con el Solicitante (*Following-to-join Refugee*): Un hijo (a) o esposo(a) que puede conseguir refugio si se reunió o reunirá con la persona principal (padre, madre, o esposo o esposa) que consiguió refugio originalmente, dentro de un periodo mayor de cuatro meses después de que la persona principal haya sido admitida como refugiado.

B. Solicitud de Refugio Derivativo para Hijos(as)

Una persona que ha sido admitido a EE.UU. como refugiado puede solicitar al Servicio de Inmigración que admita a su esposo(a) a EE.UU. como refugiado derivativo. Sin embargo las responsabilidades y documentos que tiene que completar y presentar la persona que solicita refugio derivativo para sus hijos dependen si la persona es la madre o el padre y del tipo de relación. A continuación vea las diferentes categorías: madres, padres, padrastros o madrastras, y padres o madres adoptivos(as).

1. Responsabilidades de la persona que pide refugio para un hijo(a)

Madres pidiendo refugio derivativo para sus hijos(as) deben completar y presentar los siguientes documentos al Servicio de Inmigración:
a) El Formulario I-730 (solicitud de asilo o refugio para familiares) por cada uno de los hijos(as) dentro de un periodo máximo de 2 años luego de que la madre haya recibido refugio en EE.UU. El periodo de dos años puede ser extendido por razones especiales.
b) Prueba de su condición de refugiada.
c) Una fotografía reciente y clara del hijo(a) en la solicitud.
d) Una copia del certificado de nacimiento del hijo(a) con el nombre del hijo(a) y de la madre.

Padres solicitando refugio derivativo para sus hijos(as) deben completar y presentar los siguientes documentos al Servicio de Inmigración:
a) El Formulario I-730 (solicitud de asilo o refugio para familiares) por cada uno de los hijos(as) dentro de un periodo máximo de 2 años luego de que el padre haya recibido refugio en EE.UU. El periodo de dos años puede ser extendido por razones especiales.
b) Prueba de su condición de refugiado.
c) Una fotografía reciente y clara del hijo(a) en la solicitud.
d) Una copia del certificado de nacimiento del hijo(a) con el nombre del padre y de la madre.
e) Una copia del certificado de matrimonio si el padre está o estuvo casado con la madre del hijo(a).
f) Si el padre nunca se casó con la madre del hijo(a), el padre tiene que presentar prueba de que el hijo fue legalmente legitimizado frente a las autoridades civiles o prueba de que existe o existía una relación entre el padre y el hijo(a).
g) Una copia de cualquier certificado de divorcio, muerte, o anulación de matrimonio si la persona principal con refugio o su esposo(a) estuvieron casados anteriormente con otra persona.

Padrastros o Madrastras solicitando refugio derivativo para sus hijos(as) deben completar y presentar los siguientes documentos al Servicio de Inmigración:
a) El Formulario I-730 (solicitud de asilo o refugio para familiares) por cada uno de los hijos(as) dentro de un periodo máximo de 2 años luego de que el padrastro haya recibido refugio en EE.UU. El periodo de dos años puede ser extendido por razones especiales.
b) Prueba de su condición de refugiado.
c) Una fotografía reciente y clara del hijo(a) en la solicitud.
d) Una copia del certificado de nacimiento del hijo(a)
e) Una copia del certificado de matrimonio entre el padrastro o la madrastra y el padre o madre del hijo(a).
f) Una copia de cualquier certificado de divorcio, muerte, o anulación de matrimonio si la persona principal con refugio o su esposo(a) han estado casados con otra persona anteriormente.

Padres o Madres adoptivos(as) pidiendo asilo para sus hijos(as) deben completar y presentar los siguientes documentos al Servicio de Inmigración:
a) El Formulario I-730 (solicitud de asilo o refugio para familiares) por cada uno de los hijos(as) dentro de un periodo máximo de 2 años luego de que el padre adoptivo haya recibido refugio. El periodo de dos años puede ser extendido por razones especiales.
b) Prueba de su condición de refugiado.
c) Una fotografía reciente y clara del hijo(a) en la solicitud.
d) Una copia del certificado de adopción.

e) Una copia del certificado de custodia legal si el padre o la madre adoptivo(a) tenía la custodia del hijo(a) antes de que fuera adoptado.

f) Prueba de que el hijo(a) ha vivido con el padre o la madre adoptivo(a) por un periodo mínimo de 2 años.

2. Responsabilidades del hijo(a)

El hijo(a) del refugiado principal tiene las siguientes responsabilidades:

a) Hijos(as) que viven fuera de EE.UU. tienen que presentarse al consulado o la embajada de EE.UU. en su país de origen para completar la solicitud de refugio.

b) Hijos(as) que ya están dentro de EE.UU. serán notificados por correo si su solicitud de refugio ha sido aprobada. El Servicio de Inmigración enviará el Formulario I-797 (notificación de acción).

c) Hijos(as) que obtienen refugio derivativo no pueden pedir refugio para otras personas o familiares o completar un Formulario I-730 pidiendo refugio para otras personas o familiares.

V. Permisos para Trabajar

Las personas bajo el programa de refugiados están autorizadas a trabajar en EE.UU. La persona solo tiene que completar el Formulario I-765 (solicitud para un permiso de trabajo) para obtener un permiso de trabajo. Mientras espera por el permiso de trabajo, la persona puede también usar el Acta I-94 (Acta de Entrada y Salida) para demostrar que está en EE.UU. bajo el programa de refugiados y está autorizado para trabajar. El Acta I-94 solamente sirve para conseguir trabajo si no está vencida. Por ejemplo, para una persona continuar trabajando luego de 90 días, la persona tiene que mostrar a su patrón el permiso de empleo o una tarjeta de del Seguro Social.

En el caso de hijos(as) y esposos(as) que solicitan asilo derivativo y que son mayores de 14 años de edad, éstos son elegibles para trabajar solamente si la solicitud de refugio derivativo es aprobada y si han sido admitidos a EE.UU. Una vez admitidos a EE.UU., el Servicio de Inmigración les proporcionará el documento I-94 (Acta de Entrada y Salida), el cual sirve cómo prueba que los hijos(as) y o esposo(a) son refugiados y tienen derecho a trabajar en EE.UU. Sus hijos(as) y o esposo(a) también pueden completar el Formulario I-765 (solicitud para un permiso de trabajo). Este formulario puede ser completado al mismo tiempo que el familiar principal con refugio pide asilo derivativo para ellos, sin embargo un permiso de empleo no será aprobado hasta que la solicitud de refugio derivativo sea aprobada y los hijos(as) y esposo(a) hayan sido admitidos a EE.UU.

Para más información sobre cómo obtener un permiso de trabajo o empleo vea el Capítulo 9, Permisos de Empleo.

VI. Permisos para Viajar Fuera de EE.UU.

Para que una persona mantenga su condición como refugiado, la persona no puede viajar fuera de EE.UU. sin antes solicitar un permiso para regresar a EE.UU. Antes de la persona viajar debe pedir un *Permiso para Viajar para Refugiados*. Este permiso le asegura a la persona que podrá entrar a EE.UU. cuando regrese, siempre y cuando la persona cumpla con las condiciones del permiso.

En el caso de hijos(as) y esposos(as), una vez los hijos(as) o esposo(a) son admitidos a EE.UU. como refugiados derivativos, estos familiares inmediatos también tienen que conseguir un permiso especial del Servicio de Inmigración para viajar fuera de EE.UU. hasta que ajusten su condición de refugiados a residentes permanentes.

Para más información sobre permisos para viajar fuera de EE.UU., vea el Capítulo 10: Viajes Fuera de EE.UU.

VII. Apelaciones, Pedidos de Reconsideración si la Solicitud de Refugio es Rechazada

Si una solicitud de refugio de una persona o de refugio derivativo para hijos(as) y esposos(as) es rechazada, la persona recibirá una carta donde el Servicio de Inmigración le notificará y explicará su decisión. Esta decisión no puede ser apelada o revisada por una autoridad superior. Sin embargo la persona puede solicitar al Director de la Oficina del Centro de Servicios de Nebraska que reconsidere su decisión o que abra el caso nuevamente.

- **Peticiones para que el caso sea abierto nuevamente** tienen que identificar y presentar nuevas circunstancias y pruebas que tienen que estar acompañadas de declaraciones notariadas y otros documentos y evidencia.

- **Peticiones de reconsideración** tienen que establecer y dejar claro que la decisión rechazando la solicitud estuvo basada en la aplicación incorrecta de la ley o policitas de inmigración. La petición también tiene que establecer que la decisión rechazando la solicitud no es correcta dada la evidencia disponible cuando la decisión fue tomada.

Para más información sobre cómo apelar una decisión del Servicio de Inmigración , vea el Capítulo 14: Apelaciones y Pedidos de Reconsideración.

VIII. Dónde Conseguir Ayuda

El Servicio de Inmigración recomienda que las personas con preguntas o dudas sobre el programa de refugio se comuniquen con el Alto Comisionado para Refugiados de las Naciones Unidas en EE.UU. (UNHCR), el cual está localizado en la siguiente dirección:

UNHCR
1775 K Street, NW, Suite 300
Washington, DC 20006

TEL (202) 296-5191
FAX (202) 269-5660

Las Oficinas de Distrito del Servicio de Inmigración también pueden ofrecer una lista de organizaciones comunitarias que ofrecen ayuda a personas que necesitan asilo. Encuentre parte de esta lista en el Apéndice A, al final de este libro.

Recuerde, este Libro es solo una guía de herramientas legales disponibles. Cada caso y situación es diferente y las leyes cambian constantemente. La información y comentarios sobre sus derechos en esta sección son únicamente de carácter general y de ninguna forma deben ser interpretados como consejos legales específicos a su caso. Para obtener consejo legal sobre su caso en especifico usted debe comunicarse con un abogado con licencia para practicar derecho o judicatura en su estado o localidad especifica.

Capítulo 7

TPS

Programa de Protección Temporera

El Programa de Protección Temporera para extranjeros (TPS) es una designación del Servicio de Inmigración que es ofrecida a personas que vienen a EE.UU. y que no pueden regresar temporalmente a su país de origen por razones especiales, como guerra, desastres ambientales, o condiciones extraordinarias en ese país.

Definición de Protección Temporera:
Cuando los ciudadanos de un país no pueden ser detenidos por el Servicio de Inmigración y pueden quedarse en EE.UU. temporalmente y obtener permisos de empleo. El programa de protección temporera no otorga permisos de residencia permanente. Cuando el TPS termina, la persona regresa a la condición migratoria en que se encontraba al principio del programa o a cualquier condición que la persona haya adquirido mientras se encontraba en el programa.

Ejemplo: Una persona en EE.UU. ilegalmente antes de ser designada bajo el programa de protección, que no arregla su situación migratoria volverá a su situación como inmigrante indocumentado o ilegal al final del programa.

Recuerde, este libro es sólo una guía sobre las herramientas legales a su alcance. Cada caso y situación es diferente y las leyes cambian constantemente. La información y comentarios en esta sección son únicamente de carácter general y de ninguna forma deben ser interpretados como consejos legales específicos o aplicables a su caso. Para obtener consejo legal sobre su caso en específico usted debe comunicarse con un abogado con licencia para practicar derecho o judicatura en el estado donde usted vive o donde el caso toma lugar.

I. Quién es Elegible
(Ley INA sección 244(c)(2) y 8 CFR §§ 244.1 – 244.4)

Un extranjero de un país elegible para el programa de protección temporera **ES ELEGIBLE** si:

1. La persona establece presencia física contínua y residencia en EE.UU. por un periodo específico de tiempo;
2. La persona no ha cometido ofensas criminales o es inadmisible por razones de seguridad;
3. La persona se registra o solicita los beneficios del programa dentro del tiempo establecido (Si el Procurador General extiende el periodo del programa, la persona tiene que registrarse a tiempo nuevamente).

Un extranjero **NO ES ELEGIBLE** para el programa de protección si:

1. La persona ha sido encontrada culpable por una corte de justicia de un crimen o de dos "ofensas menores" en EE.UU.;
2. La persona es un terrorista, o ha participado en la persecución de otras personas, o en alguna otra forma está sujeta a prohibiciones por una de varias razones de seguridad; y
3. La persona está sujeta a una de varias prohibiciones por razones criminales para la cual no existe excepción bajo las leyes de inmigración.

II. Procedimiento para Solicitar

Los solicitantes al TPS pueden aplicar durante el período de registro presentando lo siguiente:

- Una Solicitud de Status de Protección Temporal, Formulario I-821, junto con las pruebas de apoyo;
- Una Solicitud de Autorización de Trabajo, Formulario I-765;
- Dos fotografías tipo pasaporte; y
- El pago de la cuota de procesamiento de las huellas digitales por cada solicitante que sea mayor de 14 años.

Aunque la solicitud debe incluir el pago por las huellas digitales para cada solicitante de 14 años o mayor, los solicitantes no deben incluir una tarjeta de huellas (FD-258, Tarjeta de Solicitante). La solicitud será aceptada sin dicha tarjeta de huellas. Después que el Servicio de Inmigración recibe la solicitud le enviará por correo una cita con instrucciones para ofrecer sus huellas en un Centro de Apoyo de Solicitud correspondiente (ASC, por sus iniciales en Inglés) autorizado por el Servicio de Inmigración.

Ejemplo: Los factores tomados en consideración para designar a los salvadoreños cómo beneficiarios del TPS sirven para explicar las circunstancias que son tomadas en consideración.

En el año 2001 El Salvador fue devastado por dos grandes terremotos que causaron miles de muertes, 7,859 heridos y más de 2,500 desaparecidos. Los terremotos desplazaron cerca de 1.3 millones de personas de la población total de El Salvador, y súbitamente forzaron a más de 80,000 personas a vivir en refugios temporales. Las pérdidas en viviendas, infraestructura y en el sector agrícola excedieron los $2.8 billones de dólares, más de la mitad del presupuesto anual del país. Estos factores claramente causaron una interrupción <u>sustancial</u>, pero <u>temporal</u>, de las condiciones de vida en El Salvador.

La Solicitud

El Formulario I-821 tiene que ser enviado con un cheque o giro postal. Si una autorización de empleo es solicitada al mismo tiempo, el Formulario I-756 debe ser enviado con el pago de procesamiento para esta solicitud. Un solicitante que no necesita autorización de empleo no tiene que enviar el pago, pero comoquiera deberá completar y entregar el Formulario I-765 . Un honorario por la impresión de huellas digitales también debe ser pagado por cada solicitante de 14 años de edad o mayor. Los solicitantes que no pueden pagar esta cantidad deben pedir al Servicio de Inmigración una excepción para no pagar por la solicitud.

III. Cinco Preguntas Importantes

1. **¿Dónde conseguir información sobre el programa TPS?**

    El Centro Nacional de Servicio al Cliente del Servicio de Inmigración (Teléfono: 1-800-375-5283), y las oficinas locales del Servicio de Inmigración ofrecen información sobre el TPS. También, los solicitantes pueden pedir los formularios de programa de protección temporera poniéndose en contacto con la Línea de Formularios del Servicio de Inmigración a través del 1-800-870-3676.

2. **¿Cuánto tiempo dura la designación del TPS?**

    La designación del programa de protección temporera tiene un período de tiempo máximo de 18 meses según permitido por la ley. Al finalizar el periodo inicial, el Procurador General puede revisar las condiciones en el país en cuestión y extender el periodo del programa por un tiempo adicional.

3. **¿Qué sucede con las personas detenidas por el Servicio de Inmigración que no han sido deportadas?**

    En general, las personas detenidas que son elegibles para el programa de protección son liberadas por el Servicio de Inmigración. Sin embargo, las personas que han sido condenadas en EE.UU. por dos faltas o por un delito grave, o que no pueden solicitar asilo, no son elegibles para el programa y serán eventualmente deportadas.

4. **¿Son elegibles las personas que llegan a EE.UU. después de la fecha límite para solicitar?**

    No. El TPS es una medida de emergencia con el propósito de ayudar a personas que ya están en EE.UU. al momento de la designación. Los casos de las personas que llegan a EE.UU. después de la fecha límite para registrarse son manejados por el Servicio de Inmigración de acuerdo con la Ley de Inmigración.

5. **¿Pueden viajar a su país las personas protegidas por el TPS durante el período del TPS?**

    Las personas registradas en el TPS deben recibir permiso por anticipado para regresar a los Estados Unidos antes de salir al extranjero. Esta autorización es llamada Permiso Temporal de Salida (*Advance Parole*). Un extranjero que sale de EE.UU. sin primero obtener su Permiso Temporal de Salida puede perder su TPS y ser deportado de los Estados Unidos a su regreso. Para más información sobre permisos temporales de salida vea el Capítulo 10: Viajes Fuera de EE.UU.

Capítulo 8

Ley de Ciudadanía para Menores
Certificados para Hijos de Ciudadanos de EE.UU.

La Ley de Ciudadanía para Infantes y Menores otorga la ciudadanía de EE.UU. a ciertos hijos(as) nacidos en el extranjero (incluyendo hijos(as) adoptivos) de ciudadanos de EE.UU. En general, los hijos(as) menores de 18 años de edad con al menos un padre (o madre) que es ciudadano de EE.UU. por nacimiento o por naturalización, pueden beneficiarse de esta ley.

Solicitud, Formulario, y Pago para el Certificado de Ciudadanía para su Hijo(a)

Solicitud	Formulario
Para un certificado de ciudadanía para un hijo(a) biológico	Formulario N-600 (solicitud para certificado de ciudadanía)
Para un certificado de ciudadanía para un hijo(a) adoptivo	Formulario N-643 (solicitud de certificado de nacimiento para hijos adoptivos)
Para un certificado de ciudadanía para un hijo(a) biológico o adoptivo que vive fuera de EE.UU.	Suplemento A (solicitud para la ciudadanía por medio de abuelos) de los Formularios N-600 ó N-643

Por medio de la Ley de Ciudadanía para Infantes y Menores, los hijos elegibles que entran a EE.UU. con un padre o madre que es ciudadano obtienen automáticamente la ciudadanía de EE.UU. Los hijos o hijas elegibles que viven en el extranjero pueden obtener la ciudadanía por medio de una solicitud.

I. Documentos Necesarios

- Para hijos(as) biológicos nacidos en el extranjero que viven en EE.UU.

  1. El padre (o madre) no tiene que presentar ninguna evidencia que el INS ya tenga en su poder, incluyendo documentos traducidos.
  2. Si el hijo(a) ya ha imigrado a EE.UU. (y tiene un permiso de residencia permanente), los padres deben presentar fotografías de sus hijos(as) y pagar el costo de la solicitud.

- Para hijos(as) adoptados nacidos en el extranjero que viven en EE.UU.

  1. El padre (o madre) no tiene que presentar ninguna evidencia que el INS ya tenga en su poder, incluyendo documentos traducidos.
  2. Si el hijo(a) ya ha inmigrado a EE.UU. (y tiene un permiso de residencia permanente) luego de ser adoptado final y completamente en el extranjero, los padres deben presentar fotografías de sus hijos(as) y pagar el costo de la solicitud.
  3. Si el hijo(a) ya está en EE.UU. (y tiene un permiso de residencia permanente), para ser adoptado o readoptado, los padres deben presentar los siguientes documentos:

     a) Fotografías del hijo(a),
     b) Pago por el costo de la solicitud,
     c) Evidencia de adopción,
     d) Evidencia de cualquier cambio legal de nombre.

- Documentos que tienen que presentar los padres que solicitan la ciudadanía de EE.UU. para hijos(as) que nacieron y viven en el extranjero (sin permiso de residencia permanente):

  1. Fotografías del hijo(a),
  2. Pago por el costo de la solicitud,
  3. Certificado de nacimiento del hijo,
  4. Certificado de nacimiento del padre que es ciudadano o su certificado de naturalización,
  5. Certificado de matrimonio del padre o madre (si aplica),
  6. Evidencia de que cualquier matrimonio anterior del padre o madre ha terminado (si aplica),
  7. Evidencia de adopción final (si aplica),
  8. Evidencia de cualquier cambio legal de nombre (si aplica),
  9. Suplemento A del Formulario N-600/N-643 (si aplica).

1ro de marzo del 2003

El Servicio de Inmigración y Naturalización (INS) cambió su nombre y ahora es conocido como el Buró de Servicios de Ciudadanía e Inmigración (BCIS)

II. Cuándo Necesita el "Suplemento-A" del Formulario N-600 ó N-643

Bajo la Ley de Ciudadanía para Infantes y Menores, el padre o la madre (que es ciudadano de EE.UU.) tiene que haber estado presente físicamente en EE.UU. o sus posesiones por un total de 5 años. Dos de estos años tienen que ocurrir antes de que la persona cumpla los 14 años de edad para poder solicitar la ciudadanía de EE.UU., para el beneficio de otra persona (en este caso el hijo o hija de la persona). Si la persona no puede cumplir con estas condiciones, la ley ofrece la oportunidad para que la persona pueda utilizar la presencia física de su propio padre o madre que es ciudadano (abuelos del hijo) para solicitar la ciudadanía para su hijo(a).

Si la persona tiene que utilizar la presencia física de sus propios padres para solicitar la ciudadanía de su hijo(a), la persona tiene que completar el Suplemento A del Formularios N-600 ó N-643.

III. Dónde Solicitar

- Para solicitudes para hijos(as) que viven en EE.UU., la persona tiene que enviar sus formularios y documentos a la oficina de distrito o sub-oficina del Servicio de Inmigración que sirve el área donde la persona vive.

- Para solicitudes para hijos(as) que viven en el extranjero, la persona tiene que enviar sus formularios y documentos a cualquier oficina de distrito o sub-oficina del Servicio de Inmigración en EE.UU. la persona y su hijo(a) tienen entonces que viajar a EE.UU. para completar el proceso de la solicitud.

Solicitud	Formulario
Para un certificado de ciudadanía para un hijo(a) biológico	Formulario N-600 (solicitud para certificado de ciudadanía)
Para un certificado de ciudadanía para un hijo(a) adoptivo	Formulario N-643 (solicitud de certificado de nacimiento para hijos adoptivos)
Para un certificado de ciudadanía para un hijo(a) biológico o adoptivo que vive fuera de EE.UU.	Suplemento A (solicitud para la ciudadanía por medio de abuelos) de los Formularios N-600 ó N-643

Recuerde, este libro es sólo una guía de referencia sobre las herramientas legales a su alcance. Cada caso y situación es diferente y las leyes cambian constantemente. La información y comentarios sobre sus derechos en esta sección son únicamente de carácter general y de ninguna forma deben ser interpretados como consejos legales específicos a su caso. Para obtener consejo legal sobre su caso en específico usted debe comunicarse con un abogado con licencia para practicar derecho o judicatura en el estado donde usted vive o donde el caso tome lugar.

Capítulo 9

Permisos de Empleo
Para Trabajar en Estados Unidos

Recuerde, este libro es sólo una guía de referencia sobre las herramientas legales a su alcance. Cada caso y situación es diferente y las leyes cambian constantemente. La información y comentarios sobre sus derechos en esta sección son únicamente de carácter general y de ninguna forma deben ser interpretados como consejos legales específicos sobre su caso. Para obtener consejo legal sobre su caso en específico usted debe comunicarse con un abogado con licencia para ejercer derecho o judicatura en el estado donde usted vive o en la corte donde su caso toma lugar o será decidido.

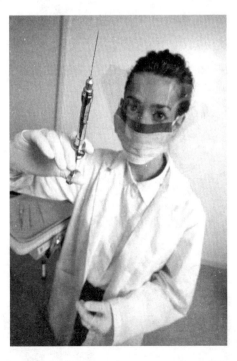

I. Qué es un Permiso de Empleo

Por ley, toda empresa, negocio, o patrón debe asegurarse de que todos sus empleados están autorizados para trabajar en EE.UU. Si una persona no es ciudadana o residente permanente de EE.UU., es muy posible que la persona necesite solicitar un Permiso para Trabajar y demostrar que está autorizada a trabajar en EE.UU.

El INS ofrece los siguientes Permisos para Trabajar:

- **ORIGINAL:** Cuando una persona solicita y consigue un permiso de trabajo. Este documento sirve para probar que la persona está autorizada para trabajar en EE.UU.
- **RENOVACION:** Cuando una persona tiene que renovar su permiso de empleo. El documento sirve para reemplazar un permiso anterior que se ha vencido. El permiso tiene que ser solicitado 6 meses antes de la fecha de expiración del permiso de trabajo original.
- **REEMPLAZO:** Cuando el permiso de trabajo de una persona se pierde, es mutilado, o robado. Este documento sirve para reemplazar un permiso existente. Este documento también reemplaza cualquier permiso de empleo que tenga información incorrecta, como por ejemplo el nombre o la dirección incorrecta de la persona.
- **PROVICIONAL:** Cuando el Servicio de Inmigración no ha tomado una decisión sobre la solicitud de un permiso de empleo de una persona dentro del tiempo establecido por la ley.

Tiempo en el cual el INS debe responder a una solicitud de empleo:
- **90 Días** en el caso de solicitudes normales.
- **30 Días** en el caso de personas solicitando asilo.

1ro de marzo del 2003

El Servicio de Inmigración y Naturalización (INS) cambió su nombre y ahora es conocido como el Buró de Servicios de Ciudadanía e Inmigración (BCIS)

II. Quién es Elegible Para un Permiso de Empleo

Las categorías de personas elegibles para recibir un permiso de empleo incluyen (para una lista completa de las personas elegibles para conseguir un permiso de trabajo, vea el Formulario I-765, Solicitud para Autorización de Empleo).

1. Personas con asilo o tramitando una solicitud de asilo.
2. Refugiados.
3. Estudiantes solicitando algunos empleos particulares.
4. Personas solicitando ajustar sus visas a residente permanente.
5. Personas quienes su condición como inmigrantes está bajo protección temporera o personas solicitando protección temporera.
6. Personas que están en EE.UU. o que viajan a EE.UU. para casarse con Ciudadanos de EE.UU.
7. Personas dependientes de Oficiales de Gobiernos extranjeros.

Si usted no cualifica para un permiso de empleo o se encuentra ilegalmente en EE.UU y solicita comoquiera, es casi seguro que usted sea deportado.

Personas que no necesitan un permiso de empleo

- Los Ciudadanos de EE.UU. no necesitan un permiso de empleo.
- Los Residentes Permanentes o Residentes Permanentes Condicionales no necesitan un permiso de empleo. La tarjeta de residente permanente sirve como prueba de que la persona está autorizada para trabajar en EE.UU.
- Personas autorizadas para trabajar con una organización o empresa en particular (cómo un gobierno extranjero) no necesitan una autorización de empleo. El pasaporte y el Acta I-94 sirve cómo prueba de que la persona está autorizada a trabajar en EE.UU.

III. Cómo Solicitar un Permiso de Trabajo

Una persona que desee solicitar un permiso de trabajo debe completar el Formulario I-765 (Solicitud para Autorización de Empleo) luego de leer cuidadosamente las instrucciones. El formulario debe ser enviado junto al costo para procesar la solicitud al Centro de Servicio Regional del Servicio de Inmigración que sirve el área geográfica donde la persona vive. El formulario puede ser ordenado gratuitamente en español llamando al: (800) 870-3676.

El Servicio de Inmigración tiene que aprobar o rechazar la solicitud en el tiempo establecido por la ley. Si no la persona puede solicitar un permiso provisional de empleo. Para conseguir un permiso provisional la persona tiene que visitar su oficina local del Servicio de Inmigración y llevar prueba de identidad y cualquier comunicación o notificación que le hayan enviado sobre su solicitud. Para saber cuál es la oficina local del Servicio de Inmigración más cercana vea el al final de este libro el Apéndice A: Oficinas del Servicio de Inmigración.

IV. Apelaciones y Pedidos de Reconsideración Cuando su Solicitud es Rechazada

Si la solicitud es rechazada, la persona recibirá una carta donde el Servicio de Inmigración le notificará y explicará su decisión. Esta decisión no puede ser apelada o revisada por una autoridad superior. Sin embargo la persona puede solicitar a la oficina que decidió en su contra que reconsidere su decisión o que abra el caso nuevamente.

- Una petición para que el caso sea abierto nuevamente tiene que identificar y presentar nuevas circunstancias y pruebas que tienen que estar acompañadas de declaraciones notariadas y otros documentos y evidencia.

- Una petición de reconsideración tiene que establecer y dejar claro que la decisión rechazando la solicitud estuvo basada en la aplicación incorrecta de la ley o policitas de inmigración. La petición también tiene que establecer que la decisión rechazando la solicitud no es correcta si se toma en cuenta la evidencia disponible cuando la decisión fue tomada.

Para más información sobre cómo apelar una decisión del Servicio de Inmigración, vea el Capítulo 14: Apelaciones y Pedidos de Reconsideración.

Capítulo 10

Viajes Fuera de EE.UU.
Permisos y Documentos – Viajes de Emergencia

Información Importante Sobre Los Documentos de Viaje

- **Viajes Fuera de EE.UU.**
  Viajar fuera de EE.UU. puede tener efectos negativos para las personas extranjeras en EE.UU., especialmente para personas que se encuentran en el proceso de ajustar su condición migratoria, o extendiendo o ajustando una visa temporera. Estas personas pueden ser calificadas como inadmisibles a su regreso o sus solicitudes pueden se rechazadas. El Servicio de Inmigración también puede hacer ambas cosas. Es importante que las personas que desean o tienen que viajar fuera de EE.UU. por alguna emergencia, se aseguren de obtener los documentos necesarios antes de salir del país.

- **Un Documento de Viaje no Garantiza la Entrada a EE.UU.**
  Las personas que no son ciudadanas de EE.UU. están sujetas a ser inspeccionadas por el Servicio de Inmigración para determinar si la persona puede o no entrar al país. El poseer o haber obtenido un Documento de Viaje por adelantado no garantiza la entrada de la persona al regresar a EE.UU., especialmente si la persona ha violado las leyes de inmigración en alguna manera.

- **Entrada Prohibida por 3 y 10 Años a Personas que Violan su Estadía**
  Bajo la ley de inmigración de 1996 las personas que salen de EE.UU. luego de haber estado ilegalmente en el país por ciertos periodos de tiempo, pueden ser inadmisibles para regresar aunque hayan conseguido un Documento de Viaje antes de salir del país. Personas que han estado ilegalmente en EE.UU. por más de 180 días pero menos de un año, y que salen del país voluntariamente antes de que el Servicio de Inmigración comience el proceso de deportación, no pueden entrar a EE.UU. por un periodo de 3 años. Las personas que han estado ilegalmente en EE.UU. por un año o más no pueden entrar a EE.UU. por un periodo de 10 años.

Recuerde, este libro es sólo una guía sobre las herramientas legales a su alcance. Cada caso y situación es diferente y las leyes cambian constantemente. La información y comentarios sobre sus derechos en esta sección son únicamente de carácter general y de ninguna forma deben ser interpretados como consejos legales específicos sobre su caso. Para obtener consejo legal sobre su caso en específico usted debe comunicarse con un abogado con licencia para ejercer derecho o judicatura en el estado donde usted vive o en la corte donde su caso toma lugar o será decidido.

I. Qué es un Documento de Viaje y Quién Necesita Uno

La mayoría de las personas que no son ciudadanos de EE.UU. necesitan un permiso especial para regresar a EE.UU. luego de viajar fuera del país. Existen diferentes permisos especiales para viajar, pero todos son otorgados por medio de un Documento de Viaje (*Travel Document*). El Servicio de Inmigración también da Documentos de Viaje a personas que quieren viajar pero no pueden conseguir un pasaporte de sus países de origen. Los Documentos de Viaje tienen que ser solicitados ANTES de que la persona viaje fuera de EE.UU.

Diferentes Documentos de Viaje: 3 Tipos

1. Permiso Temporero de Salida *(Advance Parole)*

Este permiso para viajar es para viajar fuera de EE.UU. sin tener problemas a la hora de regresar. El permiso funciona de la siguiente manera. Las personas que han solicitado asilo, personas con Condición Migratoria Protegida Temporeramente (TPS por sus iniciales en Inglés), y personas que se encuentran ajustando su condición de inmigrante a residente permanente, deben solicitar este Documento de Viaje ANTES de viajar fuera de EE.UU. si desean regresar.

Es importante entender que si una persona se encuentra solicitando una visa o cualquier otro beneficio de Inmigración, y no solicita un Documento de Viaje antes de salir de EE.UU., la conclusión legal es que la persona ha abandonado su solicitud al Servicio de Inmigración y la persona no podrá entrar a EE.UU. a su regreso.

Estas condiciones no aplican a personas que han solicitado ajustar su condición de inmigrante a residente permanente y que tienen una Visa H-1 de empleo (trabajadores temporeros en empleos especializados), L-1 (empleados que son transferidos dentro de una misma empresa), o

- A sus dependientes con Visas H-4 o L-2, o
- A sus dependientes que han solicitado ajustar su condición a residentes permanentes y que poseen una Visa "V" de no-inmigrante al día, o que han obtenido una Visa"V" antes de solicitar ser readmitidos a EE.UU., o
- A sus dependientes que han solicitado ajustar su condición a residentes permanentes y que poseen una Visa "K-3" o "K-4" al día, o que han obtenido una Visa"K-3" o "K-4" antes de solicitar ser readmitidos a EE.UU..

El Documento de Viaje también tiene que ser solicitado por personas que desean viajar a EE.UU. temporeramente por una emergencia humanitaria. La definición de emergencia humanitaria es definida por el Secretario de Estado de EE.UU. y solamente está disponible para personas que se encuentran fuera de EE.UU.

El Servicio de Inmigración y Naturalización recomienda que las personas extranjeras que deseen viajar fuera de EE.UU., consulten un abogado o a una organización de asistencia a inmigrantes aprobada por la Junta de Apelaciones de Inmigración antes de hacer cualquier plan para viajar fuera de EE.UU. y luego regresar.

2. Permiso para Reingresar a EE.UU. (*Reentry Permit*) para Residentes Permanentes

Residentes Permanentes legales o residentes permanente condicionales que deseen viajar y mantenerse fuera de EE.UU. por un periodo de 1 año o más (pero menos de 2 años) y luego regresar a EE.UU., deben pedir un permiso para reingresar antes de salir de EE.UU. Este tipo de Documento de Viaje no es necesario si el viaje es por un periodo de tiempo menor a un año.

Los permisos para reingresar también son dados a residentes permanentes que desean viajar fuera de EE.UU. pero no pueden obtener un pasaporte de su país de origen. Los permisos de reingreso son validos por un periodo máximo de 2 años y no pueden ser extendidos.

3. Documento de Viaje para Refugiados (*Refugee Reentry Permit*)

Este tipo de Documento de Viaje permite que una persona que está o estuvo bajo el programa de asilo o refugiados regrese a EE.UU. luego de viajar fuera del país. La persona tiene que solicitar el Documento de Viaje <u>ANTES de salir de EE.UU.</u>

En algunos casos el Servicio de Inmigración puede dar documentos de viaje a personas con asilo o refugio que se encuentran físicamente fuera de EE.UU. Sin embargo este tipo de documento no será otorgado a personas que han abandonado su solicitud o condición como inmigrante, asilado, o refugiado (porque salieron del país sin un permiso de viaje, o no regresaron dentro del tiempo permitido por el permiso, o por participar en actividades que afecten su condición cómo refugiados). El Documento de Viaje para Refugiados es válido por un periodo de hasta 1 año.

II. Solicitud para un Documento de Viaje

Para solicitar un permiso para viajar, una persona debe leer las instrucciones cuidadosamente y completar el Formulario I-131 (Solicitud para Documento de Viaje) y enviarlo junto con el pago por los costos de procesación por cada solicitud. La persona debe recordar que debe enviar la solicitud a diferentes lugares, dependiendo del tipo de Documento de Viaje que la persona necesite.

A. Permiso Temporero de Salida (*Advance Parole*)

Si la persona se encuentra físicamente en EE.UU., la persona tiene que enviar el Formulario I-131 a su oficina local del Servicio de Inmigración o al Centro de Servicio que tenga jurisdicción sobre el caso o que sirve el área geográfica donde la persona vive.

La siguiente información y documentos deben ser incluidos con la solicitud:
- Copia de cualquier documento que demuestre la condición del inmigrante en EE.UU.
- Una explicación o evidencia que demuestre las circunstancias que justifiquen que la persona viaje fuera de EE.UU.
- Una explicación o evidencia que justifiquen porque el Servicio de Inmigración debe aprobar el Documento de Viaje.
- Si la persona solicita un Permiso de Viaje Avanzado basando su elegibilidad en una solicitud separada para ajustar su condición

---

Una persona debe pedir un Permiso Temporal de Salida antes de salir de EE.UU. si existe una razón honesta para salir temporeramente y:

- La persona ha solicitado que su condición de inmigrante sea ajustada pero todavía no ha recibido una decisión del INS.
- La persona está en EE.UU. bajo el Programa de Unidad Familiar.
- La persona es un inmigrante con Condicion Migratoria Protegida Temporeramente.
- La persona ha solicitado asilo en EE.UU. y su solicitud no ha sido decidida por el INS.
- La persona está en EE.UU. bajo el programa de refugiados o de asilo, y planea salir temporeramente para solicitar una visa de inmigrante en Canadá,

Personas en EE.UU. que no son elegibles para un Permiso de salida:

- Personas que están en EE.UU. sin el permiso del INS y en violación a las leyes de inmigración.
- Personas que se encuentra bajo el proceso de deportación y expulsión.
- Personas que están en EE.UU. bajo el programa de intercambio de extranjeros y su estadía en EE.UU. está condicionada a que la residencia de la persona esté localizada en un país extranjero.

migratoria, la persona tiene que presentar copia de la notificación del INS diciendo que la solicitud fue recibida.

- Si la persona va a ir a Canadá a solicitar una visa para inmigrante (permiso de residencia permanente), la persona tiene que presentar copia de la cita con la oficina consular.

Si la persona está fuera de EE.UU., el formulario tiene que ser enviado a la siguiente dirección:

INS Office of International Affaire / Parole Branch
425 I St., NW
Attn. ULLICO 3rd Floor,
Washington, DC 20536

B. Permiso para Reingresar (*Reentry Permit*) y Documentos de Viaje para Refugiados (*Refugee Reentry Permit*)

Solicitudes pidiendo estos Documentos de Viaje deben ser enviados junto a cualquier documentación o evidencia al Centro de Servicio de Nebraska (encuentre abajo la dirección postal).

Un residente permanente que se ausenta por 1 año o más interrumpirá el número de años de residencia consecutiva necesarios para convertirse en ciudadano de Estados Unidos, no importa que la persona haya conseguido un Permiso para Reingresar al país.

La siguiente información y documentos deben ser incluidos con la solicitud para un Permiso para Reingresar a EE.UU.:
- Copia de la tarjeta de residente permanente, o
- Si la persona que solicita no ha recibido su tarjeta de residente, la persona tiene que presentar copia de la página de información personal de la persona y copia de la página de su pasaporte que indica su entrada inicial como residente permanente de EE.UU., o evidencia de que la persona es residente permanente de EE.UU., o
- Copia de una notificación del Servicio de Inmigración aprobando la solicitud de la persona para reemplazar su tarjeta de residente permanente, o evidencia temporera de residencia permanente.

La siguiente información o documentos deben ser incluidos con la solicitud para un Documento de Viaje para Refugiados:
- Copia del documento del Servicio de Inmigración demostrando que la persona está en EE.UU. bajo el programa de refugiados o asilo con la fecha de expiración.

Recuerde enviar esta información a la siguiente dirección:

U.S. Department of Justice
Immigration and Naturalization Service
Nebraska Service Center
P.O. Box 87131
Lincoln, NE 68501-7131

Viajes de Emergencia

Si la persona tiene una emergencia y tiene que abandonar EE.UU. antes de recibir el Documento de Viaje, la persona puede pedir que el documento sea enviado a una embajada o consulado de EE.UU. en el extranjero. De esta forma la persona puede recoger el permiso antes de regresar a EE.UU. y asegurarse de que no tendrá problemas cuando regrese. Recuerde sin embargo que no importa la situación, antes de salir de EE.UU., la persona tiene que pedir el permiso y asegurarse de que el Servicio de Inmigración apruebe el permiso.

III. Apelaciones y Pedidos de Reconsideración si la Solicitud de Refugio es Rechazada

Si la solicitud para un Permiso para Reingresar o una solicitud para un Documento de Viaje para Refugiados es rechazada, la persona tiene 33 días para apelar la decisión del Servicio de Inmigración luego de recibir la decisión. La apelación debe ser presentada completando un Formulario I-290B, el cual debe ser enviado junto con el pago por los costos de procesación a la oficina del Servicio de Inmigración que tomó la decisión original. Una vez este formulario y el pago sean recibidos, la apelación será referida a la Unidad de Apelaciones Administrativas del INS en Washington, DC.

- **Si la solicitud para un Permiso Temporero de Salida (*Advance Parole*) es rechazada**, la persona recibirá una carta donde el Servicio de Inmigración le notificará y explicará su decisión. Esta decisión no puede ser apelada o revisada por una autoridad superior. Sin embargo la persona puede solicitar al Director de la Oficina del Centro de Servicios de Nebraska que reconsidere su decisión o que abra el caso nuevamente.

  - Una petición para que el caso sea abierto nuevamente tiene que identificar y presentar nuevas circunstancias y pruebas que tienen que estar acompañadas de declaraciones notariadas y otros documentos y evidencia.

  - Una petición de reconsideración tiene que establecer y dejar claro que la decisión rechazando la solicitud estuvo basada en la aplicación incorrecta de la ley o policitas de inmigración. La petición también tiene que establecer que la decisión rechazando la solicitud no es correcta dada la evidencia disponible cuando la decisión fue tomada.

Para más información sobre cómo apelar una decisión del Servicio de Inmigración , vea el Capítulo 14: Apelaciones y Pedidos de Reconsideración.

Ayuda Legal

Para saber cómo conseguir ayuda legal vea el Capítulo 16: Abogados. Recuerde, este libro es sólo una guía de herramientas legales disponibles y a su alcance. Cada caso y situación es diferente y las leyes cambian constantemente. La información y comentarios sobre sus derechos en esta sección son únicamente de carácter general y de ninguna forma deben ser interpretados como consejos legales específicos a su caso. Para obtener consejo legal sobre su caso en específico usted debe comunicarse con un abogado con licencia para practicar derecho o judicatura en el estado donde usted vive o donde el caso tome lugar.

Capítulo 11

Naturalización y Ciudadanía
Proceso para Convertirse en Ciudadano de EE.UU

Naturalización es el proceso por el cual una persona extranjera que llega a EE.UU. puede convertirse en ciudadano de EE.UU. Las persona que son ciudadanos de EE.UU. gozan de algunos derechos legales que otras personas inmigrantes que viven en EE.UU. no tienen. Por ejemplo una persona que es ciudadana no puede ser deportada por ningún motivo. La ciudadanía también ofrece la oportunidad de participar en las elecciones del país.

Otro beneficio de la ciudadanía es el pasaporte de EE.UU. Un pasaporte de los Estados Unidos ofrece a los ciudadanos la libertad de viajar cuando quieran y recibir la protección y asistencia del Gobierno de los EE.UU. cuando viajan al exterior. Otro beneficio de la ciudadanía es poder traer a sus padres y hermanos. Los hijos(as) obtienen la Ciudadanía Derivativa a través de sus padres en la mayoría de los casos (para más información sobre cómo una persona puede obtener la Ciudadanía Derivativa, vea el Capítulo 1, Quién es Ciudadano de EE.UU.). Por supuesto existen otros beneficios que una persona recibe al convertirse en ciudadano pero también existen ciertas responsabilidades.

Responsabilidades

El Juramento de Lealtad que una persona hace al momento en que recibe la ciudadanía de EE.UU. es básicamente un contrato donde la persona promete (entre otras cosas):

- Renunciar a su lealtad a otros países;
- Apoyar y defender la Constitución y las leyes de los Estados Unidos;
- Jurar su lealtad hacia los Estados Unidos; y
- Prestar servicio al país cuando sea necesario.

Solicitud

Una persona que solicita la naturalización debe completar el Formulario N-400 (Solicitud para Naturalización). Para conseguir éste o cualquier otro formulario solo tiene que llamar al teléfono directo para los Formularios del Servicio de Inmigración al 1-800-870-3676.

La solicitud debe ser enviada a la oficina local del Servicio de Inmigración. Es recomendable hacer copias de la solicitud y de todos los documentos enviados y guardadas en un lugar seguro. Ningún documento original debe ser enviado junto con la solicitud a menos que así sea indicado por el Servicio de Inmigración o por mismo Formulario N-400.

Si una persona que obtiene la Residencia Permanente el 1ro de enero de 1990:

- Vive en los EE.UU. durante 3 años,
- Sale de EE.UU. para regresar a su país de origen, donde se mantiene por un periodo de 1 año y 3 meses.
- Antes de salir de EE.UU., la persona solicita y obtiene un Permiso de Reingreso para conservar su clasificación de Residente Permanente.
- La persona regresa a EE.UU. con clasificación de Residente Permanente el 1ro de abril de 1994.

Pregunta:
¿Cuándo es esta persona elegible para solicitar la ciudadanía por naturalización?

Respuesta:
El 2 de abril de 1998, 4 años y un día después de que regresó a los Estados Unidos. Los últimos 364 días que la persona estuvo fuera de los Estados Unidos valen como parte de su tiempo de Residente Permanente en "Residencia Contínua", pero los 3 años que estuvo en los Estados Unidos antes de que saliera no cuentan.

Los requisitos y condiciones que tiene que cumplir una persona para convertirse en ciudadano de EE.UU. por medio de la naturalización son sencillos. Básicamente, cualquier persona mayor de 18 años de edad puede solicitar la ciudadanía por el proceso de naturalización, siempre y cuando la persona:

- haya sido residente permanente de EE.UU. por un número de años especifico,
- haya vivido continuamente en EE.UU. por un número de años específico,
- haya estado presente físicamente en EE.UU. por un número de años especifico,
- haya vivido en un estado de EE.UU. por el tiempo mínimo exigido por el Servicio de Inmigración,
- tenga la solvencia moral deseada (la persona no es un criminal),
- tenga conocimientos básicos de el idioma inglés y de la historia y el sistema de gobierno de EE.UU., y
- esté dispuesta a obedecer las leyes y la Constitución de EE.UU.

Estos requisitos y condiciones aplican a la mayoría de las personas que solicitan la naturalización, y son explicados en detalle en las siguientes páginas. También, al final de esta sección vea las Tablas de Elegibilidad para saber cuáles son los requisitos y condiciones generales para cada tipo de solicitante. Recuerde, este libro es solo una guía de herramientas legales. Cada caso y situación es diferente y las leyes cambian constantemente. La información y comentarios sobre sus derechos en esta sección son únicamente de carácter general y de ninguna forma deben ser interpretados cómo consejos legales específicos a su caso. Para obtener consejo legal sobre su caso en específico es recomendable que consultar con un abogado o con una organización que ofrezca ayuda en temas de inmigración gratis, o con el Servicio de Inmigración.

A. Tiempo como Residente Permanente

Los Residentes Permanentes legales son personas que tienen una clasificación de "residente permanente" de EE.UU. según la ley de inmigración. En la mayoría de los casos, una persona tiene que ser Residente Permanente durante un número determinado de años para solicitar la ciudadanía por medio del proceso de naturalización. Para información detallada sobre los requisitos de tiempo como Residente Permanente, vea la Columna 2 en las Tablas de Elegibilidad al final de esta sección.

B. Residencia Contínua

"Residencia Contínua" quiere decir que la persona no ha salido de EE.UU. por un período de tiempo sin interrupciones. Una persona que sale fuera de EE.UU. durante un periodo de tiempo prolongado corre el riesgo de interrumpir el periodo de tiempo de "Residencia Contínua" exigido por el Servicio de Inmigración. Para información detallada sobre los requisitos de tiempo de Residencia Contínua, vea la Columna 3 en las Tablas de Elegibilidad al final de esta sección.

Ejemplos:

- Si una persona sale fuera de EE.UU. por un periodo de tiempo mayor de 6 meses pero menos de 1 año, la persona ha interrumpido su "Residencia Contínua", a menos que la persona pueda probar lo contrario. Lea la "Lista de Verificación de Documentos" al final de este capítulo para determinar qué información debe presentar para probar que no interrumpió su "Residencia Contínua".

- Si una persona sale fuera de EE.UU. por un periodo de tiempo mayor de un (1) año o más, la persona ha interrumpido su "Residencia Contínua" aunque tenga un Permiso de Reingreso. Si está fuera del país durante un (1) año o más, la persona puede ser elegible para volver a entrar al país como Residente Permanente si tiene un Permiso de Reingreso.

El periodo de tiempo que la persona estuvo en EE.UU. antes de salir del país NO será tomado en consideración como tiempo de "Residencia Contínua" (si la persona regresa dentro de un periodo de dos (2) años, parte del tiempo pasado fuera del país será considerado como parte del tiempo de Residencia Contínua, pero no el tiempo anterior mientras la persona residía en EE.UU.).

Algunas personas solicitando la ciudadanía por medio del proceso de naturalización no tienen que cumplir con ningún requisito de "Residencia Contínua" como por ejemplo miembros de las Fuerzas Armadas de los EE.UU.

C. Presencia Física en EE.UU.

"Presencia física" quiere decir que la persona ha estado viviendo o residiendo físicamente en los Estados Unidos (y que la persona no solamente dice vivir en EE.UU.). La mayoría de los solicitantes deben estar presentes físicamente en los Estados Unidos durante un periodo específico de tiempo para poder solicitar la ciudadanía. Para información detallada sobre los requisitos de tiempo de Presencia Física en EE.UU., vea la Columna 4 en las tablas informativas al final de esta sección.

Al contar el número total de días que la persona ha estado fuera del país, todos los días en que la persona ha estado fuera de EE.UU. deben ser contados o incluidos, incluyendo viajes cortos y viajes a Canadá o México. Por ejemplo, si una persona va al Canadá por un fin de semana, la persona debe incluir ese viaje al contar el número de días que ha estado fuera del país. Por lo general, días parciales pasados en los Estados Unidos valen como días completos en EE.UU.

D. Tiempo Como Residente en un Distrito o Estado

La mayoría de las personas deben vivir en el estado donde solicitan la ciudadanía por lo menos 3 meses antes de presentar la solicitud. Un Distrito o Estado es un área geográfica definida por el Servicio de Inmigración, y atendida por una de sus 33 Oficinas de Distrito. Para información detallada sobre los requisitos de tiempo como residente de un Distrito o Estado, vea la Columna 5 en las Tablas de Elegibilidad al final de esta sección.

Estudiantes pidiendo la ciudadanía por medio del proceso de naturalización pueden presentar la solicitud en el área donde estén asistiendo a la escuela o en donde vive su familia (si todavía dependen de sus padres).

Certificados de Naturalización

Certificado N-550 otorgado a personas naturalizadas luego de octubre 1ro de 1991

Certificado N-570 otorgado a personas naturalizadas antes de octubre 1ro de 1991

El Servicio de Inmigración y Naturalización (INS) cambió su nombre y ahora es conocido como el Buró de Servicios de Ciudadanía e Inmigración (BCIS)

<table>
</table>

IMPORTANTE: HISTORIAL CRIMINAL Y OTRAS OFENSAS A LAS LEYES DE EE.UU.

Según el Servicio de Inmigración, es necesario indicar en la solicitud de naturalización si la persona ha sido encontrada culpable por haber cometido un crimen aunque el crimen sea uno menor o si ha sido eliminado del historial criminal de la persona. El INS recomienda y exige que la persona sea honesta sobre la información detallada a continuación:

• Arrestos (aún cuando la persona no haya sido acusada o encontrado culpable de un delito).

• Condenas (aún cuando hayan sido eliminadas).

El INS puede denegar su solicitud si usted oculta información o miente en su solicitud o durante la entrevista y el INS luego se entera por otros medios. Es recomendable que una persona que haya tenido problemas con la ley consulte un abogado para entender como su solicitud de naturalización puede ser afectada. Vea el Capítulo 12 para más información sobre los efectos de su historial criminal y su condición migratoria .

E. Solvencia moral (carácter)

Para poder optar para la naturalización, una persona debe tener solvencia moral. El INS decide si una persona tiene solvencia moral a través de los elementos discutidos a continuación:

1. Antecedentes criminales

El cometer ciertos crímenes puede impedir que una persona sea elegible para solicitar la ciudadanía por medio del proceso de naturalización, (el Servicio de Inmigración llama a estos delitos "impedimentos" a la naturalización). Delitos mayores calificados (cometidos el 29 de noviembre de 1990 o después de esa fecha) y homicidio son impedimentos permanentes. Una persona que ha cometido este tipo de crímenes jamás podrá convertirse en ciudadano. Otros crímenes son impedimentos temporeros. Normalmente, los impedimentos temporeros impiden que una persona se convierta en ciudadano durante cierto tiempo después de haber cometido el crimen (vea el Capituló 12 para más información sobre cómo un crimen o cualquier otro problema con la ley puede afectar su caso de inmigración o su condición migratoria).

2. Mentir

De acuerdo a las leyes inmigración, una persona que miente durante su entrevista con el Servicio de Inmigración o en su solicitud, es una persona que no tiene la solvencia moral necesaria para ser elegible para la ciudadanía y su solicitud será rechazada. Si el Servicio de Inmigración aprueba la solicitud, pero luego determina que la persona mintió durante la entrevista, su ciudadanía podrá ser revocada.

F. Inglés y conocimiento de la historia y la forma de gobierno y de EE.UU.

Conforme a la ley, los solicitantes deben demostrar que poseen:

• Entendimiento del idioma inglés, incluyendo una habilidad para leer, escribir y hablar palabras y frases simples en inglés. Esto quiere decir que para poder optar por la naturalización, una persona debe poder entender inglés básico.
• Conocimiento y entendimiento de los fundamentos de la historia, principios y forma de gobierno de EE.UU.

Por razones de edad o incapacidad, ciertas personas solo necesitan comunicarse en inglés a un nivel mucho más bajo que el resto de los solicitantes. Por la misma razón estas personas solo tienen que tener un conocimiento básico de la forma del gobierno y la historia de los EE.UU. que el resto de los solicitantes.

1. Excepciones por Edad

Hay tres excepciones importantes para los exámenes basados en la edad.

• Si la persona es mayor de 50 años de edad y ha vivido en los Estados Unidos como Residente Permanente durante un periodo total de tiempo de al menos 20 años, no es necesario que tome el examen de inglés. La persona sí tiene que tomar el examen de conocimiento de la forma del gobierno y la historia de los EE.UU. en el idioma que prefiera.

- Si la persona es mayor de 55 años de edad y ha vivido en los Estados Unidos como Residente Permanente un periodo total de tiempo de al menos 15 años, no es necesario que tome el examen de inglés. La persona sí tiene que tomar el examen de conocimiento de la forma del gobierno y la historia de los EE.UU. en el idioma que prefiera;
- Si la persona es mayor de 65 años de edad y ha vivido en EE.UU. cómo Residente Permanente durante un periodo total de al menos 20 años, no es necesario que tome el examen de inglés, pero sí tiene que tomar una versión más simple del examen de conocimiento de la forma del gobierno y la historia de los EE.UU. en el idioma que prefiera.

2. **Excepciones por Incapacidad**
   - Si una persona tiene alguna incapacidad física o de desarrollo o un impedimento mental, la persona puede solicitar una excepción de los requisitos de inglés o conocimiento de la forma del gobierno y la historia de EE.UU. Para solicitar una excepción, la persona debe presentar un "Certificado Médico para Excepciones por Incapacidad" (Formulario N-648) con su solicitud.

Para solicitar una excepción, la incapacidad de la persona:
- Debe haber durado por lo menos 1 año (o durará al menos 1 año); y
- No debe haber sido causada por el uso de drogas ilegales.

G. Adherencia a la Constitución

Todos los solicitantes para la naturalización deben estar dispuestos a defender a los Estados Unidos y la Constitución. La persona debe declarar su "adherencia" a los Estados Unidos y a la Constitución por medio del Juramento de Lealtad.

Cuando usted hace el juramento, la persona promete hacer tres cosas:

1. **Renunciar a lealtades extranjeras**
   Según dice el Juramento, la persona debe renunciar a toda lealtad extranjera para convertirse en ciudadano americano.

2. **Apoyar a la Constitución**
   La persona también debe estar dispuesta a apoyar y defender los principios de la Constitución y las leyes de los Estados Unidos.

3. **Prestar servicio militar o civil a los Estados Unidos**
   Cuando lo exija la ley, la persona debe estar dispuesta a (1) ser combatiente en las Fuerzas Armadas de los EE.UU., (2) prestar servicio de no combatiente en las Fuerzas Armadas de los EE.UU.; y (3) prestar servicio como civil para los Estados Unidos.

   Además de la promesa de prestar servicio militar civil a los Estados Unidos cuando sea necesario, el Servicio de Inmigración considera también los siguientes tres factores para determinar si la persona realmente está dispuesta a prestar servicio a los Estados Unidos.

   a) **Servicio Selectivo**
      Si la persona es hombre, por lo general tendrá que registrarse en el Servicio Selectivo antes de solicitar la naturalización.

Incapacidad y el Juramento de Lealtad

Una persona que cualifica para una excepción médica debe ser capaz de hacer el Juramento de Lealtad hacia los Estados Unidos. Si no puede hacer el juramento y entender su significado debido a una incapacidad física o de desarrollo o un impedimento mental, es posible que el INS pueda concederle una excepción a este requisito.

El Juramento de Lealtad para la Ciudadanía

Por este medio, declaro bajo juramento, que renuncio absolutamente y por completo y abjuro toda lealtad y fidelidad a cualquier príncipe, potentado, estado o soberanía extranjera, de quien o del cual haya sido sujeto o ciudadano antes de esto; que apoyaré y defenderé a la Constitución y las leyes de los Estados Unidos de América contra todo enemigo, extranjero y nacional; que profesaré fe y lealtad reales hacia el mismo; que portaré armas bajo la bandera de los Estados Unidos cuando lo exija la ley; que prestaré servicio como no combatiente en las Fuerzas Armadas de los Estados Unidos cuando lo exija la ley; que haré trabajo de importancia nacional bajo dirección civil cuando lo exija la ley; y que asumo esta obligación libremente, sin ninguna reserva mental ni intención de evasión; lo juro ante Dios.

Requisitos Necesarios Para Naturalizarse como Ciudadano de EE.UU

Columna 1	Columna 2	Columna 3	Columna 4	Columna 5	Columna 6	Columna 7
Tipo de Solicitante	Años de residente permanente	Residencia continua	Presencia física en EE.UU.	Tiempo en el estado	Solvencia moral	Conocimiento de Inglés, historia y forma de gobierno de EE.UU., y Adherencia a la Constitución
Si usted: Ha sido Residente Permanente durante los últimos 5 años y no tiene circunstancias especiales.	5 años	5 años como residente permanente sin haber salido de EE.UU. en viajes de 6 meses o más.	30 meses	3 meses	Requerida	Requerido
Si usted: Está casado(a) presentemente y vive con un ciudadano de EE.UU. Y Ha estado casado y ha vivido con esta persona durante los últimos 3 años, Y Su cónyuge ha sido ciudadano americano durante los últimos 3 años	3 años	3 años como residente permanente sin haber salido de EE.UU. en viajes de más de 6 meses.	18 meses	3 meses	Requerida	Requerido
Si usted: Está en las Fuerzas Armadas de los EE.UU. (o solicitará dentro de los 6 meses de haber sido dado de baja honorablemente) Y Ha prestado servicio militar durante por lo menos 3 años.	Usted debe ser residente permanente el día de la entrevista.	No es necesaria	No es necesaria	No es necesario	Requerida	Requerido
Si usted: Estuvo en las Fuerzas Armadas de EE.UU. menos de 3 años. O, **Si usted:** Estuvo en las Fuerzas Armadas durante al menos 3 años, pero se le dio de baja hace más de 6 meses	5 años	5 años como sin haber salido de EE.UU. en viajes de 6 meses o más (si usted estuvo fuera del país como parte de su servicio, este tiempo se considera como tiempo en EE.UU.)	30 meses (el tiempo en las fuerzas armadas es presencia física sin importar donde se encontraba).	3 meses	Requerida	Requerida
Si usted: sirvió como militar activo, durante: La Primera Guerra Mundial; La Segunda Guerra Mundial; Corea; Vietnam; o el Golfo Persa.	No es necesario que sea Residente Permanente (si no se enlistó o re-enlistó en EE.UU. o en sus posesiones, debe ser-Residente Permanente el día que solicita).	No es necesaria	No es necesaria	No es necesario	Requerida	Requerida
Si usted: Estuvo casado(a) con un ciudadano que murió durante el servicio militar activo durante las Fuerzas Armadas de EE.UU. (usted debe haber estado casado y haber estado viviendo con su cónyuge ciudadano americano en el momento de su muerte).	Usted debe ser residente permanente el día de su entrevista.	No es necesaria	No es necesaria	No es necesario	Requerida	Requerida
Si usted: Es nacional americano Y Se ha convertido en residente de cualquier Estado y Por lo demás, califica para la naturalización.	No es necesario ser residente permanente	Dependiendo dé sus calificaciones, los mismos requisitos" que para cualquier otro solicitante para la naturalización. Nota: Cualquier tiempo durante el cual haya vivido en las Samoa Americanas o la Isla Swains vale igual que el tiempo durante el cual vivió dentro de un Estado de EE.UU.		3 meses o no es necesario.	Requerida	Requerida

Requisitos Necesarios Para Naturalizarse como Ciudadano de EE.UU

Columna 1	Columna 2	Columna 3	Columna 4	Columna 5	Columna 6	Columna 7
Tipo de Solicitante	Residencia permanente	Residencia continua	Presencia física en EE.UU.	Tiempo en el estado	Solvencia moral	Conocimiento de Inglés, historia y forma de gobierno de EE.UU., y Adherencia a la Constitución
Si usted: Prestó servicio en una nave perteneciente a EE.UU., O **Si usted:** Prestó servicio en una nave bajo la bandera de EE.UU. (la nave debe ser propiedad de ciudadanos o una empresa de EE. UU.).	5 años	5 años como residente permanente sin haber salido de EE.UU. en viajes de 6 meses o más (si estuvo fuera del país mientras prestaba servicio en una nave, este tiempo fuera del país no interrumpe su residencia).	30 meses (el tiempo mientras prestaba servicio en una nave, vale como presencia física en EE.UU.).	3 meses	Requerida	Requerido
Si usted: Fue empleado o un individuo bajo contrato con el Gobierno de EE.UU.	5 años	5 años y sin haber salido de EE.UU. en viajes de 6 meses o más (ausencia de EE.UU. por un año o mas interrumpirá su "residencia continua". Usted puede mantener su "residencia continua" si tiene por lo menos un año de "residencia continua" desde que se convirtió en Residente Permanente y obtiene un N-470 aprobado antes de que haya estado fuera de EE.UU.).	30 meses (el tiempo durante empleo es presencia física en EE.UU., siempre que obtenga permiso antes de estar fuera de EE.UU. por 1 año.	3 meses	Requerida	Requerido
Si usted: cumplia funciones de ministro o sacerdote dentro de una secta religiosa o una organización interreligiosa con presencia válida en EE.UU.	5 años			No es necesario	Requerida	Requerido
Si usted Fue empleado de: • Una institución de EE.UU. de investigación; • Una empresa de EE.UU. dedicada al desarrollo de intercambio comercial; o • Una organización internacional de la cual EE.UU. es miembro (si el empleo comenzó después de que usted se convirtió en Residente Permanente)	5 años		30 meses	3 meses	Requerida	Requerida
Si usted: Ha trabajado al menos 5 años en una organización de EE.UU. sin fines de lucro promoviendo principalmente los intereses de EE.UU. en el exterior a través de medios de comunicación.	5 años	No es necesaria	No es necesaria	No es necesario	Requerida	Requerida
Si usted: esta casado(a) con un ciudadano de EE.UU. que es miembro o empleado: De Las Fuerzas Armadas. -- Bajo contrato con el Gobierno de EE.UU. -- De una institución de investigación de EE.UU. -- De una empresa de propiedad de EE.UU. dedicada al desarrollo comercial -- De una organización internacional de la cual EE.UU. es miembro; o -- de una persona que cumple funciones de ministro o sacerdote dentro de una secta religiosa o una organización interreligiosa con una presencia válida en los Estados Unidos Y su cónyuge trabajó en el exterior durante por lo menos 1 año conforme a un contrato o una orden de empleo.	Usted debe ser residente permanente en el momento de la entrevista con el INS.	Residencia continua no es necesaria	No es necesario		Requerida	Requerida

4 Pasos para la Naturalización

Solicitud y Fotografía

- Complete su solicitud.
- Presente dos fotografías.
- Reúna los documentos necesarios.
- Envíe la solicitud, documentos y pago al Centro de Atención al Público apropiado.

Huellas Digitales

- Recibirá una cita del INS para que le tomen las huellas digitales.
- Envíe documentos adicionales si el INS los solicita.
- Esperará a que el INS le dé una cita para su entrevista.

La Entrevista Personal

- Deberá presentar identificaciones (y documentos adicionales si el INS los solicita).
- Contestará preguntas acerca de su solicitud y antecedentes.
- Tomara los exámenes de inglés y gobierno y la historia de EE.UU.
- El INS tomará una decisión.

Juramento

- Recibirá una fecha para la ceremonia.
- Se registrará al llegar a la ceremonia.
- Devolverá su Tarjeta de Residente Permanente.
- Contestará preguntas sobre lo que ha hecho desde su entrevista.
- Hará el juramento.
- Recibirá su Certificado de Naturalización

Todo varón que ha vivido en los Estados Unidos (con cualquier tipo de visa o permiso permanente) en cualquier momento entre las edades de 18 y 26, debe estar registrado en el Sistema del Servicio Selectivo de las fuerzas armadas. Si es hombre e ingresó a los Estados Unidos después de haber cumplido 26 años de edad, no es necesario que se registre con el Servicio Selectivo.

Si se le exigió que se registrara, la persona tendrá que presentar al Servicio de Inmigración su número del Servicio Selectivo cuando haga la solicitud. Una persona puede obtener su número del Servicio Selectivo llamando al 1-847-688-6888 si nació después del 31 de diciembre de 1959. Si nació antes del 29 de marzo de 1957, la persona debe llamar al 1-703-605-4047.

Si no se ha registrado, la persona debe hacerlo en cualquier Oficina de Correos de los Estados Unidos para recibir un número del Servicio Selectivo.

Si la persona tenía la obligación de registrarse, pero no lo hizo cuando cumplió 26 años, debe hacer lo siguiente.

- Llamar al 1-847-688-6888 y completar el Formulario del Sistema del Servicio Selectivo (los hombres nacidos antes del 29 de marzo de 1957, deben llamar al 1-703-605-4047).
- Esperar recibir una "carta de información de clasificación" del Servicio Selectivo; y
- Enviar la "carta de información de clasificación" junto con su solicitud.

b) **Baja de Extranjero de las Fuerzas Armadas de los EE. UU.**
Si una persona recibió alguna vez una exención o fue dado de baja de las Fuerzas Armadas de EE.UU. porque era extranjero, es posible que no sea elegible para la naturalización.

c) **Deserción de las Fuerzas Armadas de los EE. UU.**
Si una persona fue alguna vez condenada por desertar de las Fuerzas Armadas de EE.UU., la persona no es elegible para la naturalización. Deserción quiere decir que abandonó el servicio militar sin permiso y antes de cumplir con el tiempo acordado de servicio.

II. Proceso de Naturalización: 4 Pasos para Convertirse en Ciudadano

El proceso de naturalización está dividido en 4 pasos básicos: (1) Solicitud y Fotos, (2) Huellas Digitales, (3) Entrevista Personal, y (4) Juramento. Cada uno de estos pasos está compuesto de diferentes condiciones y requisitos que deben ser obedecidos por cada persona que solicita la ciudadanía. A continuación, vea los detalles bajo cada uno de estos pasos.

A. Cómo completar la solicitud y ser fotografiada

1. Complete la solicitud N-400

Recuerde, el proceso puede ser demorado si el Servicio de Inmigración tiene que comunicarse con usted para pedir más información. También es importante hacer copias de la solicitud antes de enviara. Más tarde la necesitará para su entrevista con el Servicio de Inmigración, donde le harán preguntas sobre la información que usted presentó en la solicitud. El Servicio de Inmigración también recomienda que al completar el formulario, la persona conteste todas las preguntas honestamente.

2. Presente dos fotografías

Debe incluir dos fotografías a color con su formulario de solicitud. Si no envía las fotografías el formulario será devuelto. Las fotografías deben ser de tamaño tipo pasaporte (2 X 2).

a) Asegúrese de que haya suficiente espacio en el margen de las fotografías para que pueda firmar su nombre completo, en caso de que se apruebe su solicitud.

b) Las fotografías no pueden estar montadas en superficies o cuadros, y deben estar impresas en papel delgado con un fondo blanco.

c) La persona en las fotografías la cara debe de estar de frente a la cámara.

d) Las fotografías deben haber sido tomadas no más de 30 días antes de la fecha en que se enviaron al Servicio de Inmigración. Debe escribir con lápiz y en letra de molde su nombre y número "A" de inmigrante en la parte de atrás de cada fotografía.

3. Reúna los documentos necesarios

Es necesario enviar copias de varios documentos junto con su solicitud. El número y la naturaleza de los documentos que tenga que enviar depende de su situación específica. Si no envía los documentos adicionales con la solicitud, se podrá demorar el procesamiento de su solicitud. En la mayoría de los casos, usted solo debe enviar copia de sus documentos originales, y luego presentar los originales durante la entrevista. El Servicio de Inmigración también puede solicitar que envíe otros documentos antes de su entrevista o que traiga documentos adicionales con usted a la entrevista.

a) Recuerde, utilice la Lista de Verificación de Documentos que se encuentra al final de este capítulo para asegurarse de enviar los documentos apropiados.

b) Asegúrese de enviar una traducción al inglés con cualquier documento que no esté ya escrito en inglés. La traducción debe incluir una declaración del traductor de que él o ella es competente para hacer la traducción y que la traducción es correcta y veraz.

c) Si usted no tiene un documento exigido por el Servicio de Inmigración y no puede conseguir una copia certificada del original, envíe una certificación expedida por la autoridad o agencia de gobierno que emite el registro original, explicando por qué no puede presentar el documento. En ese caso, otras constancias, tales como declaraciones juradas notariadas, serán consideradas.

Foto Perfecta

Tamaño – 2 X 2 pulgadas (pasaporte).

Pose – La persona en la foto tiene que estar directamente de cara a la cámara. La cara de la persona tiene que cubrir al menos la mitad de la superficie de la fotografía.

Luz – La foto debe ser tomada con la persona frente a una superficie de color neutral y claro. Fotos tomadas frente a una superficie de color oscuro o con patrones de colores no serán aceptadas.

Fotos borrosas o mal enfocadas no son aceptadas – Fotos que no estén bien enfocadas o donde la cara de la persona aparece borrosa no serán aceptadas.

Espejuelos o gafas – Fotos donde la persona tiene puestos espejuelos o gafas (o cualquier otra cosa que tape la cara) no serán aceptadas.

Sombreros, capuchas o pañuelos – Fotos donde la persona tiene puesto sombreros, pañuelos o capuchas no serán aceptadas a menos que sea por motivos religiosos. Fotos de personas con sombreros o boinas militares no serán aceptadas, tampoco serán aceptadas fotos de personas con sombreros o adornos culturales o indígenas.

> Para asegurar que reciba su aviso de entrevista, debe notificar a Inmigración si su dirección cambia.

> **La Lista de Verificación de Documentos** al final de esta sección le dirá cuándo debe enviar documentos originales y cuándo puede enviar copias. No olvide hacer y guardar copias de todos los documentos que envía al Servicio de Inmigración.

4. Envíe su solicitud, documentos y pago al Centro apropiado

Envíe su solicitud directamente al Centro de Atención al Público encargado de su área. Si trata de llevar o enviar por correo su solicitud a una oficina local del Servicio de Inmigración, la solicitud será devuelta.

Si la solicitud es completada porque la persona lleva 5 años como Residente Permanente o 3 años como Residente Permanente casado con ciudadano, la solicitud puede ser enviada hasta 90 días antes de que haya satisfecho el requisito de "residencia contínua". Por ejemplo, si el Servicio de Inmigración exige que una persona haya estado en "residencia contínua" durante 5 años antes de ser naturalizada, la persona puede solicitar una vez que haya estado en "residencia contínua" durante 5 años menos 90 días. Solicitudes enviadas antes de tiempo sin embargo serán devueltas o rechazadas.

a) Si la persona vive fuera de EE. UU.
Si vive en el exterior, la solicitud debe ser enviada al Centro de Servicio que presta servicio a la oficina del Servicio de Inmigración donde usted desea ser entrevistado. Por ejemplo, si desea ser entrevistado en Honolulu, debe enviar su solicitud al Centro de Servicio de California (vease el Apéndice A: Lista de Oficinas del Servicio de Inmigración).

b) Personas en servicio activo en las fuerzas armadas
Personas en servicio militar activo deben ir a la oficina de personal de su rama militar para solicitar información sobre cómo preparar su solicitud.

B. Huellas Digitales

Una vez presentada la solicitud, la persona recibirá una carta indicando dónde y cuándo se le tomarán las huellas digitales. En ciertas áreas, el Servicio de Inmigración envía una camioneta especial para tomar las huellas. El aviso del Servicio de Inmigración dice si este servicio existe en el área donde la persona vive.

A menos que la persona viva en el exterior o, en la actualidad preste servicio militar activo, la persona debe utilizar la siguiente lista para determinar dónde enviará la solicitud, los documentos y el pago correspondiente:

Si vive en Alaska, California, Hawaii, Nevada, el territorio de Guam o el Estado Libre Asociado de las Islas de Mariana del Norte, envíe su solicitud a:
California Service Center P.O. Box 10400 Laguna Niguel, CA 92607-0400

Alaska, Colorado, Idaho, Illinois, Indiana, Iowa, Kansas, Michigan, Minnesota, Missouri, Montana, Nebraska, North Dakota, Ohio, Oregon, South Dakota, Utah, Washington, Wisconsin o Wyoming, envíe su solicitud a:
Nebraska Service Center P.O. Box 87400 Lincoln, NE 68501-7400

Alabama, Arkansas, Florida, Georgia, Kentucky, Louisiana, Mississippi, New México, Carolina del Norte, Okiahoma, Carolina del Sur, Tennessee o Texas, envíe su solicitud a:
Texas Service Center P.O. Box 851204 Mesquite. TX 75185-1204

Connecticut, District of Columbia, Delaware, Maine, Maryland, Massachusetts, New Hampshire, New Jersey, New York, Pennsylvania, Rhode Island, Vermont, Virginia, West Virginia, el Estado Libre Asociado de Puerto Rico o las Islas Vírgenes de los EE.UU., envíe su solicitud a:
Vermont Service Center 75 Lower Weldon Street St. Albans, VT 05479-0001

1. **Lo que una persona debe llevar el día en que se le tomarán las huellas digitales**

   La carta del Servicio de Inmigración, su Tarjeta de Residente Permanente y otra forma de identificación (licencia de conductor, pasaporte, carné del estado). La segunda forma de identificación debe tener su fotografía. La persona también de llevar cualquier documento especifico que se le haya pedido.

2. **El FBI y las huellas digitales**

   El INS enviará las huellas digitales al Buró Federal de Investigaciones (FBI) para verificar los antecedentes de la persona. En algunos casos el FBI puede rechazar las huellas debido a la falta de calidad de las huellas.

   - Si el FBI rechaza las huellas, será notificado y se programará otra visita libre de costos.
   - Si el FBI rechaza las huellas digitales dos veces, Inmigración puede solicitar que la persona pruebe que no tiene antecedentes penales. Esto puede ser realizado por medio de las autoridades policiales de cada lugar donde ha vivido durante los últimos 5 años. La persona tiene que ponerse en contacto con los departamentos policiales de los lugares en que ha vivido para obtener esta evidencia.

3. **Envíe documentos adicionales si el Servicio de Inmigración los solicita**

   A veces, el INS necesita documentos adicionales antes de programar una cita para una entrevista. Si el Servicio de Inmigración necesita más información, la persona recibirá una carta indicando lo que el Servicio de Inmigración necesita y cómo enviarlo.

4. **Espere a que el Servicio de Inmigración programe una entrevista personal**

   Luego de ofrecer sus huellas digitales el Servicio de Inmigración le enviará un aviso de entrevista por correo que le indicará la fecha, la hora y el lugar de su entrevista.

C. La entrevista personal con el Servicio de Inmigración

El Servicio de Inmigración enviará un aviso por correo indicando cuándo y dónde la persona se debe presentar para una entrevista oficial. El Servicio de Inmigración no envía un segundo aviso. Si la persona no puede ir a la entrevista a la hora y fecha previstas, la persona debe escribir inmediatamente a la oficina donde se celebrará la entrevista y explicar su situación y solicitar que se cambie el día o la hora de la entrevista. Cuando se haya fijado una nueva fecha, el Servicio de Inmigración le enviará un aviso de entrevista con la nueva fecha. Recuerde, cambiar la fecha de su entrevista puede demorar el proceso de naturalización varios meses, de manera que debe hacer lo posible por asistir a la entrevista en la fecha original.

El Servicio de Inmigración recomienda que el día de la entrevista la persona se presente a la oficina antes de la hora de la entrevista. También es recomendable que la persona vaya acompañada de un familiar (el familiar tendrá que esperar afuera). Si la persona no se presenta a la entrevista y no lo notifica así de antemano, el INS cerrara su caso administrativamente. Si el caso es "cerrado administrativamente" y la persona no se pone en contacto con el INS dentro de 1 año para reabrir el caso, la solicitud de naturalización de la persona será rechazada.

Durante la Entrevista

1. **Deberá presentar identificaciones (y los documentos adicionales solicitados).**

   Es importante que la persona presente los siguientes documentos durante la entrevista: (1) Tarjeta de Residente Permanente o Registro de Extranjero, (2) pasaporte (aunque esté vencido) y (3) todos los Permisos de Reingreso que tenga. En algunos casos, el Servicio de Inmigración solicitará documentos adicionales que la persona deberá presentar en la entrevista. Estos documentos son indicados en la carta donde el Servicio de Inmigración informa sobre el día y la hora de la entrevista. Si los documentos necesarios no son presentados durante la entrevista, la solicitud puede ser demorada o rechazada.

2. **Contestará preguntas sobre su solicitud y antecedentes**

   Durante la entrevista un funcionario del Servicio de Inmigración solicitará identificaciones, explicará el objeto de la entrevista, y colocará a la persona bajo juramento.

El oficial del Servicio de Inmigración hará preguntas sobre:
- Sus antecedentes
- Pruebas y documentos que apoyan su caso
- El lugar y la duración de su residencia
- Su carácter
- Su adherencia a la Constitución
- Su disposición a hacer un Juramento de Lealtad a los Estados Unidos

El oficial del Servicio de Inmigración también puede hacer otras preguntas para asegurar que la persona cumple con todos los requisitos de elegibilidad. Es importante que la persona esté preparada para explicar cualquier contradicción o discrepancia entre su solicitud y los demás documentos que ha presentado.

Para llevar a un representante, abogado, o acompañante a la entrevista, la persona debe completar el Formulario G-28 (Aviso de Registro de Comparecencia de Apoderado o Representante) junto con su solicitud. De la misma forma, si la persona no tiene que cumplir con los requisitos del idioma inglés, la persona puede ir a la entrevista acompañado de un intérprete. Si la persona no tiene un intérprete el Servicio de Inmigración puede asignarle uno. Si tiene cualquier incapacidad, puede ir acompañado de un familiar o guardián legal, a discreción del funcionario del Servicio de Inmigración.

Es importante recordar que durante la entrevista el solicitante se encuentra bajo juramento. Si la persona miente el Servicio de Inmigración puede rechazar su solicitud. Si el INS otorga la ciudadanía y luego se entera que la persona mintió en la solicitud o en la entrevista, la persona será despojada de la ciudadanía.

3. **Tomara los exámenes de inglés, historia y sobre la forma de gobierno de EE.UU.**
   Durante la entrevista, la persona será examinada sobre su habilidad para leer, escribir y entender el inglés (a menos que no tenga que cumplir con los requisitos de inglés). Se le administrará también un examen para probar sus conocimientos y entendimiento de la Historia y el Gobierno de EE.UU. a menos que la persona no tenga que cumplir con estos requisitos.

   a) **Inglés**
      Su inglés será probado de las siguientes maneras:

      Leer – Para probar su habilidad para leer, se le puede pedir que:
      - Lea en voz alta partes del Formulario N-400;
      - Lea una serie de preguntas sobre el conocimiento de la forma del gobierno y la historia de los EE.UU. y luego las conteste; o
      - Lea en voz alta varias oraciones simples.

      Escribir – Para probar la capacidad de escribir, el funcionario del INS pedirá que la persona escriba una o dos oraciones simples.

      Hablar – El Servicio de Inmigración probará la habilidad de la persona para hablar inglés cuando conteste preguntas acerca de su solicitud durante la entrevista.

   b) **Conocimiento de la forma de gobierno y la historia de EE.UU.**
      Durante la entrevista, el Servicio de Inmigración pedirá que la persona conteste oralmente una serie de preguntas sobre el conocimiento de la forma de gobierno y la historia de EE.UU. o que tome una prueba de respuestas múltiples de hasta 20 preguntas (vea los ejemplos de preguntas sobre el conocimiento de la forma del gobierno y la historia de los EE.UU. al final de este capítulo).

4. **Decisión del Servicio de Inmigración**
   El Formulario N-652 informa a la persona los resultados de la entrevista. El Servicio de Inmigración otorgará, aplazará o rechazará la solicitud después de su entrevista basado en la información que la persona ha presentado. En algunos casos, es posible saber inmediatamente si conseguirá la ciudadanía y

hasta asistir a una ceremonia de juramento el mismo día de su entrevista (cuando esté disponible). De lo contrario, la persona recibirá un aviso indicando cuándo y dónde se celebrará la ceremonia de juramento.

El Servicio de Inmigración también puede aplazar su solicitud. Esto quiere decir que el Servicio de Inmigración no tomará una decisión sobre su solicitud por el momento. Los motivos más comunes para el aplazamiento son (1) fracasar las pruebas de inglés y conocimiento de la forma del gobierno y la historia de los EE.UU., y (2) fallar en presentar al Servicio de Inmigración los documentos necesarios.

Si Inmigración aplaza la decisión – se solicitará que la persona haga una de dos cosas:
- Si fracasa uno o ambos exámenes, se le pedirá que regrese para otra entrevista (usualmente dentro de un periodo de 60 a 90 días después de la entrevista inicial) y así tomar los exámenes nuevamente. Si la persona fracasa uno o ambos exámenes nuevamente el Servicio de Inmigración rechazará la solicitud.
- Si necesita presentar documentos adicionales, el Servicio de Inmigración le dará el Formulario N-14 explicando la información o los documentos que debe presentar al Servicio de Inmigración, y cómo y cuándo los documentos deben ser enviados

Si el Servicio de Inmigración rechaza la solicitud – el Servicio de Inmigración enviará una notificación por correo indicando porque la solicitud ha sido rechazada. Si la persona cree que la solicitud ha sido rechazada injustamente, la persona puede solicitar una audiencia siguiendo los pasos detallados en la notificación de rechazo. El Formulario N-336 (solicitud para una audiencia sobre una decisión en el proceso de naturalización) debe ser completado y enviado con el pago exigido dentro de 30 días después de recibir la carta de rechazo. Si después de la audiencia con el Servicio de Inmigración la persona todavía piensa que su solicitud fue rechazada injustamente, la persona puede presentar una petición para que la decisión sea revisada ante un Tribunal Federal de Distrito de EE.UU.

D. Ceremonia de Juramento de ciudadanía

Si el Servicio de Inmigración aprueba la solicitud, la persona:
- Recibirá una fecha para la ceremonia de juramentación (en ocasiones el juramento es hecho el mismo día).
- Asistirá a la ceremonia, o enviara una carta al Servicio de Inmigración explicando porque no puede (o pudo) asistir a la ceremonia y solicitando una nueva cita.
- Contestará preguntas sobre lo que ha hecho desde su entrevista, si ha pasado más de un día desde la entrevista.
- Hará el juramento, repitiendo las palabras del oficial del Servicio de Inmigración que lee el juramento (una persona se convierte en ciudadano de EE.UU. solamente después del juramento de lealtad a EE.UU.).
- Devolverá su Tarjeta de Residente Permanente para así recibir el Certificado de Naturalización.
- Recibirá el Certificado de Naturalización.

Cómo Quejarse Sobre el Servicio del INS o de Sus Empleados

El Servicio de Inmigración está consciente de que algunas oficinas toman un largo tiempo para procesar una solicitud. En la actualidad el Servicio de Inmigración dice estar trabajando para reducir los tiempos de procesamiento. Una persona con alguna queja sobre la forma en que un empleado de Inmigración le trata o le ha tratado, debe hablar con el supervisor de ese empleado. Si la queja no se maneja de forma satisfactoria o no puede hablar con el supervisor, la persona puede escribir una carta al Director de su Oficina de Distrito. El presentar una queja no debe afectar la elegibilidad de una persona para la naturalización.

El Servicio de Inmigración también provee el Formulario 1-847 (Informe de Quejas). Este formulario es una tarjeta postal que es enviada a la Oficina Principal del Servicio de Inmigración en Washington, D.C. El formulario 1-847 puede ser pedido al Número de Teléfono para Formularios (**1-800-870-3676**).

El servicio personal del INS debe ser:

- Profesional
- Cortés
- Informado

El proceso de naturalización debe ser:

- Justo
- Uniforme
- En cumplimiento con los plazos de tiempo determinados por ley.

La información sobre el proceso de naturalización y la posición de una solicitud debe ser:

- Precisa
- Fácilmente disponible

El INS espera también que el solicitante:

- Trate a los empleados del INS con cortesía
- Lea la Guía para la Naturalización
- Lea y sigua las instrucciones acerca de su solicitud
- Esté preparado (a) para cada paso del

Documentos Necesarios para la Solicitud de Naturalización

Lea esta tabla y marque con una X los documentos exigidos por el INS y que la persona debe incluir.

Todos los solicitantes deben enviar junto con su solicitud N-400 las siguientes 3 cosas:

1. Una fotocopia de ambos lados de su Tarjeta de Residente Permanente (conocida anteriormente cómo la Tarjeta de Recibo de Registro de Extranjero o "tarjeta verde".) Si se le extravía la tarjeta, remita una fotocopia del recibo de su Formulario 1-90, Solicitud para Reemplazar Tarjeta de Recibo de Registro de Extranjero;

2. Dos (2) fotografías a color idénticas, con su nombre y su número "A" escrito ligeramente con lápiz en el dorso de cada una. Para detalles acerca de los requisitos para las fotografías, vea la parte 5 de Una Guía para la Naturalización y las instrucciones para el Formulario M-378 distribuidas junto con su formulario de solicitud. No se ponga anteojos o aretes para la fotografía. Tome nota de que si su religión exige que lleve puesto un sombrero o tocado, sus facciones faciales y la oreja derecha deben aún así estar expuestas en la fotografía para fines de identificación; Y

3. Un cheque o giro postal para el pago del arancel de la solicitud y del arancel por la toma de las huellas digitales, cómo se indica en el la hoja suelta M-479, Aranceles Actuales de Naturalización de la Guía. (Los solicitantes que tengan 75 años o más están exentos del requisito de tomarse las huellas digitales y no pagan el arancel por las huellas digitales). Escriba su número "A" en el dorso del cheque o giro postal.

Envíe COPIAS de los siguientes documentos, a menos que el INS solicite el original.

Si un abogado o representante acreditado actúa en su nombre, envíe
___ Una copia original del Formulario G-28 completado (Aviso de Registro de Comparecencia de Apoderado o Representante).

Si su nombre legal actual es diferente al nombre en su Tarjeta de Residente Permanente, envíe:
___ Cualquier documento cambiando legalmente su nombre (partida de matrimonio, decreto de divorcio o documento de tribunal).

Si solicita la naturalización porque está casado con un ciudadano americano, envíe las siguientes 4 cosas:

1. Evidencia de que su cónyuge ha sido ciudadano americano durante los últimos 3 años:
   - partida de nacimiento (si su cónyuge nunca perdió la ciudadanía desde su nacimiento), O
   - certificado de naturalización, O
   - certificado de ciudadanía, O
   - la parte de adentro de la portada y la página de firma del pasaporte americano actual de su cónyuge, O
   - Formulario FS240, "Informe de Nacimiento en el Exterior de un Ciudadano de los Estados Unidos de América"

2. Su partida de nacimiento actual, Y

3. Constancia de terminación de TODOS los matrimonios anteriores de su cónyuge (decreto(s) de divorcio, anulación(es) o partida(s) de defunción); Y

4. Documentos que tengan que ver con usted y su cónyuge:
   - declaraciones de impuestos, cuentas bancarias, arrendamientos, hipotecas o partidas de nacimiento de hijos, O
   - copias certificadas por el Servicio de Impuestos Internos (IRS) de las declaraciones del impuesto sobre la renta que ambos han presentado durante los últimos 3 años, O
   - una trascripción de las declaraciones de impuestos de los últimos 3 años.

Si usted estuvo casado anteriormente, envíe:
___ Evidencia de que cualquier matrimonio anterior ha terminado (decreto(s) de divorcio, anulación(es) o partida(s) de defunción).

Si usted estuvo previamente en las Fuerzas Armadas de los EE.UU., complete:
___ Un Formulario G-325 B, "Información Biográfica" original.

Tabla de Documentos Necesarios para la Solicitud de Naturalización (continuación)

Si usted está actualmente en las Fuerzas Armadas de EE.UU. y solicita la ciudadanía, complete:
___ Un Formulario N-426, "Solicitud para Certificación de Servicio Militar o Naval", <u>original</u>; Y
___ Un Formulario G-325B, "Información Biográfica", <u>original</u>.

Si usted ha hecho algún viaje fuera de los Estados Unidos que haya durado 6 meses o más desde que se convirtió en Residente Permanente, envíe constancia de que usted (y su familia) siguieron viviendo, trabajando y/o manteniendo vínculos con los Estados Unidos, tales cómo:
___ Una "trascripción" de las declaraciones de impuestos del IRS o una declaración de impuestos certificada por el IRS indicando información de impuestos de los últimos 5 años (o de los últimos 3 años si hace la solicitud porque está casado con un ciudadano americano)
___ Pagos y comprobantes de alquileres e hipotecas.

Si usted tiene un cónyuge o hijos dependientes que no viven con usted, envíe;
___ Cualquier orden judicial o gubernamental para proveer apoyo financiero; Y
___ Evidencia de apoyo financiero (incluyendo evidencia de que ha cumplido con cualquier orden judicial o gubernamental), tal cómo:
  * cheques cancelados,
  * recibos de giros postales,
  * una lista de pagos de pensión para el sustento de hijos emitida por un tribunal o una agencia constancia de embargos de salarios,
  * Una carta del padre o guardián a cargo de sus hijos.

Si usted contestó "Sí" a cualquiera de las preguntas de la 1 a la 15 en la Parte 7, envíe:
___ Una explicación por escrito en una hoja de papel por separado.

Si usted contestó "No" a cualquiera de las preguntas de la 1 a la 5 en la Parte 8, envíe:
___ Una explicación por escrito en una hoja de papel por separado.

Si usted ha sido arrestado o detenido alguna vez por cualquier agente del orden público por cualquier motivo, y <u>no se lo acusó o procesó,</u> envíe:
___ Una declaración oficial <u>original</u> emitida por la agencia que lo arrestó o el tribunal pertinente confirmando que no se le procesó o enjuició.

Si usted ha sido arrestado o detenido alguna vez por cualquier agente del orden público por cualquier motivo, y <u>se le inició proceso judicial,</u> envíe:
___ Un <u>original,</u> o una copia certificada por el tribunal, del expediente de arresto completo y la resolución de cada incidente (orden de declarar sin lugar, expediente de condena o la orden de absolución).

Si usted ha sido alguna vez condenado o colocado en un programa de sentencia alternativa o programa de rehabilitación (tal cómo un programa de tratamiento de drogas o servicio a la comunidad), envíe:
___ Un <u>original, o una copia certificada</u> por el tribunal, del expediente de emisión de la sentencia para cada incidente; Y
___ Constancia de que usted completó su sentencia:
  * Un <u>original o una copia certificada</u> de su expediente de libertad a prueba o libertad bajo palabra, o
  * Constancia de que usted completó un programa de sentencia alternativa o un programa de rehabilitación

Si un arresto o condena ha sido anulada, declarada sin lugar, sellada, borrada o de otra forma eliminada de su expediente, envíe:
___ Un <u>original</u> o una copia certificada por el tribunal de la orden judicial que anuló, declaró sin lugar, selló, borró o de otra forma eliminó el arresto o la condena, O una declaración original del tribunal de que no existe ningún registro de su arresto o condena.

Si usted alguna vez falló en presentar una declaración de impuesto desde que se convirtió en Residente Permanente, envíe:
___ Toda la correspondencia con el Servicio de Rentas Internas (IRS) con respecto a su falta en presentar la declaración.

Si usted debe dinero por impuestos federales, estatales o locales, por cualquier año que no sea el presente, envíe:
___ Un acuerdo firmado del IRS o de la oficina de impuestos estatal o local mostrando que usted ha presentado una declaración de impuestos y ha hecho arreglos para pagar los impuestos que debe; Y
___ Documentación del IRS o de la oficina de impuestos estatal o local mostrando el estado de su programa de pago.

Si usted solicita una excepción por incapacidad para el requisito de exámenes, complete:
___ Un Formulario N-648 (Certificado Médico para Excepciones por Incapacidad) <u>original,</u> completado hace menos de 6 meses por un médico o osteópata con licencia o un psicólogo clínico con licencia.

Si usted no se registró ante el Servicio Selectivo y 1) es varón, 2) tiene por lo menos 26 años de edad y 3) vivió en los Estados Unidos cuando estaba entre las edades de 18 y 26 años con una clasificación distinta a la de no inmigrante lícito, envíe:
___ Una Carta de Información sobre Clasificación del Servicio Selectivo (llame al 1-847-688-6888 para mayor información).

Examen de Ciudadanía: Historia y Gobierno de EE.UU.

Las preguntas que aparecen a continuación son ejemplos de preguntas que un oficial del Servicio de Inmigración puede hacer durante la entrevista. Recuerde, es posible que el oficial del Servicio de Inmigración le pida contestar otras preguntas o pida que lea o escriba otras oraciones.

1. ¿Cuáles son los colores de la bandera de Estados Unidos? Rojo, blanco y azul
2. ¿Qué significan las estrellas de la bandera? Hay una por cada estado
3. ¿Cuántas estrellas tiene nuestra bandera? 50
4. ¿De qué color son las estrellas en nuestra bandera? Blancas
5. ¿Cuántas rayas tiene la bandera? 13
6. ¿Qué representan las rayas en la bandera? Los primeros 13 estados
7. ¿De qué colores son las rayas en la bandera? Rojo y blanco
8. ¿Cuántos estados tiene la Unión (los Estados Unidos)? 50
9. ¿Qué celebramos el 4 de julio? El Día de la Independencia
10. ¿El Día de la Independencia celebra nuestra independencia de quién? Inglaterra
11. ¿Contra qué país luchamos durante la Guerra Revolucionaria? Inglaterra
12. ¿Quién fue el primer presidente de los Estados Unidos? George Washington
13. ¿Quién es el Presidente de los Estados Unidos en la actualidad? George W. Bush (la contestación a esta pregunta puede cambiar)
14. ¿Quién es el Vicepresidente de los Estados Unidos en la actualidad? Dick Cheney* (la contestación a esta pregunta puede cambiar)
15. ¿Quién elige al Presidente de los Estados Unidos? El Colegio Electoral
16. ¿Quién se convierte en nuestro Presidente si el Presidente muere? El Vicepresidente
17. ¿Qué es la Constitución? La ley suprema del país
18. ¿Cómo se denominan los cambios que se hacen a la Constitución? Enmiendas
19. ¿Cuántos cambios, o enmiendas, tiene la Constitución? 27
20. ¿Cuáles son las tres ramas de nuestro Gobierno? Ejecutivo, Judicial y Legislativo
21. ¿Cuál es el órgano legislativo de nuestro Gobierno? El Congreso
22. ¿Qué comprende el Congreso? El Senado y la Cámara de Representantes
23. ¿Quién hace las leyes federales de los Estados Unidos? El Congreso
24. ¿Quién elige al Congreso? Los ciudadanos de los Estados Unidos
25. ¿Cuántos senadores hay en el Congreso? 100
26. ¿Por cuánto tiempo elegimos a cada senador? 6 años
27. Dígame el nombre de los dos senadores de su estado. La contestación a esta pregunta depende del estado donde usted vive.
28. ¿Cuántos miembros con derecho al voto hay en la Cámara de Representantes? 435
29. ¿Por cuánto tiempo elegimos a cada miembro de la Cámara de Representantes? 2 años
30. ¿Quién es el encargado del Órgano Ejecutivo del Gobierno de los EE.UU.? El Presidente
31. ¿Por cuánto tiempo se elige al Presidente? 4 años
32. ¿Cómo se llama la entidad más alta del Órgano Judicial de nuestro Gobierno? La Corte Suprema
33. ¿Cuáles son los deberes de la Corte Suprema? Interpretar y explicar las leyes
34. ¿Cuál es la ley suprema de los Estados Unidos? La Constitución
35. ¿Cuáles son algunos de los países que fueron nuestros enemigos durante la Segunda Guerra Mundial? Alemania, Italia y Japón

36. ¿Cuál fue el cuadragésimo-noveno estado que se incorporó a nuestra Unión (los Estados Unidos)? Alaska

37. ¿Cuántos períodos completos puede cumplir el Presidente? 2

38. ¿Quién fue Martín Luther King, Jr.? Un líder de los derechos civiles

39. ¿Cuáles son algunos de los requisitos para poder optar a ser Presidente? Los candidatos para Presidente deben: ser ciudadanos americanos de nacimiento, tener por lo menos 35 años de edad, haber vivido en los Estados Unidos durante por lo menos 15 años.

40. ¿Por qué hay 100 senadores en el Senado de los Estados Unidos? Cada estado elige a dos

41. ¿Qué es la Carta de Derechos (Bill ofRights)? Las primeras 10 enmiendas de la Constitución

42. ¿Quién postula a los jueces para la Corte Suprema? El Presidente

43. ¿Cuál es la capital del estado en que usted vive? La contestación a esta pregunta depende del estado donde usted vive.

44. ¿Quién es el gobernador actual del estado en que vive? La contestación a esta pregunta depende del estado donde usted vive.

45. ¿Quién se convierte en Presidente si tanto el Vicepresidente cómo el Presidente mueren? El Presidente de la Cámara de Representantes

46. ¿Quién es el Juez Presidente de la Corte Suprema? William Rehnquist* (la contestación a esta pregunta puede cambiar)

47. ¿Cuáles fueron los 13 estados originales? Virginia, Massachusetts, Maryland, Rhode Island, Connecticut, New Hampshire, North Carolina, South Carolina, New York, New Jersey, Pennsylvania, Delaware y Georgia

48. ¿Quién dijo "Dadme libertad o dadme la muerte? Patrick Henry

49. ¿Cuántos jueces tiene la Corte Suprema? 9

50. ¿Por qué vinieron los Peregrinos a América? Buscaban la libertad religiosa

51. ¿Cómo se le dice al ejecutivo principal de un gobierno estatal? Gobernador

52. ¿Cómo se le dice al ejecutivo principal de un gobierno municipal? Alcalde

53. ¿Qué día feriado fue celebrado por primera vez por los colonizadores americanos? Día de Acción Gracias (Thanksgiving)

54. ¿Quién fue el autor principal de la Declaración de Independencia? Thomas Jefferson

55. ¿Cuándo se Adoptó la Declaración de Independencia? El 4 de julio de 1776

56. ¿Cuáles son algunas de las creencias básicas de la Declaración de Independencia? Que todos los hombres son creados iguales y que tienen el derecho a la vida, la libertad y la búsqueda de la felicidad

57. ¿Cuál es el himno nacional de los Estados Unidos? The Star-Spangled Banner

58. ¿Quién es el autor de The Star-Spangled Banner? Francis Scott Key

59. ¿Qué Presidente fue el primer Comandante en Jefe del Ejército y la Marina de los Estados Unidos? George Washington

60. ¿Cuál fue el quincuagésimo estado que se incorporó a nuestra Unión (los Estados Unidos)? Hawaü

61. ¿Quién ayudo a los Peregrinos en América? Los indios americanos / americanos indígenas

62. ¿Cómo se llama el barco que trajo a los Peregrinos a América? El Mayflower

63. ¿Cómo se les decía a los 13 estados originales de los Estados Unidos antes de que se les llamara estados? Colonias

64. ¿Cuál es la edad mínima para poder votar en los Estados Unidos? 18 años

65. ¿Quién firma los proyectos de ley para que se conviertan en leyes? El Presidente

66. ¿Cuál es la corte más alta de los Estados Unidos? La Corte Suprema

67. ¿Quién me Presidente durante la Guerra Civil? Abrahan Lincoln

68. ¿Qué grupo tiene la facultad para declarar la guerra? El Congreso

69. ¿Cuáles son las enmiendas que garantizan o abordan los derechos al voto? Las 15a,19a y 24ª

70. ¿En qué año se redactó la Constitución? 1787

71. ¿Cómo se les dice a las primeras 10 enmiendas de la Constitución? La Carta de Derechos [Bill of Rights]

72. ¿Qué hizo la Proclamación de Emancipación? Liberó a los esclavos

73. ¿Qué grupo especial asesora al Presidente? El Gabinete

74. ¿A qué Presidente se le llama el "Padre de la Patria"? George Washington
75. ¿A quién les garantiza sus derechos la Constitución y la Carta de Derechos? A todas las personas que viven en los Estados Unidos
76. ¿Cómo se le dice a la introducción a la Constitución? El Preámbulo
77. ¿Quién se reúne en el edificio del Capitolio de los Estados Unidos? El Congreso
78. ¿Cómo se llama la residencia oficial del Presidente? La Casa Blanca
79. ¿Dónde se encuentra la Casa Blanca? En Washington, DC
80. Dígame uno de los derechos o libertades garantizadas por la primera enmienda. - Los derechos de libertad: libertad de expresión, libertad de religión, libertad de reunirse y libertad de hacer peticiones ante el Gobierno.
81. ¿Quién es el Comandante en Jefe de las Fuerzas Armadas de los EE.UU.? El Presidente
82. ¿En qué mes votamos para elegir al Presidente? Noviembre
83. ¿En qué mes toma posesión el nuevo Presidente Enero
84. ¿Cuántas veces se puede reelegir a un senador o miembro de la Cámara de Representantes? No hay límite
85. ¿Cuáles son los dos partidos políticos principales de los Estados Unidos en la actualidad? El Demócrata y el Republicano
86. ¿Cuál es el órgano ejecutivo de nuestro Gobierno? El Presidente, el Gabinete y los departamentos que dependen de los miembros del gabinete
87. ¿De dónde viene la libertad de expresión? La Carta de Derechos [Bill of Rights]
88. ¿Cuál formulario del Servicio de Inmigración y Naturalización se utiliza para solicitar la ciudadanía naturalizada? Formulario N-400
89. ¿Qué tipo de gobierno tiene los Estados Unidos? Una República
90. Dígame cuál es un propósito de las Naciones Unidas. Que los países deliberen y traten de resolver los problemas mundiales o brinden ayuda económica a muchos países
91. ¿Cuál es un beneficio de ser ciudadano de los Estados Unidos? Obtener trabajos con el Gobierno Federal, viajar con un pasaporte americano o presentar solicitudes para que parientes allegados vengan a los Estados Unidos a vivir
92. ¿Se puede cambiar la Constitución? Sí
93. ¿Cuál es el derecho más importante otorgado a ciudadanos americanos? El derecho de votar
94. ¿Qué es la Casa Blanca? La residencia oficial del Presidente
95. ¿Qué es el Capitolio de los Estados Unidos? El lugar donde se reúne el Congreso
96. ¿Cuántos órganos tiene el Gobierno de los EE.UU.? 3

Examen de Ciudadanía para Personas Mayores de 65 Años

Las personas que tengan más de 65 años de edad y que son Residentes Permanentes y que hayan residido en los Estados Unidos cómo Residentes Permanentes durante por lo menos 20 años tienen requisitos diferentes para los conocimientos de historia y gobierno. Estas personas además pueden ser examinados en el idioma que elijan porque están exentos de los requisitos de conocimiento del inglés.

1. ¿Por qué celebramos el Cuatro de julio? Porque es el Día de la Independencia
2. ¿Quién fue el primer presidente de los Estados Unidos? George Washington
3. ¿Quién es el Presidente de los Estados Unidos en la actualidad? George W. Bush*
4. ¿Qué es la Constitución? La ley suprema del país
5. ¿Cómo se les dice a las primeras 10 enmiendas de la Constitución? La Carta de Derechos [Bill of Rights]
6. ¿Quién elige al Congreso? Los ciudadanos de los Estados Unidos
7. ¿Cuántos senadores hay en el Congreso? 100
8. ¿Por cuánto tiempo elegimos a cada senador? 6 años
9. ¿Por cuánto tiempo elegimos a cada miembro de la Cámara de Representantes? 2 años
10. ¿Quién postula a los jueces para la Corte Suprema? El Presidente
11. ¿Cuáles son los tres órganos de nuestro Gobierno? Ejecutivo, Judicial y Legislativo
12. ¿Cuál es la corte más alta de los Estados Unidos? La Corte Suprema
13. ¿Cuál es el río importante que va de Norte al Sur y divide a los Estados Unidos? El Río Mississippi
14. ¿La Guerra Civil fue librada acerca de qué temas importantes? La esclavitud y los derechos de los estados
15. ¿Cuáles son los dos partidos políticos principales de los Estados Unidos en la actualidad? El Republicano y el Demócrata
16. ¿Cuántos estados hay en los Estados Unidos? 50
17. ¿Cuál es la capital de los Estados Unidos? Washington, DC
18. ¿Cuál es la edad mínima para poder votar en los Estados Unidos? 18 años
19. ¿Quién fue Martín Luther King, Jr.? Un líder de los derechos civiles
20. ¿Qué nación fue la primera en enviar un hombre a la luna? Los Estados Unidos
21. ¿Cuál es la capital de su estado? La contestación a esta pregunta depende del estado donde usted vive.
22. ¿Cómo se le dice cuando el Presidente se niega a firmar un proyecto de ley para que se convierta en ley lo devuelve al Congreso con sus objeciones? Veto
23. ¿Cuáles son dos océanos que colindan con los Estados Unidos? Los Océanos Atlántico y Pacífico
24. ¿Qué americano famoso inventó la bombilla de luz eléctrica? Thomas Edison
25. ¿Cuál es el himno nacional de los Estados Unidos? The Star-Spangled Banner?

- Personas mayores de 75 años de edad o más al momento de presentar su solicitud, no necesitan presentar sus huellas digitales.

- Personas que viven en el exterior, deben presentarse a la oficina consular de los Estados Unidos en ese país para ofrecer sus huellas digitales.

Nota Importante

Recuerde que este libro es sólo una guía de referencia sobre las herramientas legales a su alcance. Cada caso y situación es diferente y las leyes cambian constantemente. La información y comentarios sobre sus derechos en esta sección son únicamente de carácter general y de ninguna forma deben ser interpretados como consejos legales específicos sobre su caso. Para obtener consejo legal sobre su caso en específico usted debe comunicarse con un abogado con licencia para ejercer derecho o judicatura en el estado donde usted vive o en la corte donde su caso toma lugar o será decidido.

Capítulo 12

Su Historial Criminal
Ofensas a la Ley y Su Caso de Inmigración

Cualquier persona que no es ciudadana de EE.UU. puede ser deportada a su país de origen si es encontrada culpable de un delito criminal . No importa que la persona sea Residente Permanente (tenga una tarjeta verde), refugiado, tenga asilo, o que la persona goce de protección temporera (TPS). Tampoco importa que la persona sea hijo, padre, o madre. La ley de inmigración es muy estricta en este sentido y son muy pocas las vías para impedir la deportación de una persona que ha cometido un delito.

Por esta razón es muy importante que todo inmigrante sepa cuales son las ofensas, acciones y situaciones que pueden desembocar en la deportación. También es importante saber como estas ofensas pueden tener consecuencias negativas en su caso de inmigración. De hecho, es recomendable que cuando usted busca ayuda o consejo legal de un abogado, le explique todos y cada uno de los crímenes, faltas, y problemas con la ley que ha cometido en el pasado, para así tratar de reducir el riesgo de ser deportado.

Según las leyes de inmigración, las ofensas criminales necesarias para deportación son de diferente tipo y magnitud, y pueden ser divididas en 8 categorías:

1. Delitos Graves
2. Crímenes de Contravención Moral (crímenes inmorales)
3. Crímenes Múltiples
4. Crímenes de sustancias Controladas
5. Violencia Doméstica o Familiar
6. Prostitución
7. Fuga o Evasión Fulminante
8. Armas de Fuego

A continuación vea los detalles relacionados a cada una de estas categorías. Recuerde sin embargo que esta información es puramente general. Cada caso y situación es diferente y las leyes cambian constantemente. La información y comentarios en esta sección son únicamente de carácter general y de ninguna forma deben ser interpretados como consejos legales específicos sobre su caso de inmigración. Para obtener consejo legal sobre su caso en específico usted debe comunicarse con un abogado con licencia para practicar derecho en su estado o localidad específica. Para información sobre cómo conseguir un abogado vea el Capítulo 16: Abogados.

Delitos Agravados

Esta categoría es la más amplia y cubre casi todo tipo de crimen, ya sea bajo las leyes federales o de cada Estado de EE.UU. Básicamente, la mayoría de los crímenes que conllevan una pena de cárcel de un año o más están dentro de esta categoría. Una persona que es encontrada culpable por uno de estos crímenes puede ser deportada sin importar que la persona tenga un permiso de residente permanente (tarjeta verde). Es importante señalar que algunas ofensas menores a nivel estatal pueden ser delitos graves para propósitos de inmigración. Por esta razón es recomendable consultar con un abogado siempre que existan preguntas sobre este tema.

Delitos Agravados (algunos ejemplos)

- Asesinato
- Violación Sexual
- Abuso Sexual de Menores
- Mutilación de Tarjetas de Identificación o Pasaportes
- Secuestro o Crímenes que Envuelven Recompensa
- Pornografía Infantil
- **Re-entrada ilegal a EE.UU.**
- Ofensas Relacionadas a Drogas
- Trafico de Armas o Explosivos
- Robo
- Prostitución
- Contrabando de Extranjeros Indocumentados o ilegales
- Traición o Venta de Secretos de Defensa Nacional
- Crímenes de Dinero (cómo lavado de dinero, evasión de impuestos, fraude, o donde la cantidad de dinero es mayor de $10,000 dólares)
- Crímenes Cometidos en Países Extranjeros (si usted ha cumplido una pena de cárcel en los últimos 15 años).
- **No Presentarse a la Corte de Justicia:**
  - Para servir una sentencia – si el crimen es penalizado con una condena de cárcel de 5 años o más.

- Para acudir a una vista o un juicio – si el crimen es penalizado con una condena de cárcel de al menos 2 años o más.

- **Crímenes Violentos** (18 USC § 16): De acuerdo a las leyes de inmigración éstos son <u>crímenes que incluyen el uso, amenaza de uso, o intentan el uso de fuerza física, o que puedan envolver un riesgo substancial de que fuerza física sea utilizada durante el crimen, el crimen tiene que ser penalizado con una condena de cárcel de al menos un año de cárcel o más</u> .

Algunos ejemplos de crímenes violentos son:

- Secuestro
- Atentado de ataque sexual (atentado de violación)
- Desacato Criminal
- Atentado de Abuso Sexual de Menores
- Violación de Menores (sostener relaciones sexuales con una persona menor de 18 años de edad) (en EU es ilegal tener relaciones sexuales con cualquier persona menor de 18 años de edad, ya sea con el consentimiento de la persona o no).

Un Inmigrante Legal no Puede Ser Deportado Por Manejar en Estado de Embriaguez
—Corte Suprema de Estados Unidos, Noviembre 9, 2004

El día antes de este libro ir a la imprenta la Corte Suprema de Estados Unidos decidió unánimemente que ningún inmigrante legal puede ser deportado luego de haber cumplido una pena de cárcel de más de un año por haber sido encontrado culpable de manejar en estado de embriaguez y causar daños físicos a otras personas. La decisión de la corte en el caso Leocal v. Ashcroft declaró que Josué Leocal fue deportado incorrectamente por el Servicio de Inmigración porque manejar en estado de embriaguez no es un Crimen Violento según las propias leyes de Inmigración. Josué Leocal es un inmigrante de Haití que tenía una visa de Residencia Permanente en Estados Unidos. Leocal fue encontrado culpable de manejar en estado de embriaguez y causar heridas y daños físicos a otras personas en el Estado de Florida. En Florida como en muchos otros Estados, manejar en estado de embriagues es un delito agravado cuando el conductor ebrio causa danos físicos a otras personas. Por lo tanto luego de cumplir dos años de cárcel, Leocal fue deportado a Haití y separado de su esposa y sus dos hijos, todos ciudadanos americanos.

Desde 1996 el Servicio de Inmigración ha tenido como costumbre detener y deportar a personas que han sido encontradas culpables por manejar en estado de embriaguez. En 1998, durante una operación denominada como "Ultima Llamada" el Servicio de Inmigración detuvo y deportó a cientos de inmigrantes legales a través del país que habían sido encontrados culpables por manejar en estado de embriaguez. Bajo la decisión de la Corte Suprema, muchas de estas personas tienen que ser readmitidas los Estados Unidos.

II. Crímenes de Contravención Moral (crímenes inmorales)

Crímenes de contravención moral son actos que demuestran un comportamiento inmoral. Aunque este tipo de crimen puede resultar en la deportación de una persona, el Servicio de Inmigración provee algunas medidas para que algunas personas (bajo circunstancias especiales) que han cometido este tipo de crimen puedan mantenerse en EE.UU. Si la sentencia de cárcel por alguno de estos crímenes es menor de 6 meses, el crimen puede ser considerado como una ofensa menor y la persona no es deportada.

Algunos ejemplos de crímenes inmorales:

* Ofensas Sexuales
* Ofensas con Drogas

* Fraude
* Crímenes Contra el Gobierno

* Crímenes Contra la Propiedad
* Crímenes Contra Individuos

III. Crímenes Múltiples

Si una persona comete varios crímenes y la persona cumple varias sentencias de cárcel por cada uno, la persona puede ser deportada si el número de años del total de las sentencias es más de 5 años. No importa que los crímenes no estén relacionados

IV. Crímenes de Sustancias Controladas (drogas)

La mayoría de los crímenes que envuelven drogas ilegales tienen cómo consecuencia la deportación de la persona que los realiza, no importa que el crimen sea un delito grave o un delito menor.

Por ejemplo, las siguientes situaciones pueden ocasionar que una persona sea deportada:

* Ser convicto por sustancias controladas
* Ser convicto por tráfico de drogas. Aunque en algunos estados la venta de pequeñas cantidades no es considerada como un delito grave, es muy posible que la persona sea catalogada por el Servicio de Inmigración como una persona que puede ser deportada.
* Usar o abusar de drogas o de otras sustancias controladas. Recuerde, cualquier declaración o comentario que una persona haga a un oficial de inmigración puede ser usada, y será usada en su contra.
* Ser convicto por posesión de la droga "crack" es considerado como un delito agravado.

V. Violencia Doméstica o Familiar

Una persona puede ser deportada si es convicta por los siguientes crímenes de violencia domestica o familiar (no importa el numero de años que la persona lleve en EE.UU.). Vea el Capítulo 15 para más información en Violencia Doméstica.

* Violencia Doméstica (agresión en contra de un esposo(sa) o ex-esposo(sa) o cualquier otra persona con quien la persona vive o en contra de alguien con quien la persona tiene una relación amorosa),
* Asechar o espiar airadamente (en contra de un esposo o ex-esposo(sa) o esposa o cualquier otra persona con quien la persona vive, o en contra de alguien con quien la persona tiene una relación amorosa),
* Abuso, negligencia, o abandono de menores o ancianos.

> **El Servicio de Inmigración y Naturalización (INS) cambió su nombre y ahora es conocido como el Buró de Servicios de Ciudadanía e Inmigración (BCIS)**

VI. Prostitución

Cualquier persona puede ser deportada si es convicta por prostitución, tráfico de prostitución, o por recibir dinero por prostitución dentro de un periodo de 10 años luego de haber solicitado admisión a EE.UU.

VII. Fuga o Evasión de una Estación de Inmigración

Cualquier persona que intente fugarse, evadir o eludir una estación de inmigración puede ser deportada .

VIII. Armas de Fuego o Explosivos

El poseer o vender armas de fuego o explosivos puede resultar en la deportación de una persona. Conspirar para poseer o vender armas de fuego o explosivos también puede resultar en deportación.

IX. Algunas Medidas Para Que una Persona Que ha Sido Encontrada Culpable de Violar la Ley no Sea Deportada

Si un residente permanente legal ha cometido un crimen y fue convicto antes de Abril de 1996, la persona puede ser elegible para solicitar que su proceso de deportación sea cancelado bajo la Sección 212(c) de la ley de Inmigración. También, si la persona fue convicta después de Abril de 1996, y el crimen no es considerado como un delito agravado, o si la persona es menor de 18 años de edad, la persona puede ser elegible para solicitar que su proceso de deportación sea cancelado.

La Sección 212(c) de la Ley de Inmigración otorga a la oficina del procurador general discreción para detener la deportación de algunos extranjeros que han cometido un acto criminal (ley codificada cómo 8 USC § 1182(c)).

Para ser elegible la persona tiene que ser residente permanente y haber vivido en EE.UU. por 7 años consecutivos. Algunos de los factores que serán considerados son:

- Seriedad de la ofensa.
- Evidencia de rehabilitación.
- Ofensas repetidas.
- Tiempo que la persona lleva en EE.UU.
- El efecto que tendrá la deportación de la persona en su familia en EE.UU.
- El número de personas ciudadanas de EE.UU. en la familia.
- También ayuda si la persona ha servido en las fuerzas armadas de EE.UU.

Recuerde, este libro es sólo una guía sobre las herramientas legales a su alcance. Cada caso y situación es diferente y las leyes cambian constantemente. La información y comentarios sobre sus derechos en esta sección son únicamente de carácter general y de ninguna forma deben ser interpretados como consejos legales específicos sobre su caso. Para obtener consejo legal sobre su caso en específico usted debe comunicarse con un abogado con licencia para ejercer derecho o judicatura en el estado donde usted vive o en la corte donde su caso toma lugar o será decidido.

Capítulo 13

Detención y Deportación

Existen varias formas de detener un proceso de deportación iniciado por el Servicio de Inmigración. Un proceso de deportación significa que cuando una persona está detenida por el Servicio de Inmigración, la persona se encuentra en medio del proceso por el cual se determinará si la persona deberá ser deportada. Es importante entender que una vez el Servicio de Inmigración decide que una persona debe ser deportada, es muy poco lo que se puede hacer para permanecer legalmente en EE.UU.

El Servicio de Inmigración envía tres diferentes cartas que indican el estado en que se encuentra el proceso de Deportación de una persona:

1. Si el documento es titulado "Notificación para Comparecer" (*Notice to Appear*), la persona está en un proceso de remoción que puede o no culminar en la deportación de la persona.

2. Si el documento es titulado "Notificación para Mostrar Causa" (*Order to Show Cause*), la persona está en un proceso de deportación y las medida que serán discutidas a continuación no aplican.

3. Si el documento tiene escrito en la parte de abajo de la primera página el número "**Formulario I-110**" y/o "**Formulario I-122**" la persona está en un proceso de exclusión y las medidas que serán discutidas a continuación tampoco aplican.

Recuerde, este libro es sólo una guía de referencia sobre las herramientas legales a su alcance. Cada caso y situación es diferente y las leyes cambian constantemente. La información y comentarios sobre sus derechos en esta sección son únicamente de carácter general y de ninguna forma deben ser interpretados como consejos legales específicos sobre su caso. Para obtener consejo legal sobre su caso en específico usted debe comunicarse con un abogado con licencia para ejercer derecho o judicatura en el estado donde usted vive o en la corte donde su caso toma lugar o será decidido.

I. Localizando a un Familiar: Primer Paso

Antes de que una persona o su familia puedan intentar detener un proceso de deportación, la familia de la persona tiene que saber que la persona ha sido detenida y dónde está detenida. Esta información es importante porque para intentar detener el proceso de deportación, la persona y sus familiares deberán presentar numerosos formularios y documentos personales al Servicio de Inmigración. Recuerde también que cuando una persona es detenida por el Servicio de Inmigración la familia no es notificada. De hecho, la familia de la persona es la que tiene que llamar o comunicarse con el INS para saber si la persona ha sido detenida, dónde se encuentra la persona, cuáles son los días y las horas de visita, y cómo pueden ayudar para que la persona sea liberada o deportada tan pronto como sea posible.

El Servicio de Inmigración opera nueve Centros de Procesamiento (SPCs) a través de EE.UU. y sus territorios. Cuando una persona es detenida la persona usualmente será llevada a uno de estos centros (vea los centros y los teléfonos de información sobre personas detenidas abajo). En la mayoría de las ocasiones sin embargo, el Servicio de Inmigración envía a las personas a la cárcel federal o del estado si no hay un centro de detención en esa área. En ese caso la familia tiene que comunicarse con la oficina del Servicio de Inmigración en ese estado para obtener información sobre el familiar detenido (vea una lista por Estado y los teléfonos de las oficinas y sub-oficinas del Servicio de Inmigración en el Apéndice A, al final de este libro).

Centros de Detención del Servicio de Inmigración

Recuerde, solo existen 16 Centros de Detención en país. Si usted llama al centro equivocado,
pregunte por el teléfono para información sobre personas detenidas que corresponde a su área o estado.

Centro de Detención	Estado	Distrito a Cargo	Teléfonos para Información sobre Detenidos
Aguadilla Service Processing Center	Puerto Rico	San Juan District	San Juan: (787) 706-2322 St. Thomas: (340) 774-1390 St. Croix: (340) 778-6559
Buffalo Federal Detention Center	New York	Buffalo District	(585) 343-0814
Denver Contract Detention Facility	Colorado	Denver District	(303) 361-0701 o (303) 361-0723.
El Centro Service Processing Center	California	San Diego District	(915) 225-1941, extensión 0726
Elizabeth Contract Detention Facility	New Jersey	Newark District	(973) 645-3666 o (973) 622-7157.
El Paso Service Processing Center	Texas	El Paso District	(915) 225-1901
Florence Service Processing Center	Arizona	Phoenix District	(602) 379-4035
Houston Contract Detention Facility	Texas	Houston District	(281) 774-4816.
Krome Service Processing Center	Florida	Miami District	(305) 552-1845
Laredo Contract Detention Facility	Texas	San Antonio District	(210) 967-7014
Queens Contract Detention Facility	New York	New York District	Wackenhut (718) 553-5420; Varick St. Processing Center (SPC) (212) 620-3441, (212) 620-3442; Información grabada (212) 242-9893
Port Isabel Service Processing Center	Texas	Harlingen District	(956) 547-1759
San Diego Contract Detention Facility	California	San Diego District	(619) 557-6011
San Pedro Service Processing Center	California	Los Ángeles District	(213) 830-5160
Seattle Contract Detention Facility	Washington	Seattle District	(206) 553-7716
Varick Service Processing Center	New York	New York District	Varick St. Processing Center (SPC) (212) 620-3441, (212) 620-3442; Mensajes grabados (212) 242-9893

II. Personas que Cualifican para la Ciudadanía No Pueden ser Deportadas

Las únicas personas que no pueden ser deportadas por ningún motivo son los ciudadanos de EE.UU. La mejor forma de evitar ser deportado o repatriado es probar que usted es o cualifica para convertirse en ciudadano de EU. Una vez que usted prueba que usted cualifica para la ciudadanía, usted no puede ser detenido o encarcelarlo, y mucho menos deportado a ningún otro país.

Cuatro formas en que una persona puede ser ciudadano de EE.UU.

1. Automaticamente: cuando una persona nace dentro de uno de los 50 estados de EE.UU. o sus posesiones (Guam, Puerto Rico, Islas Vírgenes de EE.UU.), o cuando uno o ambos padres es ciudadano de EE.UU. al momento de la persona nacer.
2. Naturalización: cuando la persona nace en otro país pero luego se convierte en ciudadano de EE.UU.
3. Ciudadanía Derivativa: los padres de la persona se convieron en ciudadanos por medio del proceso de naturalización antes de la persona cumplir los 18 años de edad.
4. Ciudadanía adquirida: cuando la persona nacio sus padres ya eran ciudadanos de EE.UU.

Para más información vea el Capítulo 1, Quién es Ciudadano de EE.UU. Recuerde, si usted puede probar que es ciudadano o que cualifica para la ciudadanía de EE.UU., el Servicio de Inmigración tiene que dejarlo en libertad inmediatamente

De acuerdo a la leyes de inmigración, cuando una corte de inmigración ordena que una persona sea deportada, el gobierno tiene un máximo de:

180 días para deportar a la persona.

- 90 días luego de poner a la persona bajo custodia, y

- 90 días más si la persona no ha podido ser deportada.

Cualquier periodo de detención mayor a 180 días es estimado como más del tiempo razonable de detención y la persona tiene que ser liberada.

III. Personas Detenidas por Más de 180 días

Las personas que han sido detenidas por el Servicio de Inmigración por un periodo de tiempo mayor a 180 días han sido detenidas por periodo mayor a lo que la Corte Suprema de EE.UU. ha determinado como un periodo "razonablemente necesario" para personas detenidas por faltas civiles. De acuerdo a la ley (8 USC § 1231(a)(2)) cuando una corte de inmigración ordena que una persona sea deportada, el gobierno tiene 90 días luego de poner a la persona bajo custodia para deportarlo a su país de origen. Si la persona no es deportada, las cortes estiman que es razonable que la persona sea mantenida bajo detención por un periodo adicional de 90 días. En total, el gobierno solamente puede mantener a una persona detenida por un periodo de 180 días.

Personas que no pueden beneficiarse

- Personas detenidas en la frontera.
- Personas detenidas que esperan una determinación de admisibilidad.
- Personas con solicitudes de asilo rechazadas pero que no pueden ser deportadas.
- Extranjeros que no pueden ser admitidos a EE.UU.

IV. Otras Cinco Maneras para Evitar ser Deportado

Existen 5 maneras en que un proceso de deportación puede ser detenido si no hay una orden final de deportación:

1. **Asilo o NACARA** – Personas de Cuba, Nicaragua, El Salvador y Guatemala que pueden beneficiarse de la ley NACARA, y personas Elegibles para Asilo en EE.UU. Vea los detalles abajo.
2. **Víctimas de Tortura** – Personas que seguramente serán torturadas si regresan a su país de origen. Vea los detalles en la siguiente página.
3. **Algunos Residentes Permanentes que han Cometido un Crimen** – Personas que son deportables por haber cometido ciertos crímenes pero que son elegibles para que el proceso de deportación sea cancelado. Vea los detalles adelante.
4. **Víctimas de Violencia Familiar o Doméstica** – Personas que han vivido en EE.UU. por al menos 3 años (legal o ilegalmente) y han sufrido abusos o que sus hijos han sufrido abusos a manos de ciudadanos o residentes permanentes de EE.UU. con quien la persona vive o está casada. Vea los detalles adelante.
5. **Personas Casadas con un Ciudadano o Residente Permanente de EE.UU. o con Padres o Hijos Solteros Menores de 21 años de Edad que son Ciudadanos o Residentes Permanentes de EE.UU.** – Personas que han vivido en EE.UU. por al menos 10 años (legal o ilegalmente) y que su deportación causaría un daño extremo a su esposo(a), hijos(as) solteros menores de 21 años, o a sus padres. Vea los detalles adelante.

Recuerde sin embargo, que la mejor manera de detener el proceso de deportación es probando que la persona es ciudadano de EE.UU., o que es elegible para obtener la ciudadanía de EE.UU. Para ver como una persona es elegible para la ciudadanía y cómo probarlo, vea el Capítulo 1, Quién es Ciudadano de EE.UU.

---

1. Asilo o NACARA: Personas de El Salvador y Guatemala

Personas de Cuba, Nicaragua, El Salvador y Guatemala que pueden beneficiarse NACARA, y personas elegibles para asilo pueden solicitar que su proceso de deportación sea detenido. Para saber quién es elegible bajo NACARA vea el Capítulo 4. Para saber quien es elegible para Asilo vea el Capítulo 5.

Si usted tiene un Récord Criminal o Delitos
Si usted tiene un historial criminal o ha cometido un delito por el cual ha sido convicto (o ha hecho cualquier otro arreglo con el procurador o la corte de justicia) también vea el Capitulo 12: Historial Criminal y Su Condición Migratoria, para saber si el crimen que ha cometido es un crimen agravado o particularmente serio. Si el crimen no es "agravado" o "serio" es posible que usted pueda mantenerse en EE.UU.

Deteniendo el proceso de deportación basado en Asilo o NACARA
Para que una persona pueda detener el proceso de deportación basado en la ley NACARA o para obtener asilo en EE.UU., la persona tiene que preguntar al juez de inmigración si cualifica para NACARA o Asilo en EE.UU. (lea las secciones NACARA y Asilo para asegurarse de que usted es elegible). Recuerde, es importante que consiga ayuda legal profesional para manejar su caso de inmigración, especialmente si se encuentra luchando un proceso de deportación y usted cree o sabe que es elegible para Asilo o NACARA.

Cómo solicitar que el proceso de deportación sea detenido basado en NACARA

- Para cancelar un proceso de deportación una persona tiene que completar el Formulario I-589 (solicitud de asilo y cancelación de deportación). La solicitud debe ser completada con un bolígrafo y en inglés. Es recomendable que si usted no entiende inglés busque ayuda de alguien que pueda ayudarle a completar la solicitud.
- Todas las preguntas deben ser contestadas completamente y en detalle. Si necesita más espacio para sus respuestas, use el Suplemento B ofrecido en la solicitud. También puede usar papel en blanco y enviarlo junto a su solicitud (recuerde poner su nombre y firmar cada papel que envíe junto a su solicitud).
- Envíe dos fotos recientes y una cartilla con sus huellas digitales (si está detenido, oficiales de Inmigración pueden ayudarle).
- Haga 4 copias de la solicitud original. Entregue la solicitud original y dos copias a la corte, una copia al INS, y una copia para usted. Siempre lleve su copia a la corte en caso de que la corte pierda algún documento que usted haya presentado.

2. Víctimas de Tortura y Personas que Seguramente serán Torturadas en su País

La Convención en Contra de la Tortura de las Naciones Unidas (CAT) prohíbe que un país deporte a una persona a otro país donde la persona seguramente será torturada a su regreso. Una persona que busca beneficiarse bajo CAT no tiene que probar que la tortura será realizada por razones políticas, religión, nacionalidad, raza, o por ser miembro de un grupo social en particular.

La aplicación de CAT en EE.UU. está limitada a dos ramas. Bajo la primera rama una persona elegible puede acogerse a CAT para evitar ser deportada. Bajo la segunda rama una persona elegible, solamente puede detener el proceso de deportación temporeramente. El Servicio de Inmigración sin embargo puede intentar detener este periodo en cualquier momento.

Para ser elegible bajo CAT todos los elementos a continuación tienen que estar presentes para una persona probar o establecer su elegibilidad.

Bajo CAT la definición de tortura es:
1. Un acto que inflige dolor o sufrimiento mental o físico severo,
2. Intencional,
3. Con el consentimiento, instigación, o conocimiento previo de una persona actuando en su capacidad como oficial o agente del gobierno,
4. Ocasionado a una persona o tercera persona,
5. Que está bajo la custodia y el control de la persona que la tortura,
6. Con el propósito de intimidar, castigar, o persuadir violentamente a una persona o a una tercera persona, o con el propósito de obtener una confesión o información de una persona o tercera persona.

La definición de tortura no incluye actos NO-intencionales que causan sufrimiento y dolor severo, ni actos que constituyen sanciones legales, como por ejemplo la pena de muerte.

Bajo CAT la definición de tortura mental:
1. Daño mental prolongado,
2. Causado por,
3. La aplicación o amenaza intencional de aplicación de dolor severo, el uso o amenaza de uso de substancias o procedimientos que alteran la mente, la amenaza de muerte, o amenazas de que otras persona serán sujetas a esos daños.

Cómo solicitar que el proceso de deportación sea detenido basado en CAT

- Para cancelar un proceso de deportación una persona tiene que completar el Formulario I-589 (solicitud de asilo y cancelación de deportación). La solicitud debe ser completada con un bolígrafo y en inglés. Es recomendable que si usted no entiende inglés busque ayuda de alguien que le pueda ayudarle a completar la solicitud.
- Todas las preguntas deben ser contestadas completamente y en detalle. Si necesita más espacio para sus respuestas, use el Suplemento B ofrecido en la solicitud. También puede usar papel en blanco y enviarlo junto a su solicitud (recuerde poner su nombre y firmar cada papel que envíe junto a su solicitud).
- Envíe dos fotos recientes de usted y una cartilla con sus huellas digitales (si esta detenido oficiales de Inmigración pueden ayudarle).
- Haga 4 copias de la solicitud original. Entregue la solicitud original y dos copias a la corte, una copia al Servicio de Inmigración, y una copia para usted. Siempre lleve su copia a la corte en caso de que la corte pierda algún documento que usted haya presentado.

3. Residentes Permanentes Que han Cometido un Crimen

Si un residente permanente ha cometido un crimen y fue convicto antes de Abril de 1996, la persona puede ser elegible para que su proceso de deportación sea cancelado bajo la Sección 212(c) de la ley de Inmigración. Si la persona fue convicta después de Abril de 1996 y el crimen no es un delito agravado, o si la persona es menor de 18 años de edad, la persona puede ser elegible para que su proceso de deportación sea cancelado.

La Sección 212(c) de la Ley de Inmigración otorga a la oficina del procurador general, discreción para detener la deportación de algunos extranjeros que han cometido un acto criminal (ley codificada como 8 USC § 1182(c)). Para ser elegible la persona tiene que haber vivido en EE.UU. por 7 años consecutivos y ser residente permanente por 5 años. Algunos de los factores que serán considerados son:

- Seriedad de la ofensa.
- Evidencia de rehabilitación.
- Ofensas repetidas.
- Tiempo que la persona lleva en EE.UU.
- El efecto que tendrá la deportación de la persona en su familia en EE.UU.
- El número de personas ciudadanas de EE.UU. en la familia.
- También ayuda si la persona ha servido en las fuerzas armadas de EE.UU.

Cómo solicitar que el proceso de deportación sea detenido bajo la Sección 212(c)

Para solicitar la cancelación del proceso de deportación, una persona tiene que completar 5 diferentes formularios al Servicio de Inmigración. Estos formularios son:
- Formulario E-42A (solicitud de cancelación), original a la corte y copia al Servicio de Inmigración.
- Formulario G235A (información biográfica), copia a la corte y original al Servicio de Inmigración.
- Pago por la solicitud o declaración notariada diciendo que la persona no puede pagar por la solicitud, original de la declaración a la corte (o prueba de pago) y copia (o pago) al Servicio de Inmigración.
- Formulario FD-258 (cartilla con huellas digitales), copia a la corte y original al Servicio de Inmigración.
- Certificado de servicio, original a la corte y copia al Servicio de Inmigración.

4. Víctimas de Violencia Familiar o Doméstica (VAWA)

Bajo la Ley de Violencia Contra la Mujer de 1994 (VAWA) las esposas(os), o hijos, o ambos, de ciudadanos o residentes permanentes de EE.UU., pueden solicitar que su proceso de deportación sea detenido y obtener la residencia permanente, si son abusados por un ciudadano o residente permanente sin importar que estén en EE.UU. legalmente. Para ser elegible la persona tiene que probar que:

1. El o ella o sus hijos(as) son víctimas de violencia o abuso familiar por parte de un ciudadano o residente permanente de EE.UU. que es su esposo(a) o padre o madre. En otras palabras,
   - la persona ha sido abusada física o mentalmente en EE.UU. por su padre, madre, o esposo(a) que es ciudadano o residente permanente de EE.UU., o
   - el padre o la madre de su hijo(a) es ciudadano o residente permanente de EE.UU. y ha abusado física o mentalmente de su hijo(a) en EE.UU.
2. La víctima ha estado presente físicamente en EE.UU. continuamente por un periodo de 3 años o más, y
3. Ha mantenido una buena conducta moral durante esos 3 años, y
4. No ha cometido cierto tipos de crímenes (vea el Capítulo 12 para más información sobre que crímenes o actos pueden afectar la solicitud o la condición migratoria de una persona), y
5. El sufrimiento de sus hijos(as) será extremo si la persona es deportada de EE.UU. Es decir, (1) la persona es un padre o madre y su deportación le causaría sufrimiento extremo a sus hijos(as), o (2) la persona es un hijo(a) y su deportación causaría sufrimiento extremo a sus padres o a la persona misma.

Para solicitar la cancelación del proceso de deportación una persona tiene que completar 6 diferentes formulario y entregarlos al Servicio de Inmigración . Estos formularios son:

- Formulario E-42B (solicitud de cancelación), original a la corte y copia al Servicio de Inmigración .
- Formulario G235A (información biográfica), copia a la corte y original al Servicio de Inmigración .
- Pago por la solicitud o declaración notariada diciendo que la persona no puede pagar por la solicitud, original de la declaración a la corte (o prueba de pago) y copia (o pago) al Servicio de Inmigración .
- Dos fotos (a menos que la persona este detenida por el INS, una a la corte y un al Servicio de Inmigración .
- Formulario FD-258 (cartilla con huellas digitales), copia a la corte y original al Servicio de Inmigración .
- Certificado de servicio, original a la corte y copia al Servicio de Inmigración .

---

5. Personas Cuya Deportación Resultaria en Sufrimiento Extremo Para sus Familias: Personas Casadas con un Ciudadano o Residente Permanente de EE.UU. o con Padres o Hijos Solteros Menores de 21 años de Edad que son Ciudadanos o Residentes Permanentes de EE.UU.

Personas que han vivido en EE.UU. por al menos 10 años (legal o ilegalmente) pueden solicitar que su proceso de deportación sea cancelado si su deportación causaría un daño extremo a su esposo(a), hijos(as) solteros menores de 21 años, o a sus padres.

Para ser elegible la persona tiene que demostrar que:

1. Ha vivido continuamente en EE.UU. por al menos 10 años,
2. Ha mantenido una buena conducta moral durante esos 10 años,
3. No ha sido encontrada culpable por cierto tipo de crímenes (vea el Capítulo 12 para más información sobre que crímenes o actos pueden afectar la solicitud o la condición migratoria de una persona),
4. Su deportación causaría un daño extremo a su esposo(a), hijos(as) solteros menores de 21 años, o a sus padres (cualquiera de estas personas tiene que ser ciudadano o residente permanente legal de EE.UU.).

Cómo solicitar que el proceso de deportación sea detenido basado en el daño extremo a la familia

Para solicitar la cancelación del proceso de deportación una persona tiene que completar 6 diferentes formulario y entregarlos al Servicio de Inmigración . Estos formularios son:

- Formulario E-42B (solicitud de cancelación), original a la corte y copia al Servicio de Inmigración .
- Formulario G235A (información biográfica), copia a la corte y original al Servicio de Inmigración .
- Pago de la solicitud o declaración notariada diciendo que la persona no puede pagar por la solicitud, original de la declaración a la corte (o prueba de pago) y copia (o pago) al Servicio de Inmigración .
- Dos fotos (a menos que la persona este detenida por el INS, una a la corte y un al Servicio de Inmigración .
- Formulario FD-258 (cartilla con huellas digitales), copia a la corte y original al Servicio de Inmigración .
- Certificado de servicio, original a la corte y copia al Servicio de Inmigración .

Capítulo 14

Apelaciones y Pedidos de Reconsideración
Cuando el Servicio de Inmigración Rechaza su Solicitud

En la mayoría de los casos cuando una solicitud o petición es rechazada por el Servicio de Inmigración y Naturalización, la persona afectada puede apelar o pedir al Servicio de Inmigración que reconsidere su decisión. Existen dos organizaciones separadas dentro del Departamento de Justicia que se encargan de revisar estos casos.

Una es la <u>Unidad de Apelaciones Administrativas</u>, la cual trabaja bajo la jurisdicción del Servicio de Inmigración y tiene bajo su cargo hacer la mayoría de las determinaciones administrativas, como decidir si una solicitud es aprobada o rechazada. La otra es el <u>Consejo de Apelaciones de Inmigración</u>. El Consejo trabaja bajo la jurisdicción de la Oficina Ejecutiva de Revisiones de Inmigración y tiene bajo su cargo la interpretación y aplicación de las leyes de inmigración. En este breve capítulo discutiremos el trabajo de cada una de estas organizaciones prestando atención especial a la Unidad de Apelaciones Administrativas.

Si una persona pide o solicita algún servicio del Servicio de Inmigración y esta petición o solicitud es rechazada, la persona debe leer y revisar con cuidado la notificación del Servicio de Inmigración. Cuando el Servicio de Inmigración rechaza una solicitud envía una carta explicando las razones de la decisión. La notificación también explica los pasos a tomar para apelar la decisión o para pedir que el caso sea reabierto, con quién tiene la persona que comunicarse, y el tiempo disponible. Junto con la carta el Servicio de Inmigración incluye el formulario correcto que debe ser completado para apelar la decisión.

Recuerde, este libro es sólo una guía sobre las herramientas legales a su alcance. Cada caso y situación es diferente y las leyes cambian constantemente. La información y comentarios sobre sus derechos en esta sección son únicamente de carácter general y de ninguna forma deben ser interpretados como consejos legales específicos sobre su caso. Para obtener consejo legal sobre su caso en específico usted debe comunicarse con un abogado con licencia para ejercer derecho o judicatura en el estado donde usted vive o en la corte donde su caso toma lugar o será decidido.

I. Unidad de Apelaciones Administrativas

A. Apelaciones

La Unidad de Apelaciones Administrativas tiene jurisdicción sobre 40 diferentes tipos de solicitudes y ofrece estrictos periodos de tiempo para que una persona pueda apelar las decisiones del Servicio de Inmigración. La Unidad también es muy estricta con los formularios necesarios para apelar una decisión. Una persona que desea apelar una decisión debe completar el formulario correcto designado por el Servicio de Inmigración (usualmente enviado junto a las notificaciones del Servicio de Inmigración) y enviarlo a la oficina que tomó la decisión original junto al pago por procesar el formulario. La persona también puede enviar una breve explicación apoyando su punto de vista o de porque la decisión anterior debe ser modificada o revocada.

Luego de que el caso sea revisado, la Unidad de Apelaciones Administrativas puede estar de acuerdo con la persona y cambiar la decisión, o puede no estar de acuerdo con la persona y afirmar la decisión original. La Unidad también puede referir el caso nuevamente a la oficina que tomó la decisión original para que otros factores sean tomados en cuenta.

B. Pedidos para Reabrir un Caso o Pedidos de Reconsideración

Además de apelar una decisión del Servicio de Inmigración, una persona puede solicitar a la oficina que tomó la decisión original para que reconsidere su decisión o que abra el caso nuevamente. Los Pedidos para Reabrir un caso o de Reconsideración deben ser hechos dentro de los 30 días después de recibir la decisión.

Una petición para que el caso sea abierto nuevamente:
Tiene que identificar y presentar nuevas circunstancias y pruebas que tienen que estar acompañadas de declaraciones notariadas y otros documentos y evidencia que serán presentadas si el caso es reabierto.

Una petición de reconsideración:
Tiene que establecer y dejar claro que la decisión rechazando la solicitud estuvo basada en la aplicación incorrecta de la ley o las policitas del Servicio de Inmigración. La petición también tiene que establecer que la decisión rechazando la solicitud no es correcta dada la evidencia disponible cuando la decisión fue tomada.

C. Quién Puede Apelar o Pedir que su Caso sea Reconsiderado o Reabierto

Solamente la persona que solicita originalmente y es rechazada tiene derecho a apelar una decisión. En el caso de visas, solamente la persona o la organización que pide la visa puede apelar. Por ejemplo, si una empresa solicita una visa de trabajo para un empleado que vive en el extranjero y la solicitud es rechazada, solamente la empresa puede apelar la decisión del Servicio de Inmigración. El empleado no puede apelar la decisión.

La persona que apela una decisión del Servicio de Inmigración puede (y es recomendable) estar representada por un abogado o representante legal. Si el solicitante está representado, la apelación debe estar acompañada del Formulario G-28 (Notificación de Comparecencia como Abogado o Representante legal). El formulario debe estar firmado por el abogado y la persona que completó la solicitud original que fue rechazada.

D. Cómo Apelar o Pedir que su Caso sea Reconsiderado o Reabierto

La persona primero debe revisar el Formulario I-292 o la notificación rechazando su solicitud original para determinar si puede apelar la decisión del Servicio de Inmigración o pedir que el caso sea reconsiderado o reabierto. La decisión traerá el Formulario correcto que debe ser completado y la dirección a dónde tiene que ser enviado el formulario.

Tiempo disponible

- Si la persona decide apelar, el formulario debe ser completado y enviado dentro de **30 días** luego de recibir la decisión original del Servicio de Inmigración . Si la decisión es recibida por correos, la persona tiene **33 días** para apelar luego de recibir la decisión.

- Si la persona desea apelar una revocación de una solicitud o petición de inmigración aprobada anteriormente, la persona tiene 15 días luego de recibir la decisión para apelar. Si la decisión fue recibida por correos, la persona tiene 18 días para apelar luego de recibir la decisión.

Si la Unidad de Apelaciones Administrativas tiene jurisdicción sobre la decisión, la persona tiene que completar el Formulario I-290B (Notificación de Apelación a la Unidad de Apelaciones Administrativas). El formulario tiene que ser enviado a la oficina del Servicio de Inmigración que tomó la decisión original junto a una breve explicación de porque la decisión anterior debe ser modificada o revocada.

II. El Consejo de Apelaciones de Inmigración

El Consejo de Apelaciones de Inmigración es el cuerpo administrativo de más alta jerarquía que interpreta y aplica las leyes de inmigración en EE.UU. El Consejo tiene jurisdicción para revisar ciertas decisiones de Jueces de Inmigración y de Directores de Distrito del Servicio de Inmigración donde el Gobierno de EE.UU. es una de las partes de interés y la otra parte es una persona extranjera, una organización, o una empresa.

Las decisiones del Consejo son de autoridad mandatoria para todas las oficinas del INS en EE.UU. a menos que sean revocadas por el Procurador General de EE.UU. o una Corte Federal. La mayoría de las apelaciones que llegan al Consejo tienen que ver con procedimientos de deportación o con solicitudes para parar un proceso de deportación.

Si una persona tiene que apelar su caso al Consejo de Apelaciones de Inmigración, la persona será notificada por el Servicio de Inmigración .

Ayuda Legal

Una persona puede conseguir ayuda sobre cómo apelar una decisión en las propias oficinas del Servicio de Inmigración. Para ayuda legal con la apelación es recomendable que la persona busque ayuda legal. Para más información sobre abogados y ayuda legal vea el Capitulo 16: Abogados.

Capítulo 15

Maltrato y Violencia Familiar
Guía de Ayuda para Víctimas

Este capítulo explica lo que es violencia familiar, la violencia en contra de niños, y los síntomas y señales más comunes de abuso y maltrato. Este capítulo también ofrece información sobre las ayudas disponibles para las victimas de maltrato a través de la policía y las cortes de justicia, así como organizaciones comunitarias y agencias de gobierno. Este capítulo también incluye un examen para ayudarle a descubrir si usted o sus seres queridos son víctimas de violencia o abuso familiar o si necesita ayuda de emergencia. Al final del capítulo usted también encontraraa un directorio telefónico de todas las organizaciones en el país que ofrecen ayuda en español .

> Las victimas de maltrato a manos de ciudadanos o residentes permanentes de EE.UU. pueden solicitar residencia permanente sin la ayuda, autorización, o conocimiento de la persona que les abusa bajo la Ley de Violencia Contra la Mujer (VAWA). Para más información vea "VAWA" en el Capítulo 3, Sección IV.

GLOSARIO DE VIOLENCIA FAMILIAR
(Nota: las definiciones ofrecidas en esta sección están relacionadas únicamente con violencia familiar)

Abuso (Ing. *Abuse*): Acción y efecto de abusar. // Engañar, seducir. // Atropello.

Albergue: (Ing. *Home*): Lugar donde una persona puede dormir o encontrar ayuda temporeramente.

Alegatos (Ing. *Acusation*): alegación por escrito para comenzar una acción legal.

Apariencia (Ing. *Apearance*): Como se ve por fuera. // Traza. // Cosa que parece.

Cargos (Ing. *Charges*): Imputaciones. // Delitos de los cuales se acusa.

Ciclo (Ing. *Cicle*): Serie de eventos en un orden determinado. // Periodo en que vuelven a ocurrir.

Comportamiento (Ing. *Behaviour*): Conducirse. // Gobernarse.

Derechos (Ing. *Rights*): Razón, justicia. // Justo. // Leyes que protegen a una persona.

Emocional (Ing. *Emocional)*: Que agita el ánimo.

Juicio (Ing. *Trial*): Función de una corte de justicia para resolver una disputa y descubrir lo verdadero de lo falso.

Negligencia (Ing. *Negligence*): Falta de cuidado o atención. // Descuido, omisión.

Sentencia: (Ing. *Sentence*): Al final de un juicio, resolución del juez en forma penal.

Sistema judicial (Ing. *Justice System*): Organización de los cuerpos de justicia. // Dícese de cortes, policía, cárceles y otros.

Verbal (Ing. *Verbal*): Que se hace con palabras o de palabras.

Responsabilidad (Ing. *Responsibility*): Deber de responder a una obligación y sanar el daño causado o la culpa cometida.

Niños

La ley protege a niños y menores de edad de:

- Sus padres, abuelos y hermanos.
- Las parejas y las amistades de sus padres
- Contra otras personas que actúan como sus padres.

Amenazas de maltrato, agresión o violencia también pueden ser ilegales si las palabras usadas causan temor o miedo de agresión o violencia física.

Cómo tomar fotos de golpes y cicatrices de maltrato

Búsqueda Expreso

INMIGRACION: Bajo la Ley de Violencia Contra la Mujer (VAWA) las esposas(os) o hijos(as), que sufren de maltrato a manos de ciudadanos o residentes permanentes pueden solicitar residencia permanente sin la ayuda, autorización, o conocimiento de la persona que les abusa. Vea "VAWA" en el Capítulo 3, para más información.

1. Consiga una cámara fotográfica (puede comprar una desechable)
2. Busque un lugar con mucha luz.
3. Tome fotos mientras se acerca a las heridas.
(Recuerde que en algunos Estados no se puede fotografiar la cara del niño maltratado)

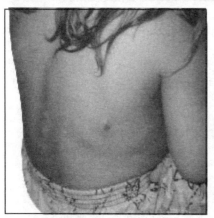
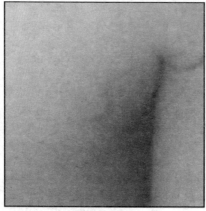
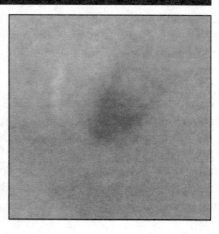

En caso de Violación Sexual: no tome una ducha y no lave la ropa que tenía cuando ocurrió la violación. La sangre, semen y otros rastros biológicos del atacante pueden ser encontrados por los laboratorios de la policía y usados como evidencia además de su palabra.

I. Qué es Violencia Doméstica o Maltrato

Violencia en la familia es conocida como violencia doméstica o maltrato. Este tipo de maltrato es el abuso o agresión física, emocional, verbal, o sexual entre miembros de la familia y es en contra de la ley. La forma más común es cuando el hombre le pega a su esposa o a su novia, pero la violencia también ocurre contra cualquier miembro de la familia, incluyendo cuando jóvenes adolescentes maltratan a sus padres, abuelos o hermanos. Las leyes de maltrato también protegen a personas que tienen o tenían una relación amorosa, sin importar de que vivan juntas o no. Aunque el maltrato familiar es uno de los crímenes más comunes, la mayoría de las víctimas nunca buscan ayuda de la policía o el gobierno hasta que es demasiado tarde.

En el caso de niños la ley los protege contra el abuso de sus padres, contra las parejas de sus padres que viven en el hogar, y contra otras personas que actúan como sus padres. Amenazas de agresión o violencia también pueden ser en contra de la ley si las palabras usadas causan miedo de agresión o de violencia física.

A. Cuatro Tipos de Maltrato en la Familia

1. **Abuso Físico**
   Por ejemplo, herir a una persona (hombre, mujer, niño o anciano) a propósito, dándole golpes, mordiscos, patadas, zarandeándole, quemándole, o lanzándole objetos.

2. **Abuso Emocional**
   Este tipo de abuso ocurre cuando se maltrata a una persona (hombre, mujer, niño o anciano) con ataques verbales, amenazas o humillaciones. También cuando una persona persigue, amenaza o molesta a otro miembro familiar. Estos incidentes deben ser comunicados a la policía. Muchas veces no se toman en serio las amenazas porque uno cree que la persona que las hace no está hablando en serio. Sin embargo estas amenazas pueden significar un peligro real para usted o su familia.

3. **Abuso Sexual, Violación**
   Abuso sexual significa contactos sexuales, incluyendo caricias indebidas o no autorizadas. Agresión o abuso sexual es cualquier tipo de actividad sexual que se realiza en contra de la voluntad o sin el permiso de la otra persona. Es decir, cuando una persona fuerza a la otra a tener relaciones sexuales. La fuerza puede ser en forma de violencia física o como resultado de haber puesto presión emocional o mental, o algún tipo de manipulación, en la víctima. Cualquiera que sea la forma, la víctima siente miedo, dolor, confusión, rabia y aislamiento. Recuerde, no importa si el agresor es un extraño o alguien que usted conoce, la agresión sexual es un delito castigado por la ley. Tampoco importa que usted haya tenido relaciones sexuales en otras ocasiones con esa persona.

   En el caso de niños éstos no pueden ser utilizados para películas sobre sexo, fotografías para la gratificación sexual de un adulto o prostitución. No se requiere fuerza irresistible en el caso de violación. El menor puede ser explotado, físicamente abusado y sexualmente utilizado por un adulto que se ha ganado su confianza o a quien el niño tiene que obedecer por se una figura de autoridad. Tampoco se puede usar lenguaje obsceno con ellos o exponer (enseñar) los órganos sexuales del niño o al niño aunque no haya contacto sexual.

4. **Negligencia (*usualmente contra niños, personas incapacitadas y ancianos*)**
   Este tipo de maltrato ocurre cuando las necesidades emocionales (amor, atención, etc.) o las necesidades físicas (comida, ropa, vivienda, etc.) de una persona no son atendidas o satisfechas a propósito. Por ejemplo, cuando los padres dejan a sus niños solos para ir a la tienda o a trabajar, o cuando los padres deciden comprar cerveza o ropas para ellos sin importar que sus niños no han comido nada en algunos días. También puede existir negligencia cuando a un niño o a un anciano no se le proporciona la ayuda o vigilancia necesaria.

¿Quieres Saber si Sufres de Maltrato por Parte de tu Pareja?

Si deseas saber si estas en una relación saludable o estancada en una relación dañina o que no es saludable, toma esta prueba y aprende más acerca de tu relación.

Marca todas las que apliquen a tu pareja

¿Está tu pareja...
- ☐ Avergonzándote, diciéndote sobrenombres o humillándote?
- ☐ Atemorizándote? Por ejemplo, maneja el coche descuidadamente y enloquecido cuando estás con él?
- ☐ Amenazándote con hacerte daño, o rechaza ayudarte cuando tú necesitas ayuda?
- ☐ Abandonándote, te deja fuera de la casa o te deja sola en lugares que tú no conoces?
- ☐ Controlando tus gastos, tomando tu dinero, o te hace pedir dinero a otras personas?
- ☐ Controlando tu vida social, hace que no veas a tus familiares o amistades?
- ☐ Portándose violentamente, golpeando y arrojando objetos para mostrar su enojo?
- ☐ Tomando todas las decisiones en tu relación?
- ☐ Dándote miedo con armas de fuego, pistolas, o con su fuerza física?
- ☐ Golpeándote, te empuja, o te da cachetadas?
- ☐ Golpeando o haciendo daño a los niños o a los animales de la casa?

Mientras tú...
- ☐ Tratas de olvidar tu dolor y miedo con vicios, tomando alcohol, comprando, comiendo demasiado o limpiando tu casa todo el día todos los días.
- ☐ Te mantienes alerta para que todo sea perfecto y tu pareja no se enoje.
- ☐ Tratas de que la persona siempre esté contenta.
- ☐ Sueñas con una vida diferente si tan sólo algo cambiara.
- ☐ Mientes sobre tu relación cuando otras personas preguntan.
- ☐ Mantienes en secreto detalles de tu relación de tus familiares y amigos.
- ☐ Te alejas de tus amigos y familiares cuando tu relación no está funcionando.

Cuenta el número de casillas que has marcado arriba y compara el total abajo:

Numero de Casillas Marcadas	Resultado
2-4	Probablemente crees que dependes de la relación amorosa.
5-8	Sufres de abuso y deberías comenzar a examinar tu relación.
9-13	Debes examinar seriamente tu relación pues existen síntomas de abuso.
14-18	Necesitas ayuda inmediatamente. Busca ayuda individual con un consejero familiar especialista en casos de abuso. Terapia de pareja no es recomendable.

Si cree que sufre de maltrato no debe sentir vergüenza o falta de valor. Usted es una persona especial. Busque ayuda. Existe asistencia disponible en español las 24 horas, los siete días de la semana. Usted puede llamar a las agencias de ayuda a víctimas de maltrato como la Línea de Emergencia Nacional (1-800-799-7233). Usted solo tiene que llamar.

Para más información vea la lista teléfonos de ayuda en Español para cada Estado al final de este capítulo.

II. Cómo Saber si es Víctima de Maltrato

Si siente que nadie le ayuda, si tiene miedo de su pareja o de algún miembro de su familia, es posible que sea víctima de una relación abusiva. A continuación vea algunas de las señales que pueden indicar que usted es víctima de maltratos.

A. Señales de Abuso y Maltrato

Una persona es víctima de abuso doméstico cuando sufre los siguientes maltratos:

- Empujones, aventones, puñetazos, golpes en la cabeza u otra parte, patadas, estrangulamiento y amenazas.
- Es víctima de ataques verbales (le echan la culpa de todo y le dicen vulgaridades).
- Le destruyen sus pertenencias a propósito.
- No le dejan trabajar y no tiene libertad de decidir a dónde va o cuando regresa.
- Le espían o vigilan todo el tiempo y siempre la están persiguiendo.
- Le desprecian o le ponen en ridículo en frente de todos o cuando están solos.
- Le obligan a tener relaciones sexuales o a realizar actos degradantes, vulgares, o que usted odia.
- No le permiten visitar familiares o amistades.
- Le amenazan con quitarle a los hijos.
- Le amenazan constantemente con reportarla a inmigración o no firmarle los papeles para obtener la residencia legal (si este es su caso, vea "VAWA" el Capítulo 3).

B. Ponga Atención al Maltrato

Las víctimas de abuso a veces se sienten asustadas, culpables, avergonzadas o desamparadas, y estos sentimientos hacen que no se tomen las acciones necesarias para acabar con el abuso. Usualmente la víctima de violencia familiar espera que los actos de violencia no vuelvan a suceder. Desgraciadamente es bien sabido que la violencia familiar es un problema que aumenta y empeora cada día.

Las personas que maltratan:
- Acumulan tensión,
- Pegan o abusan de la víctima,
- Luego le piden perdón y prometen cambiar,
- Pronto la tensión empieza a acumularse nuevamente y el ciclo se repite.

Nunca es demasiado tarde para romper el ciclo de maltrato, pero es USTED quien debe actuar para acabar con la violencia familiar. Lo peor que usted puede hacer es quedarse dentro de una relación llena de abusos.

C. El Maltrato no Solo Afecta a la Víctima

Usted no es la única víctima de la violencia que existe en su casa. Los niños que crecen en un hogar lleno de abusos y maltrato aprenden que la violencia es una forma de controlar a otras personas. Los niños pueden tomar de ejemplo a la persona abusiva y convertirse abusadores dentro de sus propias relaciones.

Negligencia

No Cuidar a los Niños

No Cuidar de Ancianos

Consecuencias en los Niños

Observar, escuchar y participar en situaciones de violencia domestica puede ocasionar daño emocional en los niños, y daño físico cuando son golpeados por estar cerca de la víctima o tratar de protegerla.

El varón aprende a ver la agresión como una forma natural para controlar las situaciones familiares.

La hembra aprende que la mujer debe ser sumisa en una relación aun cuando es golpeada y humillada.

La victima debe entender que no solo ella sufre el maltrato sino que los niños que viven con ella. Como consecuencia de su maltrato la mujer también puede empezar a maltratar a sus hijos, por estar confundida y deprimida, o a agredir físicamente a sus hijos para evitar problemas con el agresor o permitir el abuso sexual por el miedo que le tiene al agresor.

133

Señales de Abuso Infantil / Cómo Saber

Las personas que pasan mucho tiempo cerca de niños (familiares, maestros, etc.) deben prestar atención a cualquier señal de abuso infantil. Estas señales no siempre significan abuso infantil, pero es mejor saber con seguridad. Actúe ahora si usted reconoce alguna de las siguientes señales.

Evidencias Físicas
Observe heridas raras o anormales (algunas veces debajo de la ropa) tales como:

- Ronchas, golpes, mordidas, huesos rotos, o moretones.
- Cortes o arañazos.
- Quemaduras
- Falta de cabello en algunas partes de la cabeza (algunos padres cuando están furiosos halan el pelo del niño tan duro que el pelo del niño luego se cae).
- Golpes o enrojecimiento en las zonas genitales (partes privadas).
- Heridas en diferentes etapas de curación (puede significar que el niño es maltratado a menudo).
- Golpes, heridas o condiciones médicas que no han sido tratadas adecuadamente (muchos padres no llevan a sus hijos al médico o al hospital para tratar heridas de maltrato por temor a ser descubiertos por la policía).

Apariencia del niño
A menudo el niño que es víctima de maltrato o negligencia puede andar muy sucio y mal arreglado. La ropa puede estar en malas condiciones o no estar de acuerdo con las condiciones del tiempo (ejemplo: un niño sin chaqueta o ropa adecuada durante el invierno).

Comportamiento del Niño
El abuso infantil puede provocar cambios en el niño, como por ejemplo:

1. Conducta agresiva o timidez.
2. Miedo súbito o miedo sin una razón visible (de ciertas personas, de ir a casa, etc.).
3. Buscar de atención constante.
4. Falta de concentración, fatiga.
5. Hambre, piden dinero para comida, roban.
6. Llegan tarde a la escuela casi siempre o faltan mucho.
7. Conocimiento poco usual de cosas relacionadas con el sexo.

Comportamiento del Adulto
Un adulto que está abusando de un niño puede:

1. Castigar cruelmente a un niño en público.
2. Usar palabras vulgares o crueles contra el niño.
3. Mostrar despreocupación acerca del niño.
4. Dar explicaciones sin sentido sobre heridas o golpes del cuerpo del niño.
5. Ponerse a la defensiva o de rabia cuando se le pregunta sobre la salud del niño.

También es peligroso si los niños empiezan a imitar a la víctima y asocian el amor con soportar abusos y maltratos. Por ejemplo, varios estudios sicológicos explican que los niños que son testigos de maltratos tienen diez (10) veces más probabilidades de maltratar a otras personas cuando sean adultos.

III. Maltrato de Niños: Abuso Infantil

El maltrato de niños es cualquier trato cruel (abuso físico, emocional, sexual) o negligente hacia un niño y que provoca una daño físico o emocional al niño. Por ejemplo, cuando una persona deja a sus hijos solos en la casa para ir a la tienda y ocurre un accidente, la persona será acusada de negligencia. Lo mismo ocurre si ocurre un accidente automovilístico y el niño no tiene el cinturón de seguridad puesto. El abuso de niños ocurre entre personas con o sin dinero, inmigrantes o ciudadanos, hombres o mujeres, jóvenes o adultos. Generalmente la mayoría de las personas que abusan de niños no tienen una gran opinión de ellas mismas. Sus sentimientos de fracaso y frustración salen a la superficie en forma de abuso. Estas personas también se sienten dominadas por sus emociones y reaccionan por medio de impulsos. En muchas ocasiones han sido víctimas abuso infantil cuando eran niños y crecieron pensando que es normal. En algunos casos existe ayuda para estas personas y los problemas que les conducen a maltratar a sus niños.

Angélica está muy enamorada de su novio Arturo.

Pero Arturo se molesta por nada con Angélica.

Le grita, la empuja, y la amenaza.

Al final Arturo le pide perdón y hace como si nada ha pasado.

Ella ya no sabe que hacer y no se atreve ni a moverse.

Por qué se Queda en Una Relación Abusiva

Las personas que se quedan en una relación donde existe maltrato pasan por tres etapas para soportar los actos de abuso. Las razones pueden ser diferentes dependiendo de como el maltrato progresa dentro de la relación.

Al principio, la persona se queda por:
- Amor
- Cree que la persona va a cambiar
- Cree que puede controlar los golpes si hace lo que la persona quiere: como limpiar, mantener a los niños quietos.
- Siente vergüenza o no quiere que nadie sepa.
- Tiene miedo a lo que pueda pasar si viene la policía.

Después, se queda por:
- Amor, aunque menos que antes.
- Desea que la persona cambie o consiga ayuda y cree que la persona no le hará daño otra vez.
- Está bajo presión de familiares y amigos para quedarse dentro de la relación.

- Cree que la persona también siente amor y necesidad.
- Tiene miedo a la soledad.
- Cree que no podrá sobrevivir sin el dinero y la compañía de la otra persona.
- Confusión (no sabe que hacer).
- Le tiene miedo a la otra persona.

Finalmente, se queda por:
- Miedo (la persona que le abusa se ha convertido en alguien increíblemente poderoso ante sus ojos).
- La persona amenaza con maltratar a los niños.
- Usted cree que no se merece nada mejor.
- Cree que nadie la puede querer.
- Cree que no sobrevivirá sin la ayuda de la otra persona.
- Sentimientos de confusión y culpa.
- Se deprime y paraliza, y le es difícil tomar decisiones.
- Cree que no tiene otras opciones.
- Ha desarrollado serios problemas físicos y emocionales.
- Tiene miedo de suicidarse o cometer un homicidio.

IV. Ayuda y Soluciones Para el Maltrato

En EE.UU. la mayoría de los agentes policíacos están preparados para intervenir en casos de maltrato. También, cualquier agencia de gobierno que maneje casos de violencia familiar puede ayudar. Las ayudas a menudo incluyen asistencia para conseguir órdenes de arresto y de protección, y servicios de referido a los distintos recursos que usted pueda necesitar. Recuerde, el momento de más riesgo es cuando finalmente se sale de la relación. Es importante tener toda la ayuda que pueda encontrar, especialmente un grupo de personas que le apoye para salir adelante.

A. Actúe por Usted y Sus Niños

No tiene porque tolerar el maltrato. Puede acabar con la violencia doméstica dando algunos pasos muy sencillos:

- Hable de su situación con alguien. El abuso crece cuando usted no quiere reconocer su situación y la mantiene en secreto.
- Si decide alejarse de la persona que abusa de usted, vaya un lugar seguro. De ser posible prepárese antes de partir, guarde dinero y sus documentos importantes donde los pueda encontrar y tomar fácilmente.
- Denuncie todos los incidentes de maltrato inmediatamente a la policía. Llame al 911 (número telefónico para emergencias en todo EE.UU.). Deje que un oficial de policía le ayude a recibir la atención médica necesaria para que se emitan las órdenes de arresto y protección, y para que encuentre un lugar seguro para usted y sus hijos. A menudo usted puede conseguir un sitio donde se puede quedar gratis y donde su pareja nunca le encontrará.

B. Qué Hacer Cuando le Amenazan

Si alguien amenaza con hacerle daño a usted o a su familia, se recomienda que usted haga lo siguiente:

1. Llame inmediatamente a la policía (marque el 911 en su teléfono en cualquier parte de los Estados Unidos para conseguir ayuda inmediatamente). El Departamento de Policía toma en serio la violencia familiar y las amenazas. Usted también debe tomarlo en serio.
2. Anoté el día, la hora y el lugar donde usted se encontraba cuando recibió la amenaza.
3. Anote las palabras exactas en que se dijeron las amenazas, y sus razones para creer que corre peligro.
4. Pida a los testigos (personas que estaban presentes cuando ocurrió la amenaza) que hablen con el oficial de policía y que apoyen su declaración durante la acción judicial.
5. De ser posible, conserve cualquier grabación que tenga en su máquina de mensajes, cartas, o cualquier otra cosa que pueda servir como prueba en una corte de justicia.

V. Ayudas Disponibles (Policía y Cortes de Justicia)

Usted tiene que defender sus derechos.   La Policía, el Fiscal de Distrito y los tribunales desean que las víctimas de maltrato tomen acción legal y envíen a una corte de justicia a sus atacantes. En la mayoría de los casos ésta es la única forma de acabar con la violencia y de obligar a la persona acusada a obtener la ayuda necesaria. Sin asistencia, la mayoría de estas personas continuará el ciclo de violencia familiar, lastimando a sus familias y a sí mismos. Al comenzar una acción legal, usted recupera la confianza y el miedo desaparece. Usted tiene derechos y debe defenderlos en una corte de justicia. El oficial de policía que esté a cargo de su caso le explicará cuáles son sus opciones legales. También puede encontrar información en otras agencias de ayuda en su ciudad o con abogados privados. Entre las ayudas más comunes se encuentran las discutidas a continuación.

A. Orden de Arresto

Usted puede conseguir que se ponga una orden de arresto por medio de la Oficina del Magistrado del Condado las 24 horas del día. El oficial de policía que le ayude o el magistrado en turno podrán ayudarle con el procedimiento que deberá seguir para levantar cargos en contra del agresor para su arresto.

B. Orden de Protección

Una orden de protección es una orden de la corte que prohíbe a una persona (que maltrata) visitar o acercarse a cierta distancia de la víctima (a menudo 200 metros). Usted puede solicitar una orden de protección en la Oficina Administrativa de los Tribunales del Condado o por medio de la policía. La orden de protección es usualmente por un tiempo limitado (orden temporera). Si la persona se presenta en su hogar, trabajo, escuela, o se le acerca a una distancia que viola los términos de la orden de protección, usted puede llamar a la policía (dependiendo de la orden y de las leyes de su estado, la policía puede arrestar a la persona o forzarla a que se vaya). Si la persona se va antes de que llegue la policía, usted debe llamar a su abogado o a la persona que le ayudó a conseguir la orden de protección. Usted debe tener siempre una copia de la orden de protección con usted. Es también recomendable llevar una copia de la orden de protección al departamento de policía local y registrarla. De esta manera cuando usted llame a la policía ellos saben que usted tiene una orden de protección de la corte y que la persona esta violando la orden de la corte.

C. Emergencias

Si usted siente que usted o sus niños pueden estar en peligro inmediato antes que el juicio comience, usted puede pedir a la policía, a un magistrado, o a una corte de justicia que se tomen medidas de emergencia, como por ejemplo una orden de protección inmediata y sin audiencia. En ciertos casos, la corte tiene el poder de ayudarle inmediatamente por un periodo de tiempo limitado si existen razones suficientes. La corte puede tener una audiencia luego de radicado el pedido (una moción o una demanda para acción inmediata) y puede dar ordenes temporeras iguales a las que se pueden dar en un juicio normal. Generalmente usted puede acudir a la estación de policía o a su oficina local de apoyo a víctimas de maltrato para que le ayuden a pedir alivio de emergencia.

D. En General

Reporte los actos criminales de abuso a las autoridades y asegúrese de seguir el proceso completamente. Si decide archivar los cargos luego de iniciar el proceso criminal, su pareja continuará pegándole y posiblemente no crea que es capaz de pedir ayuda nuevamente. Si se decide a hacer una nueva querella, las autoridades quizás duden que usted tenga interés en terminar el proceso y quizás no pongan tanto empeño. Recuerde sin embargo que las autoridades están para ayudarla y protegerla , pero solo usted puede decidir que quiere hacer de su vida, una insegura y llena de violencia o una de paz. Demuestre que quiere salir de la situación abusiva. Las autoridades la tienen que ayudar tantas veces como usted así lo pida.

Si es posible consulte un abogado. Si necesita un abogado gratis vea el Capituló 16, Abogados. También puede llamar al Departamento de Servicios Legales y pedir hablar con alguien en Español. Si no hay nadie disponible y usted está en peligro, salga de su hogar si es necesario para su seguridad o la de sus hijos. Busque un refugio o un lugar seguro donde dormir o quedarse. Muchas ciudades tienen hogares de refugio para víctimas de maltrato. Llame al centro de salud o a la policía de su ciudad para conseguir información sobre hogares de refugios en su área.

Nunca deje a los niños con el abusador porque pueden estar en peligro. También puede parecer como descuido cuando se decida la custodia de los niños. Si tiene que salir de su casa y dejar a sus niños llame a las autoridades para que los recojan y protejan.

El Círculo Continúa

Cada día el maltrato aumenta. Hasta cuando Angélica ni se mueve.

Arturo también le pega más fuerte y con más frecuencia.

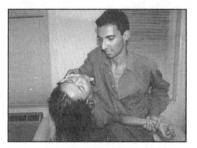

Esta vez Arturo le dio un golpe en el cuello que dejó a Angélica sin aire.

Como de costumbre, Arturo le pide perdón y se va a ver TV.

Angélica tiene miedo hasta de hablar con su mama por temor a Arturo.

VI. Cómo Funciona el Proceso Judicial

Es muy importante que reporte actos de violencia doméstica tan pronto sea posible. La policía debe responder a llamadas de emergencia en casos de violencia doméstica. Si la policía está presente cuando el ataque ocurre, ellos pueden arrestar a la persona inmediatamente.

La policía también puede ayudarle en otras maneras. La policía le puede proteger, informar de cualquier ayuda local (consejeros y hogares de refugio). Le pueden llevar al hospital, a la oficina del magistrado o a un hogar de ayuda temporera a personas maltratadas, y le pueden acompañar a su hogar para recoger ropa y otras cosas personales necesarias para usted y sus hijos.

Si la policía no está presente cuando ocurre el maltrato usted debe ir directamente a la estación de policía o a la oficina del magistrado.

A. Acusación: Presentando Cargos por Maltrato

Para comenzar un proceso judicial usted puede visitar la oficina del magistrado o la corte de su ciudad o condado. El magistrado o el juez escuchará su historia y dará una orden de arresto si está convencido de que se ha cometido un crimen (en este caso violencia doméstica). La orden obliga a la persona a presentarse en la corte de justicia en la fecha indicada. La orden de arresto también indica a los oficiales de policía a que arresten y lleven al sospechoso ante un magistrado o juez para decidir la fianza y la fecha del juicio. Si la fianza es pagada, el sospechoso es puesto en libertad hasta el día del juicio.

B. Protección Antes del Día de Corte: Su Seguridad

Si usted tiene miedo por su seguridad mientras espera por la fecha del juicio, usted puede pedir una orden de protección de la corte. Esta orden de protección puede ser una de las condiciones de la fianza. Usted debe preguntar cuándo y dónde será la audiencia de la fianza y asistir. Generalmente es su responsabilidad de preguntar y obtener esta información. En la audiencia usted debe pedir al magistrado o al juez una orden de protección la cual prohíbe a la persona que usted acusa de violencia domestica, visitar, merodear, o estar en su hogar, oficina o escuela, o hacerle daño a su propiedad. Si la persona viola la orden de protección de la corte, la persona puede ser arrestada por la policía. Es importante que siempre tenga una copia de la orden con usted porque si la orden es violada por la otra persona la policía tendrá que ver o verificar la orden rápidamente para poder proteger sus derechos. Recursos adicionales pueden estar disponibles según las leyes del estado donde usted vive.

C. Juicio y Sentencias

Usualmente usted debe de comunicarse con la oficina del fiscal unos días antes del juicio para instrucciones y para avisar al fiscal de cualquier otra prueba disponible (por ejemplo, un vecino le dice que él vio los actos de violencia y quiere decirlo en la corte). Usted también tendrá que declarar como testigo y debe prepararse para hacerlo. Su comparecencia es necesaria en el tribunal para probar su alegación de maltrato. Si usted se ausenta las autoridades concluyen que no tiene interés y arriesgará su caso en corte.

Recuerde: Guarde Todas Las Pruebas de Maltrato

- Tome fotografías de sus golpes y guarde cualquier ropa desgarrada o manchada con sangre o semen.

- Consiga copias de los reportes de la policía y los reportes médicos sobre el tratamiento de sus lesiones.

- Investigue si hay testigos y si quieren ayudarle en su caso.

¡INS BCIS!

Usted tiene que estar presente en la corte a la hora correcta. En la corte existen frecuentes atrasos y aplazamientos, pero si usted está ausente el día del juicio, su caso puede ser rechazado solamente por su ausencia.

La violencia domestica es castigada con pena de cárcel, o multas económicas, o ambas cosas. En ocasiones la corte suspende la sentencia o sentencia a la persona a libertad condicional, o a una combinación de cárcel y libertad condicional. Las personas con un historial de violencia domestica pueden reciben penas más severas.

En caso de una sentencia suspendida o libertad condicional, La mayoría de los expertos en maltrato familiar recomiendan que usted mantenga a la persona lejos de usted pidiendo al procurador o fiscal o a su abogado una orden de protección como una de las condiciones para la libertad condicional o sentencia suspendida. Su abogado o el procurador o fiscal deberá pedir la orden al juez como una de las condiciones de la sentencia.

D. Si la Violencia Ocurre Nuevamente

Si el abusador esta en libertad condicional usted debe de llamar al oficial encargado si ocurre cualquier violación a las condiciones impuestas por la corte de justicia (que hayan sido incluida como parte de la libertad del atacante). Esto puede resultar en que esta persona sea enviada a la cárcel inmediatamente. Si usted nunca comenzó alguna acción judicial por maltrato, deberá conseguir una orden de arresto y comenzar el proceso.

VII. Conclusión

Por medio de intervención legal y terapia por separado una pareja puede resolver los problemas que conducen al maltrato. Si no, una o ambas personas pueden terminar el matrimonio a través de un divorcio. En el caso de una separación legal o divorcio, un abogado debe ser consultado para proteger la custodia de niños, su sostenimiento, la pensión alimenticia y los derechos de propiedad.

Si usted se encuentra en una relación violenta ahora mismo a la policía, al centro de salud mental, a las agencias de servicios a víctimas de violencia familiar, o a un abogado. Recuerde, nadie tiene derecho a pegarle, maltratarle o amenazarle. Haga valer sus derechos.

Recuerde: en casos de violencia domestica se recomienda terapia por separado para aprender nuevos modos de manejar las emociones. Así mismo la victima debe tomar terapia para mejorar su auto estima, destrezas, reconocer las señales de violencia y como manejarlas. En casos donde ambos están dispuestos a cambiar y aun mantienen lazos afectivos como pareja podrían tener una nueva oportunidad de una convivencia sin violencia. Esto usualmente conlleva mas de un año de tratamiento para que el cambio sea permanente y verdadero. Por eso es tan importante compartir con otras personas lo que le esta ocurriendo, solo así comprenderán sus temores y necesidades.

Soluciones

Angélica trato de dejar a Arturo pero él no la dejó y le pegó.

Cuando Arturo se fue a bañar ella llamo la Línea de Ayuda.

En el Centro le explican las leyes, y dónde y cómo encontrar ayuda.

Angélica aprende que la policía y las cortes la pueden ayudar.

Ella llama por ayuda y Arturo ahora tiene que responder a la justicia.

Plan de Escape

Este plan está diseñado para ayudar a responder al maltrato de la forma más segura y a sobrevivir un ataque físico o sexual.

1. No permita que el abusador la atrape en la cocina (hay muchos cuchillos y objetos que se pueden usar como armas mortales) o en el baño (no hay lugar para esconderse y muchos objetos peligrosos que pueden ocasionar heridas graves).

2. Quédese fuera de cuartos o áreas donde hay armas, como revólveres, pistolas, escopetas, cuchillos, etc.

3. Cuéntele su problema a sus vecinos. Recuerde, la ayuda de sus vecinos puede salvar su vida.

4. Tenga una señal que el vecino pueda oír o ver y saber que debe llamar a la policía, por ejemplo: alguien pegando sobre las paredes, un grito, una palabra o dos por teléfono, o el ruido de la pelea en su apartamento.

5. Hable con sus amistades, alguien de su familia o su trabajo en quien usted confía. Usted necesita amistades.

6. Tenga un plan para ponerse en contacto con sus amistades para asegurar su posibilidad de recibir ayuda si lo necesita.

7. Piense ahora, antes de que ocurra el maltrato y antes de irse de su casa, a donde irá y si es un lugar seguro. Si no tiene amistades o familia que puedan ayudar considere un refugio para mujeres maltratadas. Si tiene que salir de su casa inmediatamente vaya a un lugar público, como por ejemplo un hospital o una tienda.

8. Hoy. Haga una copia de la llave del auto y escóndala donde la pueda encontrar sin levantar sospechas. De esta manera usted puede salir inmediatamente de la casa si es atacada. También es importante esconder dinero para llamadas de teléfono y gasolina.

9. Guarde documentos importantes que necesitará si deja su casa, como por ejemplo certificados de nacimiento de sus hijos, números de seguro social, su certificado de matrimonio, números de su cuenta de banco, libreta de cheques, información y tarjetas de seguros médicos, números de teléfono de familia y amistades y cualquier otra información que la pueda ayudar. Si usted escapa durante el acto de violencia y no se ha preparado con anterioridad, posiblemente usted no podrá llevar estos documentos importantes. Si es posible, póngalos en su cartera o tenga copias de los papeles escondidos en un lugar seguro fuera de la casa.

IMPORTANTE
Aunque usted piense que el maltrato no volverá a ocurrir no deje de tener un plan de protección para escapar de su casa. No le hace ningún daño planificar y prevenir. Recuerde, es su vida y la de sus hijos.

Recuerde: Las victimas de maltrato a manos de ciudadanos o residentes permanentes de EE.UU. pueden solicitar residencia permanente sin la ayuda, autorización, o conocimiento de la persona que les abusa bajo la Ley de Violencia Contra la Mujer (VAWA). Para más información vea "VAWA" en el Capítulo 3 (IV).

Dónde Conseguir Ayuda Inmediata las 24 Horas

AYUDA EN TODO EL PAÍS
- National Resource Center On DV - Phone: 800-537-2238
- Health Resource Center on Domestic Violence - 800-313-1310
- Battered Women's Justice Project - Gratis: 800-903-0111 Ext: 1
- National Clearinghouse for the Defense of Battered Women - Gratis: 800-903-0111
- National Clearinghouse Phone: 510-524-1582

DONDE CONSEGUIR UN LUGAR SEGURO SI TIENE QUE DEJAR SU CASA
- Servicio de Albergue a Víctimas - 24 horas - 800-621-4673

AYUDA POR ESTADO *(orden alfabético)*
- Alabama Coalition Against Domestic Violence - 1-800-650-6522
- Alaska Network on Domestic Violence & Sexual Assault - 907/586-3650
- Arizona Coalition Against Domestic Violence - 602/279-2900
- Arkansas Coalition Against Violence to Women & Children - 501/812-0571
- California Alliance Against Domestic Violence - 916/444-7163
- California Coalition to End Domestic and Sexual Violence: 805-656-1111 – Español: 800-300-2181
- California Statewide Coalition for Battered Women - - Gratis: 888-722-2952
- Colorado Coalition Against Domestic Violence - 303/831-9632 Gratis: 888-778-7091
- Connecticut Coalition Against Violence - 860-282-7899
- Delaware Coalition Against Domestic Violence - (888) 522-2571
- District of Columbia Coalition Against Domestic Violence - 202/783-5332
- District of Columbia My Sister's Place 24 horas: 202-529-5991
- Florida Coalition Against Domestic Violence - 800-500-1119
- Georgia Coalition on Family Violence - 770/984-0085
- Georgia Advocates for Battered Women - 800-334-2836
- Hawaii State Coalition Against Domestic Violence - 808-486-5072
- Idaho Coalition Against Sexual and Domestic Violence - 208/384-0419 - Gratis: 888-293-6118
- Illinois Coalition Against Domestic Violence - 217/789-2830
- Illinois Friends of Battered Women and Their Children - Gratis: 1-800-603-HELP
- Illinois Life Span 24 horas Lines de Crisis: 847-824-4454
- Indiana Coalition Against Domestic Violence - 800-332-7385
- Iowa Coalition Against Domestic Violence -800-942-0333
- Kansas Coalition Against Sexual & Domestic Violence - 888-END-ABUSE
- Kentucky Domestic Violence Association - 502/ 695-2444
- Louisiana Coalition Against Domestic Violence - 504/752-1296
- Maine Coalition for Family Crisis Services - 207/941-1194
- Maryland Network Against Violence - 800-MD-HELPS
- Massachusetts Coalition of Battered Women - 617/248-0922
- Michigan Linea de Crisis 24-Horas: 517-265-6776
- Michigan Bay County Women's Center - Gratis: 800-834-2098

- Michigan Coalition Against Domestic Violence - 517/347-7000
- Minnesota Coalition for Battered Women - 612/646-6177 Metro-Area Hotline: 651-646-0994
- Mississippi Coalition Against Domestic Violence - 800-898-3234
- Missouri Coalition Against Domestic Violence - 573-634-4161
- Missouri Women's Support and Community Services: 314-531-2003
- Montana Coalition Against Domestic Violence – (406) 443-7794
- Montana Línea de Crisis - Gratis: 1-888-587-0199
- Nebraska Domestic Violence and Sexual Assault Coalition - 402/476-6256 - Gratis: 800-876-6238
- Nevada Network Against Domestic Violence - 800-500-1556
- New Hampshire Coalition Against Domestic and Sexual Violence - 603/224-8893 - 800-852-3388
- New Jersey Coalition for Battered Women - 800-224-0211
- New Mexico Coalition Against Domestic Violence - 800-773-3645 Ayuda Legal: 800-209-DVLH
- New York State Coalition Against Domestic Violence - 518/432-4864 - Gratis: 800-942-6906
- North Carolina Coalition Against Domestic Violence – (919) 956-9124
- North Dakota Council on Abused Women's Services -701-255-6240 - Gratis: 800-472-2911
- Ohio Domestic Violence Network - 800-934-9840
- Action Ohio Coalition for Battered Women – (614) 221-1255
- Oklahoma Coalition on Domestic Violence and Sexual Assault - 405/848-1815 - Gratis: 800-522-9054
- Oregon Coalition Against Domestic and Sexual Violence - 503/365-9644 - Gratis: 800-622-3782
- Pennsylvania Coalition Against Domestic Violence - 717/545-6400 - Gratis: 800-932-4632
- Pennsylvania Coalition Against Rape - Gratis: 800-692-7445
- Pennsylvania Women's Center of Montgomery County - Gratis: 800-773-2424
- Pennsylvania Laurel House - Gratis: 1-800-642-3150
- Puerto Rico: Comision Para Los Asuntos De La Mujer - 787-722-2907 / Centro de Victimas de Violación 787-765-2285 (24 hrs.)
- Rhode Island Council on Domestic Violence – (800) 494-8100
- South Carolina Coalition Against Violence - 800-260-9293
- South Dakota Coalition Against Domestic Violence & Sexual Assault - 605/945-0869 - 800-572-9196
- South Dakota Network Against Family Violence and Sexual Assault - Gratis: 1-800-430-SAFE
- South Dakota Resource Center of Aberdeen - (888) 290-2935
- Tennessee Task Force Against Family Violence - 800-356-6767
- Texas Council on Family Violence - Gratis: 800-525-1978
- Texas Families In Crisis, Inc. - Gratis: 1-888-799-SAFE
- Utah Domestic Violence Advisory Council - 800-897-LINK
- Vermont Network Against Domestic Violence and Sexual Assault – (802) 223-1302
- Vermont Women Helping Battered Women - 1-800-228-7395
- Vermont Women's Rape Crisis Center - Gratis: 1-800-489-7273
- Virginians Against Domestic Violence - 800-838-8238
- Washington State Coalition Against Violence – (360) 407-0756
- Washington State Domestic Violence : 800-562-6025
- West Virginia Coalition Against Violence – (304) 965-3552
- Wisconsin Coalition Against Violence – (608) 255-0539
- Wyoming Coalition Against Violence - 800-990-3877

Recuerde, este libro es sólo una guía sobre las herramientas legales a su alcance. Cada caso y situación es diferente y las leyes cambian constantemente. La información y comentarios sobre sus derechos en esta sección son únicamente de carácter general y de ninguna forma deben ser interpretados como consejos legales específicos sobre su caso. Para obtener consejo legal sobre su caso en específico usted debe comunicarse con un abogado con licencia para ejercer derecho o judicatura en el estado donde usted vive o en la corte donde su caso toma lugar o será decidido.

Capítulo 16

Abogados
Cómo y Dónde Conseguir Ayuda Legal

El propósito de esta guía legal es que usted obtenga un conocimiento general sobre la ley de inmigración, y aprenda a reconocer sus derechos y cómo defenderlos por medio de los numerosos medios de ayuda y asistencia disponibles. Usted se dará cuenta que en muchos casos no es mala idea buscar la asistencia o el consejo legal de un abogado.

Cuando usted tiene un abogado, usted tiene a su lado a una persona que sabe como funcionan las cortes de justicia. La mayoría de los temas que usted discute con su abogado son privados. Es decir, por razones de ética lo que usted diga a su abogado se quedará entre usted y su abogado. Por esta razón es importante que usted se comunique de forma honesta con su abogado y así se asegure de que éste le pueda ayudar efectivamente.

Como cliente, ya sea de un abogado privado o un abogado gratis, usted tiene la libertad de tomar sus propias decisiones sobre su caso. Por ejemplo, usted debe tener la libertad de retirar cualquier acción legal si decide no continuar con ella, o intentar una estrategia diferente a la de su abogado si usted desea.

Existen diferentes tipos de abogado y muchas formas para encontrar uno calificado. Por ejemplo, algunos procesos y leyes de inmigración son complicados y es posible que la ayuda de un abogado sea necesaria. Recuerde, de la misma forma que no existen píldoras mágicas, un abogado es una persona que puede ayudarle a decidir lo que debe hacer y no una persona que le resolverá sus problemas instantáneamente.

Recuerde, este libro es sólo una guía sobre las herramientas legales a su alcance. Cada caso y situación es diferente y las leyes cambian constantemente. La información y comentarios sobre sus derechos en esta sección son únicamente de carácter general y de ninguna forma deben ser interpretados como consejos legales específicos sobre su caso. Para obtener consejo legal sobre su caso en específico usted debe comunicarse con un abogado con licencia para ejercer derecho o judicatura en el estado donde usted vive o en la corte donde su caso toma lugar o será decidido.

I. Abogados Privados

La mayoría de los abogados ofrecen la primera consulta gratis. Pero de acuerdo al Colegio de Abogados de EE.UU. (ABA) la mayoría de los abogados privados cobran entre $60 y $300 dólares por hora dependiendo de la región, el tipo de caso y la experiencia del abogado. Usted debe también considerar varias cosas cuando se entreviste por primera vez con un abogado.

Primero, asegurese de que la primera consulta es gratis.

Segundo, pregunte sobre sus honorarios por hora y cuántas horas cree que trabajará su caso durante la entrevista. Vea cual es la experiencia del abogado en casos como el suyo. Los abogados con experiencia generalmente cobran más por hora que abogados sin experiencia. Sin embargo, un abogado con experiencia generalmente puede hacer el mismo trabajo en menos tiempo. Recuerde: un abogado que toma diferentes tipos de casos puede tener mucha experiencia, pero eso no quiere decir que sea un abogado especializado en su tipo de caso.

Tercero, si quiere ahorrarse dinero, el ABA recomienda que usted conteste todas las preguntas de su abogado con honestidad y completamente, especialmente si es información negativa y en su contra. Esta información le ahorrará tiempo a su abogado y dinero a usted. El ABA también sugiere que usted puede ayudar con las diligencias de su caso, como por ejemplo entregando y recogiendo documentos en vez de pagar a una compañía de mensajeros o servicios especiales de entrega.

Cómo encontrar contratar un abogado privado

Usted no tiene que contratar al primer abogado que encuentre. De hecho, es recomendable que usted aproveche la primera consulta gratis para visitar a varios abogados y ver cuál le inspira confianza. Vea cuál es el plan de acción del abogado y recuerde hablar sobre sus honorarios por hora y cuántas horas el abogado cree que trabajará en su caso. A continuación vea cómo y dónde usted puede encontrar un abogado.

- **Pregunte a sus Amistades o Conocidos**

  Una de las mejores formas de conseguir un buen abogado es por medio de una persona que usted conoce que haya utilizado los servicios de un abogado. Hable con sus amistades o conocidos y pregunte si conocen a un buen abogado de inmigración. Aunque cada caso es diferente, es muy posible que un abogado que hizo un buen trabajo para alguien que usted conoce, pueda intentar hacer un buen trabajo en su caso.

- **Servicios de Referido de Abogados**

  Esta es una lista de abogados que tiene la asociación o el colegio de abogados del estado donde usted vive. Cada abogado paga una cuota anual para que su nombre aparezca en la lista. La lista esta dividida por el tipo de casos que el abogado prefiere o en que el abogado se especializa. Para conseguir un abogado por medio de esta lista, solo tiene que llamar al número telefónico de servicio de referido de abogados de su estado y pedir los nombres de varios abogados de inmigración. La persona que contesta el teléfono usualmente le ofrecerá los nombres teléfonos de varios abogados con diferentes precios. Para conseguir el número telefónico del servicio de referido de abogados de su estado, vea el directorio telefónico de su ciudad bajo "*Lawyers Referral Service*" o llame a su número de información telefónica.

- **Guía Telefónica (Paginas Amarillas)**
  En el libro local de teléfonos existe una sección completa con los nombres de cientos de abogados (Abogado en inglés es Attorney, Lawyer, o Esquire). En esa sección también encontrará anuncios que especifican el tipo de casos que toma el abogado y si el abogado habla español o tiene acceso a intérpretes.

II. Abogados Gratis

Si usted necesita ayuda legal en su caso de inmigración pero no puede pagar un abogado, usted puede conseguir ayuda legal gratis o a un costo reducido por varios medios. Sin embargo, recuerde que la mayoría de estos servicios están limitados a ciertas personas con casos específicos de inmigración, o que ya se encuentran detenidos por el Servicio de Inmigración o en un proceso de deportación, o personas con bajos ingresos económicos. Vea los detalles a continuación.

- **Servicios Legales por medio de Sindicatos y Uniones de Trabajadores**
  Si usted es miembro de un sindicato o cualquier otra unión de trabajadores o empleados, la oficina de la unión generalmente provee abogados que ayudan con cualquier caso o problema legal que uno de sus miembros pueda tener.

- **Organizaciones Legales Sin Fines Lucrativos**
  Usted puede conseguir ayuda legal gratis o a un costo reducido por medio de organizaciones legales sin fines lucrativos que operan en su área y que están reconocidas oficialmente por el Servicio de Inmigración. Usted puede conseguir una copia de esta lista en cualquier oficina del Servicio de Inmigración. Al final de este capítulo usted también encontrará una copia reducida de esta lista (*Listado #1*). El Servicio de Inmigración no incluye los números telefónicos de las organizaciones en la primera lista. Para conseguir el número telefónico de estas organizaciones, vea el listado # 2, o su directorio telefónico, o llame a su número de información telefónica.

- **Ayuda Legal Gratis para Personas Frente a una Corte de Inmigración (Pro-Bono)**
  Si usted se encuentra envuelto en un proceso de inmigración frente a una corte de Inmigración o ha sido detenido por el Servicio de Inmigración, es posible que usted pueda conseguir ayuda legal por medio de una organización o un abogado que esté dispuesto a tomar su caso sin cobrar honorarios (Pro-bono). Recuerde, estas organizaciones o abogados solamente ofrecen sus servicios gratis para casos donde la persona ya se encuentra frente a una corte de inmigración y la persona no puede pagar por ayuda legal. Si usted quiere utilizar sus servicios para solicitar otros beneficios o permisos del Servicio de Inmigración, es posible que usted tenga que pagar los honorarios regulares de estas organizaciones o abogados. En casos de asilo, usted deberá preguntar directamente a estas organizaciones y abogados si usted puede obtener ayuda gratis con el proceso. Usted puede encontrar estas organizaciones o abogados por medio de una lista dividida por Estados disponible al final de este capitulo (*Listado #2*) o en las oficinas del Servicio de Inmigración.

Recuerde

Aunque las organizaciones o abogados Pro-bono en la *Lista #2* al final de este capítulo solamente ofrecen sus servicios gratis para casos donde la persona ya se encuentra frente a una corte de inmigración (y la persona no puede pagar por ayuda legal), usted puede utilizar sus servicios para solicitar otros beneficios o permisos del Servicio de Inmigración, pagando los honorarios regulares de estas organizaciones o abogados.

Alabama

- Catholic Social Services / Archdiocese of Mobile; 211 S. Catherine St.; Mobile, AL 36604
- Legal Services Corporation of Alabama; Migrant farmworkers Project; 500 Bell Building; 207 Montgomery St.; Montgomery, AL 36104

Arizona

- Betania Community Center; 1210 E. Virginia; Phoenix, AZ 85006
- Proyecto San Pablo / American Beginnings; 23485 A St.; PO Box 6623 San Luis, AZ 85349
- Chicanos por la Causa; 308 West Main St.; PO Box 517; Somerton, AZ 85350
- Proyecto San Pablo / American Beginnings; 2215 S. 8th Ave.; PO Box 110 Yuma, AZ 85366-0110
- Souther Arizona Legal Aid; 64 East Broadway Blvd.; Tucson, AZ 85701

Arkansas

- Catholic Social Services / Diocese of Little Rock; 2500 N. tyler St.; Little Rock, AR 72217

California

- Immigration Law Clinic; University of California, Davis; King Hall, School of Law; Davis, CA 95616
- Southeast Legal Aid Center; 401 East Compton Blvd.; Compton, CA 90232
- Coachella Valley Immigration Service; 934 Vella Rd.; Palm Springs, CA 92264
- Coalition of California Wellfare Rights; 1901 Alhambra Blvd.; Sacramento, CA 95816
- ACCESS of San Diego, 2612 Daniel Ave., San Diego, CA 92111
- California Human Development Corp.; 100 Sebastopol Rd.; Santa Rosa, CA 95407
- Canal Community Alliance; 91 Larkspur St.; San Rafael, CA 94901
- Libreria del Pueblo; Immigration and Citizenship Project; 972 N. Mt. Vernon Ave.; San Bernardino, CA 92411
- Casa Cornelia Law Center; 315 Laurel St.; San Diego, CA 92101
- Center for Employment Training; 701 Vine St. San Jose, CA 95110
- Central American Resource Center; 1245 Alabama St.; San Francisco, CA 94110
- Central American Resource Center; 2845 W. 7th St.; Los Angeles, CA 90005
- El Rescate Legal Services; 1340 S. Bonnie Brae; Los Angeles, CA 90006
- International Institute of Alameda County (International Institute of East Bay); 297 Lee St.; Oakland, CA 94610

Colorado

- Justice Information Center; 1129 Cherokee St.; Denver, CO 80204
- San Luis Valley Christian Community Services; 225 6th Street; Suite B; PO Box 1534; Alamosa, CO 81101

Connecticut

- International Institute of Connecticut; 670 Clinton Ave. Bridgeport, CT 06605
- International Institute of Connecticut; 487 Main St.; Siute 15; Hartford, CT 06103

Delaware

- Service for Foreign Born; Delaware Stae Office Building, 5th Floor; 820 French St.; Wilmington, DE 29812

Distrito de Columbia

- AYUDA, Inc; 1736 Columbia Rd. N.W.; Washington, DC 20009
- Central American Resource Center; 1459 Columbia Rd., NW; Washington, DC 20009
- Catholic Charities Immigration Legal Services; 924 G Street, NW; Washington, DC 20001

Florida

- Rural Law Center; 64-B East Main St.; Apopka, FL 32703
- Jacksonville Area Legal Aid; 126 West Adams St.; Jacksonville, FL 32202
- Amigos en Cristo, Inc. / Amigos Center 25999 Old 41 Rd.; Bonita Springs, Fl 34135
- Catholic Charities; E. Bush Blvd.; Tampa, FL 33612
- Catholic Charities; 1771 N. Semoran Blvd.; Orlando, Fl 32807
- Florida Immigrant Advocacy Center; 131-B North 2nd St.; PO Box 3808; Forth Pierce, FL 34948
- Florida Immigrant Advocacy Center; 1401-B New Market Road West; Immokalee, FL 34142
- Florida Institutional Legal Services; 1110-c NW 8th Ave.; Gainesville, FL 32601
- Florida Rural Legal Services; 423 Fern St.; Suite 220; West Palm Beach, FL 33401
- Catholic Charities of Pensacola; 222 East Government St.; Pensacola, FL 32501

Georgia

- Bringing the Gap Project; 1615 Peachtree St. NE; suite 120; Atlanta, GA 30309
- Catholic Social Services; 680 West Peachtree Street, NW; Atlanta, GA 30308
- Georgia Legal Services, Migrant Farmworkers Division; PO Box 1669; 150 South Ridge Ave.; Tifton, GA 31793
- International Rescue Committee; 4151 Memorial drive; Suite 201-C; Decatur, GA 30032
- World Releif Corp.; Atlanta Regional Office; 964 N. Indian Creek Drive; Siute A-1; Clarkston, GA 30021

Hawaii

- Immigrant Service Center; 720 North King Street; Honolulu, HI 96817

Idaho

- La Posada Ministry (Sisters of Mercy); 134 2nd Street East; Twin Falls, ID 83301
- Catholic Charities of Idaho; 4202 West Emeral St.; Boise, ID 83703
- Catholic Charities of Idaho; 1515 8th St. South; Nampa, ID 83651

Illinois

- Archdiocesan Latin American Committee / Immigration Services 126 North Desplaines St.; Chicago, IL 60661
- Centro de Informacion y Progreso; 62 South Grove Ave.; Elgin, IL 60120
- Immigration Project; 1320 Neidringhaus Ave. PO Box 753; Granite City, IL 62040
- CHILDSERV; 1103 Greenwood Ave. Waukegan, IL 60087

Indiana

- International Institute of Northwest Indiana; 4433 Broadway; Gary, IN 46402
- La Casa Goshen; 202 North Cottage Avenue; Goshen, IN 46528

Iowa

- La Casa Latina; 206 6th Street; Sioux City, IA 51101
- Iowa immigration Legal Project; 2912 Beaver Ave.; Des Moines, IA 50310
- American Friends Service Committee / Immigrant Rights Project; 4211 Grand Ave. Des Moines, IA 50312
- Diocesan Immigration Program; 2706 N. Gaines St.; Davenport, IA 52804

Kansas

- Mariel Assistance Program; 6803 West 69th Street; Overland Park, KS 66204
- Catholic Charities; Diocese of Wichita; 437 N. Topeka; Wichita, KS 67202

Kentucky

- Western Kentucky Refugee Mutual Assistance Association; 806 Bowling Green, KY 42101

Louisiana

- Catholic Charities of New Orleans; 1000 Howard Ave. Suite 1200; New Orleans, LA 70113
- Society of the Roman Catholic Church; Diocese of Lafayette; 1408 Carmel Ave.; Lafayette, LA 70501

Maine

- Immigrant Legal Project; One India Drive; Portland, ME 04101

Maryland

- Immigration Legal Services; Associated Catholic Charities; 430 S. Broadway; Baltimore, MD 21231
- Foreign-Born Information and Referral Network; 5999 Harpers Farm Road; Suite E200; Columbia, MD 21044
- Spanish Catholic Center; 1015 University Blvd. East; Silver Spring, MD 20903

- Catholic Charities; Diocese of Wilmington; 1405 Wesley Drive; suite 32; Salisbury, MD 21801
- Catholic Charities Immigration Legal Services; 11160 Viers Mill Road; Suite 700; Wheaton, MD

Massachusetts
- Centro Presente; 54 Essex St.; Cambridge, MA 02139
- East Boston Ecumenical Community Council; 28 Paris St.; East Boston, MA 02128
- Greater Boston Legal Services; 68 Essex St.; Boston, MA 02111

Michigan
- Archdiocese of Detroit / Christian Service; 305 Michigan Ave. Detroit, MI 48226
- International Institute of Flint, MI; 515 Stevens Street; Flint, MI 48502

Minnesota
- Catholic Charities; 215 Old Sixth St.; St. Paul, MN 55102
- Dorothy Day House; 714 S. 8th St.; Moorhead, MN 56560
- Lutheran Social Service of Minnesota; Immigration Services; 2414 Park Avenue South; Minneapolis, MN 55404

Mississippi
- Catholic Charities; Immigration Clinic; 510 George St.; Suite 302; Jackson, MS 39202
- Catholic Social and Community Services; Catholic Diocese of Biloxi; Migration Center; 870 Nativity Drive; Biloxi, MS 39533

Missouri
- Della Lamb Community Services; 500 Woodland Ave.; Kansas City, MO 64106
- Archdiocese of St. Lois / Legal Assistance Ministry; 3700 Lindell Blvd.; St. Lois, MO 63108

Nebraska
- Catholic Charities; 5211 South 31st St.; Omaha, NE 68107
- Lutheran Family Services of Nebraska; Strong Urban Neighborhood; 545 South 31st. Street; Omaha, NE 68105

Nevada
- Catholic Charities of Southern Nevada; 4730 S. Pecos Road; Las Vegas, NV 89120

New Hampshire
- International Institute of New Hampshire; 315 Pine St.; Manchester, NH 03103
- New Hampshire Catholic Charities; Immigration Services; 23 Searles Road; Windham, NH 03087

New Jersey
- American Friends Service Committee, 972 Broad St. 6th Floor; Newark, NJ 07102
- Camden Center for Law and Justice; 509 State St.; Camden, NJ 08102
- El Centro Hispano; 525 E. Front St.; Plainfield, NJ 07060
- Hispanic Promotion Center; 439 Main St.; Orange, NJ 07050

New Mexico
- Albuquerque Border City Project, Inc.; 115 2nd St. SW; Albuquerque, NM 87102
- CASA REINA; 217 E. Wilson; Gallup, NM 87301
- Immigration Services Center; 506 ½ South Lincon; PO Box 2663; Roswell, NM 88202
- Souther New Mexico Legal Services; 300 N. Downtown Mall; Los Cruces, NM 88001

New York
- International Institute of Buffalo, NY; 864 Delaware Ave.; Buffalo, NY 14209
- 199 SEIU Citizenship Program; 330 West 42nd St., New York, NY 10036
- American Civic Association; 131 front St. Binghamton, NY13905
- Caribbean Women's Health Association; 2725 Church Ave. Brooklyn, NY 11226
- International Center of the Capital Region; 8 Rusell Road; Albany, NY 22206
- Mohawk Valley Resource Center; 309 Genesee St.; PO Box 318; Utica, NY 13503

North Carolina
- Catholic Social Services; Refugee Office; 2217 Eastway Dr.; Charlotte, NC 28205
- Episcopal Farmworker Ministry; 2989 Easy Street; PO Box 160; Dunn, NC 28334
- Casa Guadalupe of catholic Social Services; 621 West Second St.; Winston-Salem, NC 27101
- Casa Guadalupe of catholic Social Services; 122 N. Elm St.; Suite 504; Greensboro, NC 27401
- Farm Workers Legal Services of North Carolina; 112 South Blount St. Raleigh, NC 27611
- Catholic Social Ministries; Diocese of Raleigh; 226 Hillsborough St.; Raleigh, NC 27603
- Catholic Social Ministries; Diocese of Raleigh; 2717 South memorial Drive; Greenville, NC 27835
- Catholic Social Ministries; Diocese of Raleigh; 4006 Princess Place Dr.; Wilmington, NC 28403
- Lutheran Family Services in North Carolina; 505 Oberlin Road; Suite 230; Raleigh, NC 27605

North Dakota
- Lutheran Social Services of North Dakota; 720 Main Ave.; PO Box 389; Fargo, ND 58107

Ohio
- International Institute of Akron; 207 East Tallmadge Ave.; Akron, OH 44310
- International Institute of Greater Toledo; 2040 Scottwood Ave.; Toledo, OH 43620
- International Services Center; 1836 Euclid Ave; Suite 200; Cleveland, OH 44115
- International Institute of Cincinnati; 707 Race Street; Suite 300; Cincinnati, OH 45202

Oklahoma
- Hispanic American Mission; 1836 NW 3rd; Oklahoma City, OK 73106
- Legal Aid of Western Oklahoma; 110 Cameron Bldg; 2901 Classen Blvd.; Oklahoma City, OK 73106

Oregon
- Catholic Charities; 231 SE 12th; Portland, OR 97214
- El Programa Hispano; 451 NW First St.; Gresham, OR 97030
- Hood River Valley Legalization Project; 205 Oak St.; Suite 15; Hood River, OR 97031

Pennsylvania
- HIAS Council Migration Service of Philadelphia; 2100 Arch St.; 3rd Floor; Philadelphia, PA 19103
- Hispanic American Council; 554 East 10th St.; Erie, PA 16503
- International Institute of Erie, PA; 517 E. 26th St.; Erie, PA 16504

Puerto Rico
- Servicios Sociales Catolicos; Arquidiocesis de San Juan; 201 Calle San Jorge; San Juan, PR

Rhode Island
- Diocese of Providence; Office of Community Services; 83 Stewart St.; Providence, RI 02903

South Carolina
- Acercamiento Hispano / South Carolina Hispanic Outreach; 5808 E. Shakespeare Rd., Columbia, SC 29223
- San Francis by the Sea / Church Hispanic Office of Legal Assistance; 45 Beach City Rd.; Hilton Head, SC 29926

South Dakota
- Lutheran Social Services of South Dakota; 620 W. 18th Street; Sioux Falls, SD 57104

Tennessee
- Catholic Charities; 1325 Jefferson; Memphis, TN 38104
- Catholic Charities of Tennessee; Refugee Program; 10 South 6th St.; Nashville, TN 37206

Texas
- Immigration Counceling Services; 5555 N. Lamar; Suite K-100; Austin, TX 78751
- Alliance for Multicultural Community Service; 6440 Hillcroft, #411 Houston TX 77081
- Clinica de Inmigracion de San Jose; PO Box 786; Del Rio, TX 78840
- Diocesan Migrant Services; 1117 North Stanton; El Paso, TX 79902
- Asociacion Pro Servicios Sociales, Inc.; 406

Scott St. Laredo, TX 78040
- Bexar County Legal Aid; 434 S. Main St., Suite 300; San Antonio, TX 78204
- Casa Proyecto Libertad; 113 N. 1st. St.; Harlingen, TX 78550
- Centro Social Hispano; 606 North Bishop; Dallas, TX 75208

Utah
- International rescue Committee; 530 East 500 South; Suite 207; Salt Lake City, UT 84102

Virginia
- International Rescue Committee; 109 E. Jefferson St.; Charlottsville, VA, 22902
- Lutheran Social Services of the National Capital Area; 7401 Leesburg Pike; falls Church, VA 22043
- Peninsula Legal Aid Center; 1214 Kecoughtan Road; Hampton, VA 23661
- Refugee and Immigration Services; Catholic Diocese of Richmond; 1802 Ashland Ave.; Norfolk, VA 23509

Washington
- Archdiocesan Housing Authority / Refugee Assistance Program; 4250 South Mead St.; Seattle, WA 98118
- Lutheran Community Services; 100 W 11th Street; Plaza One; Vancouver, WA 98660

Washington, D.C.
- AYUDA, Inc; 1736 Columbia Rd. N.W.; Washington, DC 20009
- Central American Resource Center; 1459 Columbia Rd., NW; Washington, DC 20009

West Virginia
- Catholic Community Services; Office of Immigration Services; 1033 Quarrier St. 105; Charleston, WV 25301

Wisconsin
- Diocese of Green Bay; 1825 Riverside Drive; Green Bay, WI 54301
- Council for the Spanish Speaking; 614

Recuerde

Las organizaciones y abogados en la lista #2 ofrecen sus servicios gratis para casos donde la persona ya se encuentra frente a una corte de inmigración y no puede pagar un abogado. Si usted desea obtener otros servicios, es muy posible que usted tenga que pagar los honorarios regulares cómo cualquier otro cliente.

Alaska
- CATHOLIC SOCIAL SERVICES Immigration and Refugee Program; 3710 E. 20th Ave.; Anchorage, Alaska 99508 Tel. (907) 276-5590 Representan casos de Asilo.
- ALASKA LEGAL SERVICES CORPORATION; 1016 West 6th Avenue; Anchorage, Alaska 99501; Tel. (907) 272-9431; Residentes legales solamente. Representan casos de asilo.

Arizona
- FLORENCE IMMIGRANT AND REFUGEE RIGHTS PROJECT; P.O. Box 654; 300 S. Main St.; Florence, AZ 85232; Tel (520) 868-0191. Representan casos de asilo y personas detenidas.
- MICHAEL FRANQUINHA, ESQ.; Attorney at Law; 200 E. Mitchell, Ste. 306; Phoenix, AZ 85012; Representan en audiencias de asilo. Tel. (602) 294-0200, 294-0201, 294-0203; Fax (602) 294-0204,
- JAMES F. METCALF; Attorney at Law; 217 S. Second Avenue; Yuma, AZ 85364; Tel. (520) 782-2558
- JOSE LUIS PENALOSA, JR.; Penalosa & Eslava-Grunwaldt, PC; 202 East Morris Drive; Phoenix, AZ 85012-2323; (602) 254-0877; (602) 253-4061, Fax
- CHRISTOPHER STENDER, ESQ.; STENDER AND ASSOCIATES; 2701 East Osborn Road, Suite 101; Phoenix, AZ 85016; (602) 257-1010; (602) 604-1783, Fax
- CATHOLIC SOCIAL SERVICES OF PHOENIX; 1825 W. Northern Street; Phoenix, AZ 85021; Tel. (602) 997-6105; Cuota moderada.
- CHICANOS POR LA CAUSA; 312 W. Main Street, P.O. Box 517; Somerton, AZ 85350; Tel. (520) 627-2042; Cuota Moderada.
- FRIENDLY HOUSE; 802 S. 1st Avenue; P.O. Box 3695; Phoenix, AZ 85030; Tel. (602) 257-1870; (602) 257-8278, Fax; Cuota Moderada
- JAMES F. METCALF; Metcalf & Metcalf, P.C.; 217 South Second Avenue; Yuma, AZ 85364; Tel. (520) 782-2558; (520) 329-9015, Fax
- JOSE LUIS PENALOSA, JR; Penalosa & Eslava-Grunwaldt, P.C.; 202 East Morris Drive; Phoenix, AZ 85012-2323; Tel. (602) 254-0877; (602) 253-4061, Fax
- CHRISTOPHER STENDER, ESQ.; STENDER AND ASSOCIATES; 2701 East Osburn Road, Suite 101; Phoenix, AZ 85016; tel. (602) 257-1010; (602) 604-1783, Fax
- NICOMEDES E. SURIEL, ESQ.; Law Offices of Nicomedes E. Suriel, L.L.C.; 200 E. Mitchell Drive, Ste. 201; Phoenix, AZ 85012; tel. (602) 297-2005. Representan casos y solicitudes de asilo.
- FLORENCE IMMIGRANT AND REFUGEE RIGHTS PROJECT; 300 S. Main Street, P.O. Box 654; Florence, AZ 85232; tel. (520) 868-0191; (520) 868-0192, Fax
- JAMES F. METCALF; Metcalf & Metcalf, P.C.; 217 South Second Avenue; Yuma, AZ 85364; tel. (520) 782-2558; (520) 329-9015, Fax

- JOSE LUIS PENALOSA, JR.; Penalosa & Eslava-Grunwaldt, P.C.; 202 East Morris Drive; Phoenix, AZ 85012-2323; tel. (602) 254-0877; (602) 253-4061, Fax
- CHRISTOPHER STENDER, ESQ.; STENDER AND ASSOCIATES; 2701 East Osborn Road, Ste. 101; Phoenix, AZ 85016; tel. (602) 257-1010; (602) 604-1783, Fax
- SOUTHERN ARIZONA LEGAL AID; 64 E. Broadway Blvd.; Tucson, AZ 85701; tel. (520) 623-9461; (800) 234-7252
- VIKRAM BADRINATH, ESQ.; 100 North Stone Ave., Ste. 302; Tucson, AZ 85701-1514; (520) 620-6000; (520) 620-6797, Fax

Arkansas
- WILLIAM F. CAVANAUGH; Attorney At Law; Regions Center; 400 W. Capitol, Suite 1700; Little Rock, AR 72201-3436; tel. (501) 372-4479; Solo casos de Arkansas.
- H.T. JONES IV; Attorney At Law; 210 S. State Street; Little Rock, AR 72201; tel. (501) 376-0886; solo casos de Little Rock, Arkansas; Central Arkansas; y Memphis, Tennessee

California
Imperial y El Centro, California
- DARIO AGUIRRE, ESQ.; Law Offices of Dario Aguirre; 1010 Second Avenue, Suite 1700; San Diego, CA 92101; tel. (619) 239-9990; (619) 233-1878, Fax. Todo caso de inmigración, asilo, solo en el Distrito de San Diego, incluyendo Imperial y El Centro
- JOSEPH M. BACHO , ESQ.; Law Offices of Joseph M. Bacho; 300 S. Imperial Avenue, Suite 2; El Centro, CA 92243; tel. (760) 339-9960. Todo caso de inmigración, asilo, deportación, solo en Imperial y El Centro
- RUDY CARDENAS, JR. AND HAROLD W. FIFIELD, ESQs.; CARDENAS & FIFIELD; 1030 Broadway Avenue, Suite 108; El Centro, CA 92243; tel. (760) 353-5710. Todo caso de inmigración y asilo.
- CATHOLIC CHARITIES; 250 West Orange Avenue; El Centro, CA 92243; tel. (760) 353-6822; Cuota por servicio. Representa casos de asilo y casos de personas no detenidas.
- GARY FINN; 82632 Highway 111, Suite A-3; P.O. Box 2909; Indio, CA 92201; tel. (760) 347-5779. Representa casos de asilo, y deportación
- JAMES F. METCALF; 217 South Second Avenue; Yuma, AZ 85364; (520) 782-2558. Representa casos de asilo y deportación.
- JUAN A. MOLINA AND LANCE E. KORTEN; 353 First Street; Calexico, CA 92231; tel. (760) 357-5335. Representa casos de deportación.

Lancaster, California
- DIANA M. BAILEY, ESQ.; 611 S. Olive Street; Los Angeles, CA 90014; tel. (213) 623-5758. Casos de asilo y criminal.
- BARBARA J. DARNELL, ESQ.; 3255 Wilshire Blvd., Ste.904; Los Angeles, CA 90010; tel. (213)386-8900

Abogados y Organizaciones Con Algunos Servicios Gratis (lista #2)

- ALAN R. DIAMANTE, ESQ.; The Pacific Center; 523 West Sixth St., Ste. 210; Los Angeles, CA 90014; (213) 943-4555; No puede tomar casos pro-bono en la prisión federal de Lompoc.
- VICTOR MARTINEZ, ESQ.; Law Office of Victor Martínez; 1901 W. 8th Street, Ste. C; Los Angeles, CA 90057; tel. (213) 353-9222. Casos de asilo.
- NOEMI G. RAMIREZ, ESQ.; 523 West 6th Street, Ste 830; Los Angeles, CA 90014-1218; tel. (213) 622-2706. Casos de asilo
- SAN FERNANDO VALLEY NEIGHBORHOOD LEGAL SERVICES, INC.; 13327 Van Nuys Blvd.; Pacomia, CA 91331; tel. (818) 896-5211. Solo personas legalmente en EE.UU., casos de asilo, trabajadores agrícolas, y permisos para ajustar visas. No inmigrantes encarcelados por ofensas criminales. No representa a personas en la prisión de Lompoc.

Los Angeles, California
- DIANA M. BAILEY, ESQ.; Law Office of Diana Bailey; 611 S. Olive Street; Los Angeles, CA 90014; tel. (213) 623-5758. Casos de asilo y criminales.
- BOAT PEOPLE S.O.S., INC.; 401 Westbank Expressway, Ste. 202; Gretna, LA 70053; tel. (504) 368-0461
- MEREDITH R. BROWN, ESQ.; Law Office of Meredith R. Brown; 206 N. Jackson Street, Suite 100; Glendale, CA 91206; tel. (818) 244-8472; (818) 291-0222, Fax
- CATHOLIC LEGAL IMMIGRATION NETWORK; 1530 West 9th Street; Box 15095; Los Angeles, CA 90015; tel. (213) 251-3505. Casos de asilo y personas detenidas solamente. No acepta llamadas a cobrar.
- CENTRAL AMERICAN RESOURCE CENTER (CARECEN); 2845 West 7th St.; Los Angeles, CA 90005; tel. (213) 385-7800, ext. 160. Casos de asilo. No Inmigrantes criminal.
- CHABAD LUBAVICH RUSSIAN SYNAGOGUE; 7636 Santa Monica Blvd.; Los Angeles, CA 90045; tel. (323) 848-8805 or 848-8842
- BARBARA J. DARNELL, ESQ.; 3255 Wilshire Blvd., Suite 904; Los Angeles, CA 90010; tel. (213) 386-8900. Puede cobrar cuota moderada.
- ALAN R. DIAMANTE, ESQ.; The Pacific Center; 523 West Sixth St., Suite 210; Los Angeles, CA 90014; tel. (213) 943-4555. Cuota moderada, Casos de asilo.
- EL RESCATE LEGAL SERVICES; 1313 West 8th Street, Suite 200; Los Angeles, CA 90017; tel. (213) 387-3284. Acepta llamadas por cobrar los lunes de 1:00 to 5:00 p.m.; no representa casos criminales de inmigración.
- TIM EVERETT, ESQ.; 3250 Wilshire Blvd., Ste. 1250; Los Angeles, CA 90010; tel. (213) 388-1821; (213) 384-4017, Fax
- SUSAN E. HILL, ESQ.; Law Offices of Susan E. Hill ; 523 West Sixth Street, Suite 542; Los Angeles, CA 90014; tel. (213) 622-8775. No casos criminales.

- INTERNATIONAL INSTITUTE OF LOS ANGELES; 435 So. Boyle Ave.; Los Angeles, CA 90033; tel. (323) 264-6217; o 14701 Friar Street; Van Nuys, CA 91411; tel. (818) 988-1332 or 1333. Asilo, no casos criminales, cuota.
- LEGAL AID FOUNDATION OF LOS ANGELES; 5228 E. Whittier Blvd.; Los Angeles, CA 90022; tel. (213) 640-3881; tel. gratis (800) 399-4529
- VICTOR MARTINEZ, ESQ.; Law Office of Victor Martinez; 1901 W. 8th Street, Ste. C; Los Angeles, CA 90057; tel. (213) 353-9222. Asilo.
- CURTIS F. PIERCE, ATTORNEY AT LAW; 523 West Sixth Street, Suite 348; Los Angeles, CA 90014; tel. (213) 327-0044; (213) 327-0066, Fax
- PUBLIC COUNSEL; 601 S. Ardmore Ave.; Los Angeles, CA 90005; tel. (213) 385-2977. Representa solo casos de asilo y personas en EE.UU. legalmente, y padres, cónyuges o hijos de ciudadanos de EE.UU., y victimas de violencia familiar. No casos criminales.
- NOEMI G. RAMIREZ, ESQ.; 523 West 6th Street, Ste 830; Los Angeles, CA 90014-1218; tel. (213) 622-2706. Asilo.
- SAN FERNANDO VALLEY NEIGHBORHOOD LEGAL SERVICES, INC.; 13327 Van Nuys Blvd.; Pacomia, CA 91331; tel. (818) 896-5211. Solo personas legalmente en EE.UU., casos de asilo, trabajadores agrícolas, y permisos para ajustar visas. No casos criminales. No representa a personas en la prisión de Lompoc.
- DAVID M. PAZ SOLDAN, ATTORNEY AT LAW; 301 E. Colorado Blvd., Ste 200; Pasadena, CA 91101-1977; tel. (626) 564-8480; (626) 577-4778, Fax
- JOAQUIN A. TALLEDA, ESQ.; 1015 North Lake Avenue, Ste 105; Pasadena, CA 91104; (626) 296-4100.

San Diego, California
- DARIO AGUIRRE, ESQ.; Law Offices of Dario Aguirre; 1010 Second Avenue, Suite 1700; San Diego, CA 92101; tel. (619) 239-9990; (619) 233-1878, Fax. Solo en el Distrito de San Diego, incluyendo Imperial y El Centro
- CATHOLIC CHARITIES; Refugee & Immigrant Services; 241 Third Ave., Suite A; Chula Vista, CA 91910; tel. (619) 498-0722; or Refugee & Immigrant Services; 328 Vista Village Dr., Suite D; Vista, CA 92083; tel. (760) 631-5890. Cuota por servicio.
- ALI GOLCHIN, ESQ.; Golchin and Associates, APC; 110 West C Street, Suite 1201; San Diego, Ca 92101; tel. (619) 325-7555. Solo San Diego. No casos de asilo.
- LEGAL AID SOCIETY OF SAN DIEGO; 110 South Euclid Ave.; San Diego, CA 92114; tel. (619) 262-0896; no cuota, no asilo

San Francisco, California
- CATHOLIC CHARITIES IMMIGRATION PROGRAM; 2625 Zanker Road, Suite 201; San Jose, CA 95134; (408) 944-0691. Solo personas de bajos ingresos.

- CENTRAL AMERICAN RESOURCE CENTER (CARECEN); 1245 Alabama Street; San Francisco, CA 94110; tel. (415) 824-2330; lunes a viernes 9am-5 p.m.; cuota por servicio; solo personas de bajos ingresos.
- EAST SAN JOSE COMMUNITY LAW CENTER; Santa Clara University; School of Law Civil Clinical Programs; 1030 The Alameda; San Jose, CA 95126; tel. (408) 288-7030; Martes 1-4 p.m. Solo personas de bajos ingresos.
- IMMIGRATION LAW CLINIC U.C. DAVIS SCHOOL OF LAW; 400 Mrak Hall; Davis, CA 95616-5201; tel. (530) 752-6942; lunes a viernes 8am- 5pm; Amagda Perez or James Smith; sirve Davis, Yolo, Solano, y Sacramento. Solo personas de bajos ingresos; asilo. No se aceptan llamadas telefónicas.
- INTERNATIONAL INSTITUTE OF THE EAST BAY; 297 Lee Street; Oakland, CA 94610; tel. (510) 451-2846. Lunes a viernes 9am-5pm. Carmen Reyes. Alameda/Contra Costa. Cuota por servicio. Personas de bajos ingresos solamente. Asilo y solicitudes familiares.
- LA RAZA CENTRO LEGAL; 474 Valencia Street, Suite 295; San Francisco, CA 94103; tel. (415) 575-3500. Casos de asilo; cuota por servicio.
- LAWYERS' COMMITTEE FOR CIVIL RIGHTS; 131 Steuart Street, Suite 400; San Francisco, CA 94105; tel. (415) 543-9444; (415) 543-0296, Fax. Lunes a viernes 9am-5:30pm. Solo el área de la bahía de San Francisco. Cuota. Solo personas de bajos ingresos. Asilo.

San Pedro, California
- DIANA M. BAILEY, ESQ.; Law Office of Diana Bailey; 611 S. Olive Street; Los Angeles, CA 90014; tel. (213) 623-5758. Casos de asilo y criminales.
- CATHOLIC LEGAL IMMIGRATION NETWORK; 1530 James N. Wood Blvd.; P.O. Box 15095; Los Angeles, CA 90015; tel. (213) 251-3505. Personas detenidas solamente. No se aceptan llamadas por cobrar. Cuota por servicios.
- CENTRAL AMERICAN RESOURCE CENTER (CARECEN); 2845 West 7th St.; Los Angeles, CA 90005; tel. (213) 385-7800, ext. 160. Asilo. No casos criminales.
- BARBARA J. DARNELL, ESQ.; 3255 Wilshire Blvd., Ste. 904; Los Angeles, CA 90010; tel. (213)386-8900
- ALAN R. DIAMANTE, ESQ.; The Pacific Center; 523 West Sixth St., Suite 210; Los Angeles, CA 90014; tel. (213) 943-4555. Cuota. Asilo.
- EL RESCATE LEGAL SERVICES; 1313 West 8th Street, Suite 200; Los Angeles, CA 90017; tel. (213) 387-3284. Acepta llamadas por cobrar los lunes de 1:00 to 5:00 p.m.
- INTERNATIONAL INSTITUTE OF LOS ANGELES; 435 S. Boyle Ave.; Los Angeles, CA 90033; tel. (323) 264-6217; o 14701 Friar St; Van Nuys, CA 91411; tel. (818) 988-1332 o 1333. Asilo. Cuota. No casos criminales

Abogados y Organizaciones Con Algunos Servicios Gratis (lista #2)

- LEGAL AID FOUNDATION OF LOS ANGELES; 1102 S. Crenshaw Blvd.; Los Angeles, CA 90019; tel. (323) 801-7989. o 5228 E. Whittier Blvd.; Los Angeles, CA 90022; tel. (213) 640-3881; tel. gratis (800) 399-4529
- VICTOR MARTINEZ, ESQ.; Law Office of Victor Martínez; 1901 W. 8th Street, Ste. C; Los Angles, CA 90057; tel. (213) 353-9222. Casos de Asilo.
- PUBLIC COUNSEL; 601 S. Ardmore Ave.; Los Angeles, CA 90005; tel. (213) 385-2977. Representa solo casos de asilo y personas en EE.UU. legalmente y padres, cónyuges o hijos de ciudadanos de EE.UU., y victimas de violencia familiar. No casos criminales.
- NOEMI G. RAMIREZ, ESQ.; 523 West 6th Street, Ste 830; Los Angeles, CA 90014-1218; tel. (213) 622-2706. Asilo.
- SAN FERNANDO VALLEY NEIGHBORHOOD LEGAL SERVICES, INC.; 13327 Van Nuys Blvd.; Pacomia, CA 91331; tel. (818) 896-5211. Solo personas legalmente en EE.UU., Asilo, trabajadores agrícolas, y permisos para ajustar visas. No casos criminales. No representa a personas en la prisión de Lompoc.
- DAVID M. PAZ SOLDAN, ATTORNEY AT LAW; 301 E. Colorado Blvd., Ste 200; Pasadena, CA 91101-1977; tel. (626) 564-8480;
- JOAQUIN A. TALLEDA, ESQ.; 1015 North Lake Avenue, Ste 105; Pasadena, CA 91104; (626) 296-4100.

Colorado

- CATHOLIC IMMIGRATION SERVICES; 2525 W. Alameda Ave.; P.O. Box 19020; Denver, CO 80219; tel. (303) 742-4971; Personas detenidas solamente. No se aceptan llamadas por cobrar. Cuota por servicios.
- JUSTICE INFORMATION CENTER, INC.; 1600 Downing St., Suite 500; Denver, CO 80218; tel. (303) 832-1220 Personas detenidas solamente. No se aceptan llamadas por cobrar. Cuota por servicios. Asilo
- METRO VOLUNTEER LAWYERS; 1905 Sherman Street, Suite 400; Denver, CO 80203; tel. (303) 830-8210. Representan casos de asilo.

Connecticut

- INTERNATIONAL INSTITUTE OF CONNECTICUT; 670 Clinton Avenue; Bridgeport, CT 06605; tel. (203) 336-0141. Cuota. No casos criminales. Casos de asilo.
- INTERNATIONAL INSTITUTE OF CONNECTICUT(Hartford Division); 330 Main Street; Hartford, CT 06106; tel. (860) 692-3085; (860) 692-3089, Fax. Asilo. Deportación. Casos criminales. Asistencia legal.
- INTERNATIONAL INSTITUTE OF CONNECTICUT; 22 Grove Street; Stamford, CT 06902; tel. (203) 965-7190. Solicitudes de ciudadanía, residencia permanente, visas y permisos de empleo, extensiones, peticiones familiares, conserjería.

- THE JEROME N. FRANK LEGAL SERVICES ORGANIZATION; PO Box 209090; New Haven, CT 06520-9090; tel. (203) 432-4800; (203) 432-1426, Fax. Representan casos de asilo.

Florida

- AMERICAN FRIENDS SERVICE COMMITTEE; 1205 Sunset Drive; South Miami, Florida 33143; tel. (305) 665-0022; 800-765-8875. Solo personas del El Salvador y Guatemala. No casos de detención. Asilo.
- CATHOLIC CHARITIES OF ST. PETERSBURG, FL; 6533 Ninth Ave North., Ste 1-E; St. Petersburg, Florida 33710; tel. (727) 893-1311ext.208. No casos de detención. Cuota por servicios.
- CHURCH WORLD SERVICE; 5040 NW 7th Street, Ste 920; Miami, FL 33125; tel. (305) 774-6770
- FARM WORKER'S SELF-HELP, INC.; 37240 Lock Street; Dade City, Florida 33523; tel. (352) 567-1432. No representan casos de asilo.
- FLORIDA IMMIGRANT ADVOCACY CENTER, INC. (FIAC); 3000 Biscayne Blvd., Suite 400; Miami, Florida 33137; tel. (305) 573-1106. Asilo
- FLORIDA IMMIGRANT ADVOCACY CENTER, INC.; 1402 New Market Rd. West, Suite B; Immokalee, Florida 34142; tel. (941) 657-7442. Defensa de casos. Preferencia al Condado de Manatee. Representación en detención solo para residentes de SW Florida.
- IMMIGRANTS RIGHTS CENTER; 1468 S. Semoran Blvd.; Orlando, Florida 32807; tel. (407) 382-4944. Asilo. Cuota por servicios.
- LUTHERAN SERVICES FLORIDA; 4343 W. Flagler St., Suite 200; Miami, Florida 33134; tel. (305) 567-2511 (305) 567-2944, Fax. Solo represeentan personas detenidas en el Condado de Dade (incluyendo Krome). Asilo
- SIMON TSANG, ESQ.; 3837 Northdale Blvd., Suite 302; Tampa, Florida 33624; tel. (813) 265-8152; (727) 547-6097. Asilo.

Georgia

- CATHOLIC SOCIAL SERVICES, INC.; 680 West Peachtree Street, NW; Atlanta, Georgia 30308-1984; tel. (404) 881-6571; 8:00 a.m. - 4:00 p.m. No representan casos que envuelvan drogas, fraude, crímenes agravados, abuso de niños. Cuota por servicio excepto en casos de personas sin hogar, violencia domestica, y detención. No casos de Carolina del Norte
- CATHOLIC LEGAL SERVICES; Programa Esperanza; Catholic Social Services, Inc., and its Catholic Legal Services, Inc.; 1123 South Church Street; Charlotte, NC 28203; tel. (704) 370-3235. 8:00 a.m. to 5:00 p.m. Solo personas de bajos ingresos.
- LATIN AMERICAN ASSOCIATION ; 2750 Buford Highway; Atlanta, GA 30324; (404) 638-1800.
- SOUTH CAROLINA LAWYER REFERRAL SERVICE; 9:00 a.m. - 5:00 p.m; 1-800-868-2284

Hawai

- NA LOIO; Immigrant Rights and Public Interest Legal Center; 810 North Vineyard Blvd.; Honolulu, HI 96817; tel. (808) 847-8828. Solo personas de bajos ingresos.
- VOLUNTEER LEGAL SERVICES, HAWAII; 545 Queen Street, Suite 100; Honolulu, HI 96813; (808) 528-7046 (Oahu). Solo personas de bajos ingresos.

Idaho

- IDAHO VOLUNTEER LAWYERS PROGRAM; P.O. Box 895; Boise, Idaho 83701; tel. (208) 334-4510. Solo en Idaho. Solo personas de bajos ingresos. Asilo.

Illinois

- LEGAL ASSISTANCE FOUNDATION OF METROPOLITAN CHICAGO; Legal Services Center for Immigrants; 111 West Jackson Blvd., 3rd Floor; Chicago, IL 60604; tel. (312) 341-9617
- TIA/CHICAGO CONNECTIONS; (A Heartland Alliance Affiliated Partner); Midwest Immigrant and Human Rights Center; 208 South LaSalle Street, Suite 1818; Chicago, IL 60604; (312) 660-1370
- EVELYN MARSH, ESQ.; 5433 S. East Park View; Chicago, IL 60615; (773) 684-4740. Solo Chicago. Deportación y Asilo

Kansas

- SUZANNE GLADNEY; Legal Aid of Western Missouri; 920 Southwest Blvd.; Kansas City, MO 64108; (816) 474-9868
- LEGAL SERVICES OF EASTERN MISSOURI; 4232 Forest Park Blvd.; St. Louis, MO 63108; (314) 534-4200

Louisiana
New Orleáns, Louisiana
- ASSOCIATED CATHOLIC CHARITIES; 1000 Howard Avenue-6th Floor; New Orleans, LA 70113; (504) 523-3755. Asilo
- LOYOLA UNIVERSITY-LAW CLINIC; 7214 St. Charles Avenue; New Orleans, LA 70118; (504) 861-5590. Asilo
- MALVERN BURNETT, ATTORNEY AT LAW; 1523 Polymnia Street; New Orleans, LA 70130; (504) 586-1922 o 1-800-208-8472. Asilo
- BASSAM Y. MESSAIKE, ATTORNEY AT LAW; 601 Poydras Street, Suite 2055; New Orleans, LA 70130; (504) 558-9977.
- CHARLOTTE E. VIENER, ESQ.; Braden, Gonzalez & Associates; 612 Gravier Street, Fourth Floor; New Orleans, LA 70130; (504) 581-2000; (504) 581-2073

Oakdale, Louisiana
- MALVERN BURNETT, ATTORNEY AT LAW; 1523 Polymnia Street; New Orleans, LA 70130; (504) 586-1922 o 1-800-208-8472. Asilo
- TRACEY DAVENPORT, ESQ.; PO Box 931; Rayne, LA 70578; (337) 334-1576. Asilo

Abogados y Organizaciones Con Algunos Servicios Gratis (lista #2)

- T. DARNELL FLOWERS, ATTORNEY AT LAW; 100 N. Main, Ste. 927; Memphis, TN 38103; (901) 525-1998; 1-800-835-9377; Asilo // o 1106 Poplar Street; Pine Bluff, AR 71601; (870) 534-9400 o 1-800-835-9377
- LEO JEROME LAHEY; ATTORNEY AT LAW; P.O. Box 51778; Lafayette, LA 70505; (337) 237-7217. Asilo
- TODD NESOM, ATTORNEY AT LAW; P.O. Drawer 1131; (318) 335-2222; Oakdale, LA 71463; Asilo
- MR. ANH QUANG CAO, ESQ.; Boat People S.O.S., Inc.; 401 Westbank Expresssway, Suite 202; Gretna, LA 70053; (504) 368-0491

Maine
- IMMIGRANT LEGAL ADVOCACY PROJECT (ILAP); One India Street; Portland, ME 04101; (207) 780-1593. Asilo. Cuota. Clinica de Inmigración, consultas y referido. Solo para personas de bajos ingresos.

Maryland
- ALIEN RIGHTS LAW PROJECT; WASHINGTON LAWYER'S COMMITTEE FOR CIVIL RIGHTS UNDER LAW; 11 Dupont Circle, Suite 400; Washington, D.C. 20036; (202) 319-1000.
- AYUDA; 1736 Columbia Road, N.W.; Washington, D.C. 20009; (202) 387-4848 . Asilo, No cuotas por servicio, no personas detenidas.
- CAPITAL AREA IMMIGRANTS' RIGHTS COALITION; 415 Michigan Avenue, N.E.; Washington, D.C. 20017; (202) 756-2764. Asilo.
- CATHOLIC CHARITIES IMMIGRATION LEGAL SERVICES; 430 S. Broadway; Baltimore, MD 21231; (410) 534-8015; o Langley Park Outreach Center; P.O. Box 7490; Hyattsville, MD 20787-7490; (301) 434-6453. Deportación y Asilo. Cuota. Solo llamadas de detenidos.
- CATHOLIC IMMIGRATION SERVICES, INC.; 1815 H Street N.W., Suite 906; Washington, D.C. 20006; (202) 466-6611 or (202) 466-6612. Deportación y Asilo. Cuota por servicio.
- CENTRAL AMERICAN RESOURCE CENTER (CARECEN); 1459 Columbia Road, N.W.; Washington, D.C. 20009; (202) 328-9799. Asilo y Deportación. Solo personas de Centroamérica. No casos criminales.
- IMMIGRATION LEGAL SERVICES FOR CATHOLIC CHARITIES; 1221 Massachusetts Avenue, N.W.; Washington, D.C. 20005; (202) 628-4262. Asilo. Cuotapor servicio.
- IMMIGRATION LEGAL SERVICES FOR CATHOLIC CHARITIES; 11160 Viers Mill Road, Suite 700; Wheaton, Maryland 20902; (301) 942-1856. Asilo. Cuota.
- LAWYERS COMMITTEE FOR HUMAN RIGHTS; 100 Maryland Avenue, N.E., Suite 500; Washington, D.C. 20002; (202) 547-5692
- SPANISH CATHOLIC CENTER, INC.; 1015 University Boulevard, East; Silver Spring, MD 20903; (301) 431-3773; (301) 431-0886, Fax. No asilo.

Massachusett
- CATHOLIC LEGAL IMMIGRATION NETWORK; BOSTON COLLEGE IMMIGRATION & ASYLUM PROJECT; 885 Centre Street; Newton, MA 02159; (617) 552-0593. Solo personas detenidas de bajos ingresos.
- CENTRO PRESENTE; 54 Essex Street, 2nd Floor; Cambridge, MA 02139; (617) 497-9080. NACARA. Asilo. Traducciones de documentos. Interpretes.
- COMMUNITY LEGAL SERVICES COUNSELING CENTER; One West Street; Cambridge, MA 02139; (617) 661-1010. Asilo. Víctimas de violencia domestica. Personas de bajos ingreso solamente.
- GREATER BOSTON LEGAL SERVICES; 197 Friend Street; Boston, MA 02114; (617) 371-1234. Asilo. No casos criminals. Solo personas de bajos ingresos.
- INTERNATIONAL INSTITUTE OF BOSTON; One Milk Street; Boston, MA 02109-5413; (617) 695-9990. Asilo. Ingreso Mínimo. No casos de detenidos.
- POLITICAL ASYLUM/IMMIGRATION REPRESENTATION PROJECT (PAIR); 14 Beacon Street, #804ª; Boston, MA 02108; tel (617) 742-9296. Referido y conserjería. Asilo. Cuota por servicio.
- REFUGEE IMMIGRATION SERVICES OF GREATER BOSTON CATHOLIC CHARITIES; 270 Washington Street; Somerville, MA 02143; tel. (617) 625-1920. Asilo, cuota por servicio, servicio por teléfono, no casos criminales, solicitudes de visas y cónyuges víctimas de maltrato.

Michigan
- ARCHDIOCESE OF DETROIT; IMMIGRATION LEGAL SERVICES; 305 Michigan Avenue, 5th Floor; Detroit, MI 48226; tel. (313) 237-4694. Asilo. No casos criminales. Cuota.
- CATHOLIC DIOCESE OF SAGINAW; Hispanic Ministries Cultural Center; Office of Latin Affaire; 408 Hayes Street, 2nd Floor; Saginaw, MI 48602; (517) 755-4477. Cuota.
- FREEDOM HOUSE; David Koelsch/Legal Department Coordinator; 2630 W. Lafayette; Detroit, MI 48126; (313)964-4320. Asilo.
- INTERNATIONAL INSTITUTE OF METROPOLITAN DETROIT; 111 East Kirby; Detroit, MI 48202; (313) 871-8600. Asilo. Couta. No casos de detenidos.
- UNIVERSITY OF DETROIT MERCY SCHOOL OF LAW; Immigration Law Clinic; 651 E. Jefferson; Detroit, MI 48226; (313) 596-0200

Minnesota
- CENTRO LEGAL; 2610 University Avenue West, Suite 450; St. Paul, MN 55114; (651) 642-1890. Cuota.
- LAMP (Legal Assistance to Minnesota Prisoners); 2221 University Avenue, S.E., Ste. 425; Minneapolis, MN 55414; (612) 627-5492. Solo personas detenidas.

- MINNESOTA ADVOCATES FOR HUMAN RIGHTS; Refugee & Asylum Project; 310 4th Avenue South, Suite 1000; Minneapolis, MN 55415-1012; Client Hotline/Collect Calls: (612) 341-9845. Solo Asilo.
- IMMIGRANT LAW CENTER OF MINNESOTA/OFICINA LEGAL; 193 E. Robie Street; St. Paul, MN 55107; (651) 291-0110. No toma casos del Condado de Hennepin.

Missouri
- SUZANNE GLADNEY; Legal Aid of Western Missouri; 920 Southwest Blvd.; Kansas City, MO 64108; (816) 474-9868
- LEGAL SERVICES OF EASTERN MISSOURI; 4232 Forest Park Blvd.; St. Louis, MO 63108; (314) 534-4200

Montana
- MONTANA FARMWORKERS LAW UNIT, MONTANA LEGAL SERVICES; P.O. Box 3093; 2442 First Avenue North; Billings, Montana 59101; (406) 248-4870 / 7113. No Detenidos.

Nevada
- CATHOLIC CHARITIES OF SOUTHERN NEVADA; 1511 N. Las Vegas Blvd.; Las Vegas, NV 89101; (702) 383-8387. Cuota. Asilo
- NEVADA HISPANIC SERVICES; 3905 Neil Road; Reno, NV 89502; (775) 826-1818

New Jersey
- AMERICAN FRIENDS SERVICE COMMITTEE; Immigrants Rights Program; 972 Broad Street, 6th Floor; Newark, New Jersey 07102; (973) 643-1924. Asilo. Cuota.
- CATHOLIC COMMUNITY SERVICES; 976 Broad Street; Newark, New Jersey 07102; (973) 733-3516. Asilo. Cuota.
- CATHOLIC FAMILY & COMMUNITY SERVICES; 24 Degrasse Street; Paterson, New Jersey 07505; (973) 279-7100. Cuota.
- EL CENTRO HISPANO AMERICANO; 525 East Front Street; Plainfield, New Jersey 07060; (908) 753-8730. Cuota.
- INTERNATIONAL INSTITUTE; 880 Bergen Avenue, 5th Floor; Jersey City, New Jersey 07306; (201) 653-3888 Ext. 20. Cuota.
- LAWYER'S COMMITTEE FOR HUMAN RIGHTS; 333 7th Avenue, 13th Floor; New York, NY 10001; (212) 845-5200; Detención (212) 845-5234.
- LEGAL SERVICES OF NEW JERSEY; 100 Metroplex Drive; Plainfield Avenue; Edison, NJ 08818; (732) 572-9100, ext. 231; Hotline: 1-888-576-5529
- LUTHERAN SOCIAL MINISTRIES OF NEW JERSEY; Post Office Box 30, Trenton, New Jersey 08601; 189 South Broad Street; Trenton, New Jersey 08601; (609) 393-4900. Asilo.

Abogados y Organizaciones Con Algunos Servicios Gratis (lista #2)

New York

Buffalo, New York

- BERGER & BERGER, ATTORNEYS; 555 International Drive, Suite 700; Buffalo, NY 14221; (716) 634 – 6500
- ERIE COUNTY BAR ASSOCIATION; Volunteer Lawyers Project; 700 Statler Towers; Buffalo, NY 14202; (716) 847-0752, extension 37. Solo detenidos
- F. ALEJANDRO GUTIÉRREZ, ESQ.; 1202 Colvin Boulevard, Suite 5; Buffalo, NY 14223; (716) 877-4276
- INTERNATIONAL INSTITUTE OF BUFFALO; 864 Delaware Avenue; Buffalo, NY 14209; (716) 883-1900. Cuota.
- INTERNATIONAL INSTITUTE, CAPITAL REGION; 8 Russell Road; Albany, NY 12206; (518) 459-8812. Cuota.
- MATTHEW KOLKEN, ESQ.; Sacks and Kolken; Attorneys at Law; 107 Delaware Avenue; Suite 1320, Statler Towers; Buffalo, NY 14202-2993; (716) 854-1541.
- RAMON E. RIVERA, ESQ.; Mackenzie Hughes, LLP; 101 South Salina Street, Ste. 600; Syracuse, NY 13221; (315) 233-8225
- ROBERT KOLKEN, GORDON SACKS, ERIC SCHULTZ, ESQs.; SACKS & KOLKEN, ATTORNEYS; Suite 1320 - Statler Towers; 107 Delaware Ave.; Buffalo, NY 14202; (716) 854-1541
- PATRICIA E. SWARTZ, ESQ.; The Cornell Mansión; 484 Delaware Ave.; Buffalo, NY 14202; (716) 884-0139. Asilo.
- STEPHEN K. TILLS; P.O. Box 635; 6413 West Quaker Rd; Orchard Park, NY; (716) 662-5080

New York, New York

- ASSOCIATION OF THE BAR OF THE CITY OF NEW YORK; 42 West 44th Street ; New York, NY 10036; (212) 382-6629 Asilo. Víctimas de Violencia Familiar.
- BROOKLYN LEGAL SERVICES CORP.; 256-260 Broadway; Brooklyn, NY 11211; (718) 487-2300. Solo Mujeres maltratadas.
- CARIBBEAN WOMEN'S HEALTH ASSOCIATION IMMIGRANT SERVICE CENTER; 123 Linden Blvd.; Brooklyn, NY 11226; (718) 826-2942. Cuota. Asilo.
- CATHOLIC CHARITIES ARCHDIOCESE OF NEW YORK OFFICE OF IMMIGRANT SERVICES; 1011 First Ave., 12th Floor; New York, NY 10022; (212) 371-1000, ext. 2260; (212) 371-1011, ext. 2260. Asilo. Cuota.
- CENTRAL AMERICAN LEGAL ASSISTANCE; 240 Hooper Street; Brooklyn, NY 11211; (718) 486-6800. Asilo.
- COMITE NUESTRA SENORA DE LORETO SOBRE ASUNTOS DE INMIGRACIÓN; 856 Pacific Street; Brooklyn, NY 11238-3142; (718) 783-4500. Asilo.
- GAY MEN'S HEALTH CRISIS, INC.; 119 West 24th Street; New York, NY 10011; (212) 367-1040; Solo personas con SIDA y HIV . Asilo.

- LAWYERS COMMITTEE FOR HUMAN RIGHTS; 333 Seventh Avenue, 13th Floor; New York, NY 10001-5004; (212) 845-5200; (212) 845-5222 (número para personas detenidas en Wackenhut). Solo para Asilo y personas detenidas en Wackenhut.
- THE LEGAL AID SOCIETY- IMMIGRATION LAW UNIT; 199 Water Street, 3rd Floor; New York, NY 10038-3500; (212) 440-4300.
- NASSAU COUNTY HISPANIC FOUNDATION, INC.; 233 Seventh Street, 3rd Floor; Garden City, NY 11530; (516) 742-0067. Asilo. Cuota.
- NEW YORK ASSOCIATION FOR NEW AMERICANS; 17 Battery Place, 9th Floor North; New York, NY 10004; (212) 425-5051
- NORTHERN MANHATTAN COALITION FOR IMMIGRANT RIGHTS; 2 Bennett Avenue; New York, NY 10033; (212) 781-0355. Cuota. No Asilo ni casos de personas detenidas.
- SAFE HORIZON IMMIGRATION LEGAL SERVICES; 74-09 37th Avenue Room 308; Jackson Heights, NY 11372; (718) 899-1233 ext. 129. Asilo. Violencia Domestica. No casos con crimenes violencos. Cuota.

North Carolina

- CATHOLIC LEGAL SERVICES; Programa Esperanza; Catholic Social Services, Inc., and its Catholic Legal Services, Inc.; 1123 South Church Street; Charlotte, NC 28203; (704) 370-3235. Hispanos con bajos ingresos.

Ohio

- COMMUNITY REFUGEE & IMMIGRATION SERVICES; 3624 Bexvie Avenue; Columbus, OH 43227; (614) 235-5747. Asilo.
- INTERNATIONAL INSTITUTE OF AKRON; 207 East Tallmadge Avenue; Akron, OH 44310; (330) 376-5106. Asilo.
- INTERNATIONAL SERVICES CENTER; 1836 Euclid Avenue, Suite 200; Cleveland, OH 44115; (216) 781-4560. Cuota. Asilo.

Oklahoma

- HISPANIC AMERICAN MISSION, INC.; 1836 Northwest Third; Oklahoma City, Oklahoma 73106; (405) 272-0890. Cuota. Asilo.
- LEGAL AID OF WESTERN OKLAHOMA; 110 Cameron Building; 2901 Classen Boulevard; Oklahoma City, Oklahoma 73106; (405) 521-1302. Cuota. Asilo.
- ASSOCIATED CATHOLIC CHARITIES; 1501 North Classen; P.O. Box 1516; Oklahoma City, Oklahoma 73106; (405) 523-3001. Cuota. Asilo.

Oregon

- IMMIGRATION COUNSELING SERVICE; 321 SW 4th Avenue, Suite 701; Portland, Oregon 97204; (503) 221-1689
- NORTHWEST IMMIGRANT RIGHTS PROJECT; 121 Sunnyside Ave. / P.O. Box 270; Granger, Washington 98932; (509) 854-2100; 1-888-765-3641

- CATHOLIC CHARITIES IMMIGRATION SERVICES; 231 SE 12th Avenue; Portland, Oregon 97214; (503) 231-4866 (Extension-133).
- LANE COUNTY LEGAL AID SERVICE; 376 East 11th Avenue; Eugene, Oregon 97401; (541) 485-1017
- LUTHERAN COMMUNITY SERVICES NORTHWEST; 605 SE 39th Avenue; Portland, Oregon 97214; (503) 731-9580

Pennsylvania

- NATIONALITIES SERVICE CENTER; MIGRATION SERVICE; 1300 Spruce Street; Philadelphia PA 19107; (215) 893-8400. Cuota.
- CATHOLIC SOCIAL SERVICES; Archdiocese of Philadelphia; 227 N. 18th Street; Philadelphia, PA 19103 (215) 854-7019. Cuota. No casos criminales.
- LUTHERAN CHILDREN AND FAMILY SERVICE; 5901 North 5th Street; Philadelphia, PA 19120-1824; (215) 276-7850. Cuota.
- HIAS AND COUNSEL; Migration Service ; 2100 Arch Street, 3rd floor; Philadelphia PA 19102; (215) 832-0900. Cuota. No casos criminales.
- PENNSYLVANIA IMMIGRATION RESOURCE CENTER (PIRC); 3214 East Market Street, #5; York, PA 17402; (717) 600-8099

Rhode Island

- INTERNATIONAL INSTITUTE OF RHODE ISLAND; 645 Elmwood Avenue; Providence, RI 02907; (401) 461-5940. Cuota. Referido.

South Carolina

- SOUTH CAROLINA LAWYER REFERRAL SERVICE; 9:00 a.m. - 5:00 p.m.; 1-800-868-2284

Tennessee

- REHIM BABAOGLU; Attorney At Law; 40 S. Main Street, Suite 2900; Memphis, TN 38103-5529; (901) 525-8721
- T. DARNELL FLOWERS; Attorney At Law; 100 N. Main Street, Suite 927; Memphis, TN 38103; (901) 522-8900; 1-800-TFLWERS
- BARRY L. FRAGER AND TIMOTHY PRICE, ESQS.; The Frager Law Firm, P.C.; 100 Poplar Ave., Suite 2204; Clark Tower, 22nd Floor; Memphis, TN 38137; (901) 763-3188; 1-888-889-VISA; (901) 371-5333 (24-horas). No representa casos de asilo.
- LINDA PARSON KHUMALO, ESQ.; Amundsen, Caperton & Khumalo, PLLC; 275 Jefferson Ave; Memphis, TN 38103; (901) 526-6701
- ROLAND ROBERT LENARD; Attorney At Law; 321 Franklin Street; P.O. Box 703; Clarksville, TN 37041-0703; (931) 552-4894

- BYRON R. MOBLEY, ESQ.; Walker, Brown & Brown, PA; 2540 Highway 51 South; PO Box 276; Hernando, MI 38632-0276; (662) 429-5277 (Hernando); (901) 521-9292 (Memphis)

Abogados y Organizaciones Con Algunos Servicios Gratis (lista #2)

- JOHN S. RICHBOURG; Attorney At Law; White Station Toser; 5050 Poplar Avenue, Suite 2128; Memphis, TN 38157; (901) 761-3383
- VANESSA SAENZ; Attorney at Law; 325 Plus Park Blvd., Suite 103; Nashville, TN 37217; (615) 366-1211

Texas
Dallas, Texas
- CATHOLIC CHARITIES; 5415 Maple Ave, Suite 400; Dallas, Texas 75208; (214) 634-7182. Solo para casos en Dallas.

El Paso, Texas
- DIOCESAN MIGRANT AND REFUGEE SERVICES; 1117 N. Stanton; El Paso, TX 79902; (915) 532-3975. Cuota.
- LAS AMERICAS REFUGEE ASYLUM PROJECT; 715 Myrtle Avenue; El Paso, TX 79901; (915) 544-5126.
- UNITED NEIGHBORHOOD ORGANIZATION (UNO); 8660 Montana, Suite I; El Paso, TX 79925; (915) 755-1161. No asilo o refugiados.

Harlingen, Texas
- PROBAR - SOUTH TEXAS PRO BONO ASYLUM REPRESENTATION; 301 East Madison; Harlingen, TX 78550; (956) 425-9231; 1-888-425-9231 (si llama del centro de detención).
- CASA DE PROYECTO LIBERTAD; 113 N. 1st Street; Harlingen, TX 78550; (956) 425-9552; 1-800-477-9552 (si llama del centro de detención PISPC).
- SOUTH TEXAS IMMIGRATION COUNCIL; 845 East 13th Street; Brownsville, TX 78520; (956) 542-1991
- SOUTH TEXAS IMMIGRATION COUNCIL; 107 N. 3rd Street; Harlingen, TX 78550; (956) 425-6987
- SOUTH TEXAS IMMIGRATION COUNCIL; 1201 Erie; McAllen, TX 78501; (956) 682-5397
- TEXAS RURAL LEGAL AID, INC.; ; 316 South Closner Street; Edinburg, TX 78539; (956) 383-5673

Houston, Texas
- CARECEN CENTRAL AMERICAN REFUGEE CENTER; 6006 Bellaire Boulevard, Suite #100; Houston, Texas; (713) 665-1284. Cuota.
- CATHOLIC CHARITIES TEXAS IMMIGRANT LEGAL ASSISTANCE; 2900 Louisiana Avenue; Houston, Texas 77006; (713) 874-6570. Cuota.
- INTERNATIONAL SERVICES OF THE YMCA GREATER HOUSTON AREA; Pro Bono Asylum Program; 6300 West Park, Suite 600; Houston, Texas 77057; (713) 339-9015. Cuota.

- HOUSTON COMMUNITY SERVICES; 5115 Harrisburg Street; Houston, Texas 77011; (713) 926-8771

Pecos, Texas
- CATHOLIC CHARITIES; 123 Avenue N; Lubbock, TX 79401; (806) 765-8474; Cuota.
- DIOCESAN MIGRANT AND REFUGEE SERVICES; 1117 N. Stanton; El Paso, TX 79902; (915) 532-3975. Cuota.
- LAS AMERICAS REFUGEE ASYLUM PROJECT; 715 Myrtle Avenue; El Paso, TX 79901; (915) 544-5126
- UNITED NEIGHBORHOOD ORGANIZATION (UNO); 8660 Montana, Ste. I; El Paso, TX 79925; (915) 775-1161. Cuota.

San Antonio, Austin, y Laredo, Texas
- IMMIGRATION COUNSELING AND OUT REACH SERVICE; 5555 N. Lamar, Suite K-100; Austin, Texas 78751; (512) 467-9816. Cuota.
- POLITICAL ASYLUM PROJECT OFAUSTIN, INC.; 1715 E. 6th Street, Suite 200; Austin, Texas 78702; (512) 478-0546. Cuota.
- IMMIGRATION CLINIC OF THE UNIVERSITY OF TEXAS SCHOOL OF LAW; 727 East Dean Keeton Street; Austin Texas 78705-3299; (512) 232-1292. Cuota.
- ASOC. PRO SERVICIOS SOCIALES, INC., CENTRO AZTLAN; 406 Scott; Laredo, Texas 78040; (956) 724-6244. Cuota.
- CATHOLIC CHARITIES/ARCHDIOCESE OF SAN ANTONIO,INC.; 2903 West Salinas; San Antonio, Texas 78207; (210) 433-3256. Solo para casos de Inmigración en San Antonio.
- REFUGEE AND IMMIGRANT CENTER FOR EDUCATION AND LEGAL SERVICES; 1305 N. Flores; San Antonio, Texas 78212; (210) 226-7722.
- IMMIGRATION & HUMAN RIGHTS CLINIC, CENTER FOR LEGAL &SOCIAL JUSTICE; 2507 NW 36th Street; San Antonio, Texas 78228; (210) 431-2596

Utah
- A WELCOME PLACE; 309 East 100 South, Suite #11; Salt Lake City, Utah 84111; (801) 359-7970. Cuota.
- SR. SHARLETT WAGNER, CSC; Holy Cross Ministries; 2570 West 1700 South; South Lake City, UT 84104; (801) 908-0293, ext. 22

Virginia
- AYUDA; 1736 Columbia Road, NW; Washington, DC 20009; (202) 387-4848. Cuota. No casos criminales o de personas detenidas.
- BOAT PEOPLE S.O.S. (BPSOS) SERVICE CENTER NEW ORLEANS; 401 Westbank Expressway, Suite 202; Gretna, LA 70053; (504) 368-0491.
- CATHOLIC IMMIGRATION SERVICE, INC.; 1815 H Street, NW, Suite 906; Washington, DC 20006; (202) 466-6611 or (202) 466-6612.
- CENTRAL AMERICAN RESOURCE CENTER (CARECEN); 1459 Columbia Road, NW; Washington, DC 20009; (202) 328-9799. Cuota.

- GEORGE WASHINGTON UNIVERSITY IMMIGRATION CLINIC; 2000 G Street, NW Suite B-04; Washington, DC 20052; (202) 994-7463.
- LAWYERS COMMITTEE FOR HUMAN RIGHTS; 100 Maryland Avenue, NE, Suite 500; Washington, DC 20002; (202) 547-5692
- REFUGEE AND IMMIGRATION SERVICES; Catholic Diocese of Richmond; 1802 Ashland Avenue; Norfolk, VA 23509; (757) 623-9131
- REFUGEE AND IMMIGRATION SERVICES; Catholic Diocese of Richmond; 811 Cathedral Place; Richmond, VA 23220-4801; (804) 355-4559
- REFUGEE AND IMMIGRATION SERVICES; Catholic Diocese of Richmond; 1615 Kecoughtan Road; Hampton, VA 23661; (757) 247-3600
- REFUGEE AND IMMIGRATION SERVICES; Catholic Diocese of Richmond; 1106 9th Street, SE; Roanoke, VA 24013; (540) 342-7561
- SPANISH CATHOLIC CENTER, INCORPORATED; 1015 University Boulevard, East; Silver Spring, MD 20903; (301) 431-3773

Washington
- NORTHWEST IMMIGRANT RIGHTS PROJECT; 909 8th Avenue; Seattle, Washington 98104; (206) 587-4009; (800) 445-5771
- NORTHWEST IMMIGRANT RIGHTS PROJECT - GRANGER OFFICE; 121 Sunnyside Avenue; P.O. Box 270; Granger, Washington 98932; (509) 854-2100

Washington, DC
(Vea Maryland y Virginia)

Wyoming
- UNIVERSITY OF WYOMING LEGAL SERVICES PROGRAM; P.O. Box 3035; Laramie, Wyoming 82071; (307) 766-2104

153

Capítulo 17

Matrimonio
con Ciudadanos o Residentes Permanentes

Una forma común de legalizar la condición migratoria de un extranjero en los Estados Unidos es por medio del matrimonio. Es decir, cuando una persona extranjera se casa con un Ciudadano o un Residente Permanente de Estados Unidos. El primer paso para que una persona pueda obtener una visa por medio del matrimonio es demostrar al Servicio de Inmigración que el matrimonio es entre un hombre y una mujer y que cumple con los siguientes requisitos:

1. El matrimonio tiene que ser valido, es decir:

    - Ambas personas tienen que haber estado legalmente autorizadas para casarse al momento de contraer matrimonio,
    - Si cualquiera de los cónyuges es divorciado, el divorcio tiene que haber ocurrido de forma legal antes del segundo matrimonio,
    - El matrimonio tiene que ser reconocido (legal) en el lugar donde fue realizado.

2. El matrimonio todavía tiene que existir (la pareja tiene que continuar casada aunque al presente el marido y la mujer no vivan en el mismo hogar).
3. El matrimonio no puede haber sido realizado con el propósito de defraudar al Servicio de Inmigración y asi inmigrar a los Estados Unidos.

Definición de Cónyuge:

Esposo, esposa, marido, mujer, compañero o compañera de matrimonio, marido y mujer, respectivamente uno del otro.

Ejemplo: Los cónyuges fueron juntos al abogado.

Matrimonios que no son validos para propósitos de Inmigración:

1. Matrimonios que no han sido consumados: matrimonios que son reconocidos por la ley pero donde no se ha llevado a cabo una ceremonia formal o no existe un certificado de matrimonio.
2. Matrimonios Polígamos: donde existe más de un cónyuge (ejemplo: un hombre casado con dos mujeres).
3. Matrimonios entre familiares cercanos de la misma sangre (entre hermanos).

Recuerde, este libro es sólo una guía de referencia sobre las herramientas legales a su alcance. Cada caso y situación es diferente y las leyes cambian constantemente. La información y comentarios sobre sus derechos en esta sección son únicamente de carácter general y de ninguna forma deben ser interpretados como consejos legales específicos sobre su caso. Para obtener consejo legal sobre su caso en específico usted debe comunicarse con un abogado con licencia para ejercer derecho o judicatura en el estado donde usted vive o en la corte donde su caso toma lugar o será decidido.

Cada año más de 200,000 ciudadanos de Estados Unidos contraen matrimonio con extranjeros y solicitan la Residencia Permanente (tarjeta verde) para estos cónyuges. Bajo las leyes de inmigración las personas que se casan con ciudadanos son consideradas como familiares inmediatos y son elegibles para recibir la Residencia Permanente automáticamente.

Por otro lado, las personas extranjeras que contraen matrimonio con Residentes Permanentes de Estados Unidos no son elegibles automáticamente para la Residencia Permanente. Estas personas tienen que esperar a que el Servicio de Inmigración les asigne un número de visa para inmigrar al país (para una lista de las personas que tienen que esperar por un número de visa del Servicio de Inmigración vea, *Categorías de Inmigrante Familiar y Preferencias* en la página 41).

A continuación discutiremos de forma general las leyes del Servicio de Inmigración que regulan los matrimonios entre personas extranjeras y Ciudadanos o Residentes de Estados Unidos, comenzando con los procedimientos necesarios bajo cada uno de estos casos. Más adelante estudiaremos algunas preguntas comunes sobre este proceso.

I. Matrimonio con Ciudadanos

Matrimonio entre un Ciudadano y un extranjero presente físicamente en EE.UU.

Un ciudadano de EE.UU. puede solicitar una visa de Residencia Permanente para su cónyuge al Servicio de Inmigración (Formulario I-130). Los siguientes formularios y documentos deben ser enviados con la solicitud:

1. Formulario G-325 (Información Personal) completado por cada uno de los cónyuges por separado, incluyendo fotos de cada uno.
2. Prueba de que el solicitante es Ciudadano de Estados Unidos (copia del pasaporte o del certificado de nacimiento o de ciudadanía).
3. Copia del Certificado de Matrimonio de la pareja.
4. Si cualquiera de los cónyuges estuvo casado anteriormente, esa persona tiene que enviar copias certificadas de cualquier documento oficial indicando que el matrimonio anterior ha concluido. Entre los documentos comúnmente aceptados por el Servicio de Inmigración se encuentran: certificados de divorcio o de defunción (si la persona es viuda).

Al mismo tiempo la persona extranjera que se casa con el ciudadano tiene que completar una solicitud para la residencia permanente y ajustar su condición como inmigrante (Formulario I-485) siempre y cuando la persona haya entrado a Estados Unidos con una visa a través de una estación fronteriza en la frontera o en un aeropuerto. El formulario I-485 deberá ser enviado junto a otros documentos, entre éstos:

1. Formulario I-134 (affidávit del cónyuge)
2. Formulario I-765 (solicitud para un permiso de empleo)
3. Fotografías tipo pasaporte

Si la persona extranjera entró a Estados Unidos ilegalmente (cruzando la frontera sin permiso), las leyes de Inmigración exigen que la persona salga de Estados Unidos por dos años antes de que pueda obtener la Residencia por medio del matrimonio. Para evitar que la persona sea removida del país, la pareja tiene que demostrar que la persona y la familia sufrirían daños irreparables si son separados. Por supuesto estos son casos muy complicados y es recomendable consultar a un abogado de inmigración con experiencia en esa área.

Matrimonio entre un Ciudadano y un extranjero fuera de EE.UU.

Para ver los procedimientos y requisitos para traer a un cónyuge extranjero a los Estados Unidos vea el Capítulo 3 de este libro, Visas Permanentes, Sección II, *Visas Permanentes para Personas que Inmigran por Medio de su Familia*, en la página 38.

II. Matrimonio con Residentes Permanentes

Matrimonio entre un Residente Permanente y un extranjero presente físicamente en EE.UU.

Un Residente Permanente puede solicitar una Visa de Residencia Permanente para su cónyuge enviando el Formulario I-130 al Servicio de Inmigración junto con los documentos necesarios.

Al mismo tiempo la persona extranjera casada con el Residente Permanente tiene que completar una solicitud (Formulario I-485) para la residencia permanente (siempre y cuando la persona haya entrado a Estados Unidos con una visa a través de una estación fronteriza en la frontera o en un aeropuerto). Si la solicitud es aprobada, la persona tendrá que esperar a que el Servicio de Inmigración le asigne un número de Visa (una tarjeta verde). Recuerde que los cónyuges de Residentes Permanentes no son elegibles automáticamente para una Visa de Residencia Permanente. Estos extranjeros tienen que esperar a que el Servicio de Inmigración les asigne un número de visa porque la cantidad de estos permisos está limitada por ley. En algunos casos esta espera puede demorar años. Mientras el Servicio de Inmigración asigna un número de visa, la persona extranjera deberá mantener una visa temporera para quedarse en Estados Unidos.

Matrimonio entre un Residente Permanente y un extranjero fuera de EE.UU.

En estos casos el Residente Permanente tiene que solicitar al Servicio de Inmigración una visa de residencia permanente (Formulario I-130) y notificar al Consulado o a la Embajada de Estados Unidos en el país donde el cónyuge vive. Una vez la solicitud es aprobada y una visa está disponible, el Centro Nacional de Visas le enviará al solicitante en Estados Unidos una serie de Formularios adicionales. Una vez estos formularios son completados, el cónyuge en el extranjero visitará el Consulado de Estados Unidos para solicitar una visa de inmigrante. Si la visa es aprobada el día en que la persona entra a Estados Unidos la persona se convierte en Residente Permanente Condicional.

III. Algunas Preguntas Comunes

¿Por qué es "condicional" la Visa de Residencia Permanente que recibe una persona extranjera por medio del matrimonio, y que Formularios debe la persona completar para remover esta condición?

El Servicio de Inmigración presume que toda persona que obtiene la residencia permanente por medio del matrimonio solo desea inmigrar a los Estados Unidos. No importa que el matrimonio sea con un Ciudadano o un Residente Permanente. Por esta razón, la residencia permanente que es otorgada a la persona es condicional por los primeros dos años. Es decir, si la pareja se separa sin un buen motivo antes del transcurso de estos dos años, el Servicio de Inmigración puede revocar la Residencia Permanente de la persona.

Para remover las condiciones de la Residencia Permanente luego de los dos años, la pareja tiene que completar el Formulario I-751 (Solicitud para Remover las Condiciones de Residencia).

Recuerde:

Una pareja tiene que probar al Servicio de Inmigración que su matrimonio es legítimo y no un acto de fraude para obtener la Residencia Permanente. Recuerde que hay dos situaciones básicas que rigen los pasos a tomar:

1. Si el matrimonio de la persona extranjera es con un ciudadano de Estados Unidos o un Residente Permanente.
2. Si el matrimonio ocurre dentro o fuera de Estados Unidos.

Para ver como un ciudadano puede traer a su prometido(a) a los Estados Unidos para contraer matrimonio vea la página 24 (Capítulo 3), Visas para Personas que se Casarán con un Ciudadano de Estados Unidos.

¿Puede una persona que es víctima de abusos (violencia doméstica) por parte del esposo(a) perder su Visa de Residente si tiene que dejar a su esposo(a) o si el esposo(a) amenaza con dejarla?

No. Una persona que es víctima de violencia doméstica puede solicitar al Servicio de Inmigración que las condiciones de su Visa de Residencia Permanente sean removidas y así quedarse legalmente en Estados Unidos. La persona puede solicitar en cualquier momento después de obtener la Residencia Domestica Condicional, pero antes de ser removida o de los Estados Unidos.

¿Qué ocurre si la pareja se separa o divorcia antes de que las condiciones de la Residencia Permanente sean removidas?

En caso de que la pareja se separe o divorcie, la persona extranjera puede solicitar que las condiciones de la Residencia Permanente sean removidas. El Servicio de Inmigración no puede denegar la solicitud si la persona prueba que el matrimonio fue realizado en buena fe, de forma genuina y no para propósitos de inmigración.

¿Qué considera el Servicio de Inmigración para determinar si un matrimonio es fraudulento?

El Servicio de Inmigración toma en consideración los siguientes factores:

1. El tiempo que la pareja se ha conocido (la cantidad de años),
2. La frecuencia con que la pareja se ha reunido o han estado juntos antes casarse,
3. Si la pareja ha vivido o vive en el mismo hogar,
4. Si existe una diferencia cultural extrema entre los esposos o no se pueden comunicar en un mismo lenguaje,
5. Si el matrimonio tomó lugar inmediatamente después de que uno de los cónyuges se convirtió en el objeto de una investigación del Servicio de Inmigración o fue puesto en un proceso de remoción, exclusión, o deportación. El Servicio de Inmigración no aprobará la solicitud de una persona que ha sido puesta en un proceso de remoción, exclusión, o deportación hasta que la persona haya vivido más de dos años fuera de Estados Unidos, a menos que la pareja demuestre que el matrimonio fue realizado en buena fe y no solamente para propósitos de inmigración.

> **Para probar que el matrimonio no fue realizado para propósitos de inmigración, la pareja tiene que ofrecer la siguiente evidencia:**
> a. Documentos que demuestren que la pareja es dueña de alguna propiedad en conjunto (ejemplo: el titulo del hogar o del auto está a nombre de la pareja).
> b. Contratos de alquiler donde ambas personas son igualmente responsables por el contrato.
> c. Certificados de nacimientos de niños de la pareja.
> d. Declaraciones juradas de personas conocidas atestiguando que la relación matrimonial es legítima.
> e. Cualquier otro documento que demuestre que el matrimonio no es fraudulento.

6. Si la persona que solicita la Residencia Permanente para su cónyuge consiguió su propia residencia permanente a través de un matrimonio anterior. En estos casos la nueva solicitud no será aprobada a menos que alguna de las siguientes condiciones esté presente:

   a. Cinco años han transcurrido desde que el solicitante de la visa para su cónyuge consiguió su propia Residencia Permanente,
   b. El solicitante presenta evidencia clara y convincente que el matrimonio anterior no fue realizado para propósitos de inmigración.
   c. El matrimonio anterior terminó porque la persona enviudó.

¿Qué ocurre si una persona que está en proceso de ser removida del país se casa con un <u>Ciudadano</u> de Estados Unidos y éste solicita la Residencia Permanente para la persona?

Si un ciudadano solicita la residencia para el cónyuge (Formulario I-130) la solicitud puede ser aprobada mientras la persona está en un proceso de remoción. La persona sin embargo tiene que solicitar una excepción a la conclusión del Servicio de Inmigración que el matrimonio es fraudulento. Cuando esta solicitud es hecha, la persona tiene que probar con mucho cuidado que el matrimonio es legítimo. En estos casos es altamente recomendable consultar a un abogado con experiencia en casos de remoción y deportación.

¿Tiene una persona que está ilegalmente en Estados Unidos salir del país por el periodo de dos años si se casa con un ciudadano?

La persona puede quedarse en Estados Unidos si está ilegalmente por que se quedo en el país después de que su visa temporera se venció. Sin embargo, la persona tiene que salir de Estados Unidos si originalmente entro ilegalmente al país sin reportarse en una de las estaciones fronterizas del Servicio de Inmigración (cruzó la frontera caminando).

Recuerde, este libro es sólo una guía de herramientas legales a su alcance. Cada caso y situación es diferente y las leyes cambian constantemente. La información y comentarios sobre sus derechos en esta sección son únicamente de carácter general y de ninguna forma deben ser interpretados como consejos legales específicos a su caso. Para obtener consejo legal sobre su caso en específico usted debe comunicarse con un abogado con licencia para practicar derecho o judicatura en el estado donde usted vive o donde el caso toma lugar.

Apéndice A / Oficinas De Inmigración
Oficinas de Distrito, Sub-Oficinas, y Oficinas Satélites

Nota: En algunos Estados solamente hay sub-oficinas del Servicio de Inmigración. En estos casos la oficina de distrito está localizada en otro Estado. Por ejemplo, el estado de Kentucky solo tiene una oficina de Inmigración. La jurisdicción de ese estado cae bajo la Oficina de Distrito de Nueva Orleáns, Louisiana.

Alabama
Atlanta District Office
MLK Federal Building
77 Forsyth Street SW
Atlanta, GA 30303

Alaska
District Office
620 East 10th Ave.,
Suite 102
Anchorage, Alaska 99501

Arizona
District Office
Phoenix District
2035 North Central Avenue
Phoenix, AZ 85004

Sub Office
Tucson Sub Office
6431 S. Country Club Rd.
Tucson, AZ 85706-5907

Arkansas
Ft. Smith Sub Office
4991 Old Greenwood Rd.
Fort Smith, AR 72903

New Orleans District
701 Loyola Avenue
New Orleans, LA

California
Los Angeles District Office
300 North Los Angeles St.
Los Angeles, CA 90012

San Diego District Office
880 Front St., Suite 1234
San Diego, CA 92101

San Francisco District Office
444 Washington Street
San Francisco, CA 94111

Santa Ana Sub Office
34 Civic Center Plaza
Federal Building
Santa Ana, CA. 92701

Fresno Sub Office
865 Fulton Mall
Fresno, CA 93721

Sacramento Sub Office
650 Capitol Mall
Sacramento, CA 95814

San Jose Sub Office
1887 Monterey Road
San Jose, CA 95112

Denver
Denver District Office
4730 Paris Street
Denver, CO 80239

Connecticut
Hartford Sub Office
450 Main Street, 4th Floor
Hartford, CT 06103-3060

Boston District Office
JFK Federal Building
Government Center
Boston, MA 02203

Delaware
Dover Satellite Office
1305 McD Drive
Dover, DE 19901

Philadelphia District Office
1600 Callowhill Street
Philadelphia, PA 19130

District of Columbia
Washington District Office
4420 N. Fairfax Drive
Arlington, VA 22203

Florida
Miami District Office
7880 Biscayne Boulevard
Miami, Florida 33138

Jacksonville Sub Office
4121 Southpoint Boulevard
Jacksonville, FL 32216

Orlando Sub Office
9403 Tradeport Drive
Orlando, FL 32827

Tampa Sub Office
5524 West Cypress Street
Tampa, FL 33607-1708

West Palm Beach Sat. Office
326 Fern St., Suite 200
West Palm Beach, FL 33401

Georgia
Atlanta District
MLK Federal Building
77 Forsyth Street SW
Atlanta, GA 30303

Guam
Agana Sub Office
Sirena Plaza, Suite 100
108 Hernan Cortez Ave.
Hagatna, Guam 96910

Honolulu District Office
595 Ala Moana Boulevard
Honolulu, HI 96813

Hawaii
Honolulu District Office
595 Ala Moana Boulevard
Honolulu, HI 96813

Idaho
Boise Sub Office
1185 South Vinnell Way
Boise, ID 83709

Helena District Office
2800 Skyway Drive
Helena, MT 59602

Illinois
Chicago District Office
10 W. Jackson Boulevard
Chicago, Illinois 60604

Indiana
Indianapolis Sub Office
950 N. Meridian St.,
Room 400
Indianapolis, Indiana 46204

Chicago District Office
10 W. Jackson Boulevard
Chicago, Illinois 60604

Iowa
Omaha District Office
3736 South 132nd Street
Omaha, NE 68144

Kansas
Wichita Satellite Office
271 West 3rd Street North,
Wichita, KS 67202-1212

Kansas City District
9747 Northwest Conant Ave.
Kansas City, MO 64153

Kentucky
Louisville Sub Office
Snyder U.S. Courthouse
Room 390
601 West Broadway
Louisville, KY 40202

Immigration District Office
701 Loyola Avenue,
Room T-8011
New Orleans, LA 70113

Louisiana
INS District Office
701 Loyola Avenue,
Room T-8011
New Orleans, LA 70113

Maine
Portland District Office
176 Gannett Drive
So. Portland, ME 04106

Maryland
Baltimore District
Fallon Federal Building
31 Hopkins Plaza
Baltimore, MD 21201

Massachusetts
Boston District Office
JFK Federal Building
Government Center
Boston, MA 02203

Michigan
Detroit District
333 Mt. Elliot
Detroit, MI 48207

Minnesota
St. Paul District
2901 Metro Drive,
Bloomington, MN 55425

Mississippi
Jackson Sub Office
McCoy Federal Building
100 West Capitol Street
Suite B-8
Jackson, Mississippi 39269

INS District Office
701 Loyola Avenue,
New Orleans, LA 70113

Missouri
Kansas City District
9747 Northwest Conant Ave.
Kansas City, MO 64153

St. Louis Sub Office
Young Federal Bldg.
1222 Spruce Street,
St. Louis, MO 63103-2815

Montana
Helena District Office
2800 Skyway Drive
Helena, MT 59602

Nebraska
Omaha District Office
3736 South 132nd St.
Omaha, NE 68144

Nevada
Las Vegas Sub Office
3373 Pepper Lane
Las Vegas, NV 89120

Reno Sub Office
1351 Corporate Blvd.
Reno, NV 89502

Phoenix District
2035 North Central Ave.
Phoenix, AZ 85004

New Hampshire
Manchester Office
803 Canal Street
Manchester, NH 03101

Boston District Office
JFK Federal Bldg.
Government Center
Boston, MA 02203

161

New Jersey
Newark District Office
970 Broad Street,
Newark, NJ 07102

Cherry Hill Sub Office
1886 Greentree Road
Cherry Hill, NJ 08003

New Mexico
Albuquerque Sub Office
1720 Randolph Road SE
Albuquerque, NM 87106

El Paso District Office
1545 Hawkins Boulevard,
El Paso, TX 79925

New York
Buffalo District Office
Federal Center
130 Delaware Avenue
Buffalo, NY 14202

New York City District Office
26 Federal Plaza
New York City, NY 10278

Albany Sub Office
1086 Troy-Schenectady Rd.
Latham, NY 12110

North Carolina
Charlotte Sub Office
210 E. Woodlawn Road
Building 6, Suite 138
Woodlawn Green Complex
Charlotte, NC 28217

Atlanta District
MLK Jr. Federal Building
77 Forsyth Street SW
Atlanta, GA 30303

North Dakota
St. Paul District
2901 Metro Drive, Suite 100
Bloomington, MN 55425

Ohio
Cleveland District
A.J.C. Federal Building
1240 East Ninth Street,
Room 1917
Cleveland, OH 44199

Cincinnati Sub Office
J.W. Peck Federal Building
550 Main Street, Room 4001
Cincinnati, OH 45202

Oklahoma
Oklahoma City Sub Office
4400 SW 44th Street
Oklahoma City, OK 73119
Dallas District Office
8101 North Stemmons
Freeway
Dallas, TX 75247

Oregon
Portland, Oregon Dist. Office
511 NW Broadway
Portland, OR 97209

Pennsylvania
Philadelphia District Office
1600 Callowhill Street
Philadelphia, PA 19130

Pittsburgh Sub Office
1000 Liberty Avenue,
Federal Building, Room 314
Pittsburgh, PA 15222-4181

Puerto Rico
San Juan District Office
San Patricio Office Center
7 Tabonuco Street,
Suite 100
Guaynabo, Puerto Rico
00968

Charlotte Amalie Sub Office
Nisky Center
Suite 1A First Floor South
Charlotte Amalie, St. Thomas
US Virgin Islands 00802

Immigration Sub Office
Sunny Isle Shopping Center
Christiansted, St. Croix
US Virgin Islands 00820

Rhode Island
Providence Sub Office
200 Dyer Street
Providence, RI 02903

Boston District Office
JFK Federal Building
Government Center
Boston, MA 02203

South Carolina
Charleston Office
170 Meeting Street,
Fifth Floor
Charleston, SC 29401

Atlanta District
MLK Federal Building
77 Forsyth Street SW
Atlanta, GA 30303

South Dakota
St. Paul District
2901 Metro Drive,
Bloomington, MN 55425

Tennessee
Memphis Sub Office
Suite 100
1341 Sycamore View Road
Memphis, TN 38134

New Orleans District
701 Loyola Avenue
New Orleans, LA

Texas
Dallas District
8101 N. Stemmons Freeway
Dallas, TX 75247

El Paso District Office
1545 Hawkins Boulevard,
Suite 167
El Paso, TX 79925

Harlingen District
2102 Teege Avenue
Harlingen, TX 78550

Houston District Office
126 Northpoint
Houston, Texas 77060

San Antonio District Office
8940 Fourwinds Drive
San Antonio, TX 78239

Utah
Salt Lake City Sub Office
5272 S. College Drive, #100
Murray, UT 84123

Denver District Office
4730 Paris Street
Denver, CO 80239

Vermont
St. Albans Office
64 Gricebrook Road
St. Albans, VT 05478

Portland, Maine District
176 Gannett Drive
South Portland, ME 04106

Virgin Islands
San Juan District Office
San Patricio Office Center
7 Tabonuco Street, Suite 100
Guaynabo, Puerto Rico
00968

Charlotte Amalie Sub Office
Nisky Center
Suite 1A First Floor South
Charlotte Amalie,
St. Thomas
US Virgin Islands 00802

Immigration Sub Office
Sunny Isle Shopping Center
Christiansted, St. Croix
US Virgin Islands 00820

Virginia
Norfolk Sub Office
5280 Henneman Drive
Norfolk, VA 23513

Washington District Office
4420 N. Fairfax Drive
Arlington, VA 22203

Washington
Seattle District Office
815 Airport Way South
Seattle, WA 98134

Spokane Sub Office
U.S. Courthouse
920 W. Riverside Room 691
Spokane, WA 99201

Yakima Sub Office
417 E. Chestnut
Yakima, WA 98901

West Virginia
Charleston, WV Sub Office
210 Kanawha Boulevard W.
Charleston, WV 25302

Pittsburgh Sub Office
1000 Liberty Avenue,
Federal Building, Room 314
Pittsburgh, PA 15222-4181

Philadelphia District Office
1600 Callowhill Street
Philadelphia, PA 19130

Wisconsin
Milwaukee Sub Office
310 E. Knapp Street
Milwaukee, WI 53202

Chicago District Office
10 West Jackson Boulevard
Chicago, Illinois 60604

Wyoming
Denver District Office
4730 Paris Street
Denver, CO 80239

Oficinas en el Extranjero

El Servicio de
Inmigración tiene
oficinas a través
del mundo
divididas en tres
distritos (México,
Roma y Bangkok)
encargados de
otras áreas y países.

Apéndice B / Glosario
Vocabulario de Inmigración

Abused alien: Extranjero que es víctima de malos tratos.

Abused immigrant spouses: Cónyuges inmigrantes maltratados(as). // Víctima de abusos; víctima de maltrato, malos tratos, o violencia doméstica.

Advance parole: Libertad condicional anticipada.

Advice of rights (Form 1-294) aviso de derechos; notificación de derechos (Forma 1-294).

Advisal of rights: Aviso de derechos. // Notificación de derechos.

Affirmative asylum process: Proceso de asilo afirmativo

Aggregate term of imprisonment: Pena de prisión total. // Periodo total de detención.

Alternate order of renoval: Orden auxiliar de traslado forzado.

Annual limit: Límite anual.

Antiterrorism and Effective Death Penalty Act: Ley o Acta de Antiterrorismo y Aplicación de la Pena de Muerte.

Applicant: Solicitante.

Applicant appears genuinely afraid of persecution: el solicitante aparenta o indica un temor genuino de persecución.

Applicant for admission: Solicitante de admisión.

Applicant for political asylum: Solicitante de asilo político.

Application: Solicitud.

Application for admission: Solicitud de admisión.

Application for adjustment of status: Solicitud de cambio de clasificación.

Application for cancellation of removal for certain permanent residents EOIR 42-A: Solicitud de cancelación del traslado para ciertos residentes permanentes EOIR 42-A.

Application for cancellation of removal for certain nonpermanent residents EOIR 42-B: Solicitud de cancelación de traslado o deportación para ciertos residentes no permanentes Formulario EOIR 42-B.

Arrival categories: Categorías de llegada.

Arrival date: Fecha de llegada; fecha de arribo.

Arriving alien: Extranjero que llega.

Article 3 of the Torture Convention: Artículo 3 de la Convención sobre Tortura.

Asylee: Asilado; Refugiado; Persona que busca asilo o refugio.

Asylee application: Petición o solicitud de asilo o refugio.

Asylee status: Condición de persona en asilo.

Asylum officer: Oficial o funcionario encargado de las solicitudes de asilo.

Attorney General: Procurador General de Justicia; Ministro de Justicia.

Authorized fingerprinting center: Centro autorizado de huellas digitales.

Authorized fingerprinting office: Oficina autorizada de huellas digitales.

Automated nationwide system for immigration review: Sistema nacional automatizado para la revisión de inmigración.

Automated scheduling: Programación automatizada.

Bars to asylum: Impedimentos al asilo. // Asilos prohibidos.

Battered: Persona golpeado(a) o abusada.

Battered child: Niño(a) golpeado(a) o abusado(a).

Battered spouse: Esposo(a) golpeado(a) o abusado(a).

Battered spouse/child relief: Reparación para esposos(as) o niño(as) golpeados(as) o abusados(as).

Battered spouse waiver: Exención para esposos(as) golpeados(as) o abusados(as).

Central address file: Archivo central de direcciones.

Changed circumstances: Circunstancias distintas o diferentes (usualmente luego de hacer una declaración formal).

Claimed status review: Revisión de las condiciones reclamadas o declaradas.

Clear and convincing evidence: Evidencia o prueba clara y convincente (usualmente de una condicion reclamada o declarada).

Clear, convincing and unequivocal evidence: Evidencia o prueba inequívoca, clara y convincente.

Clearly and beyond doubt: Claramente y más allá de duda.

Condicional grant: Permiso condicional. // Otorgamiento condicional.

Considered a danger to the community: Considerado un peligro para la comunidad.

Contempt of court: Desacato al tribunal. // No obedecer la orden de la corte.

Continuous residence: Residencia continua.

Continuous physical presence: Presencia física continua.

Credible fear review: Revisión de alegación creíble de temor.

Crewman: trabajador individual en un grupo de trabajo o trabajadores.

Criminal aliens: Extranjeros o inmigrantes delincuentes. // Extranjeros o inmigrantes criminales o que han cometido uno o varios crímenes.

Custody redetermination defensive asylum process: Proceso de redeterminación de asilo defensivo.

Hearing: Audiencia de determinación (usualmente en una corte de inmigración).

Deferred action: Acción diferida.

Deferred sentence: Sentencia diferida. // Sentencia suspendida. // Dictado de pena diferido.

Discretionary relief: Remedio discrecional. // Remedio a discreción (usualmente a discreción de la corte de inmigración o el Servicio de Inmigración).

Diversion program: Programa educativo o de trabajo para personas en libertad condicional.

Employment authorization document: Documento de autorización de empleo.

Entitled to be admitted: Derecho de una persona a ser admitida al País.

Establish eligibility as a refugee: Elegibilidad establecida como refugiado.

Exceptional circumstances: Circunstancias excepcionales.

Exercise of discretion: Discreción.

Expedited removal proceeding: Procedimiento de traslado expeditado o inmediato. // Proceso de traslado expeditado o inmediato.

Extreme cruelty: Crueldad extrema.

Extreme hardship: Sufrimiento extremo. // Adversidad extrema. // Opresión extrema.

Factual allegations: Ocurrencias o hechos alegados. // Aserción de hechos ocurridos.

Family Unity Program: Programa de Unidad Familiar.

Firmly resettled: reestablecido firmemente.

Forensic document analysis: Análisis forense de documentos. // Documentos revisados por un método científico o formal.

Forensic document laboratory: Laboratorio forense de documentos.

Forms of relief: Formas o tipos de remedios disponibles.

Frivolous asylum application: Solicitud o petición de asilo sin merito. // solicitud o petición de asilo falsa o sin fundamento.

Gender related persecution: persecución a cause de genero (hombre, mujer, etc.).

Having been found removable: Sujeto a traslado o deportación.

Illegal Immigration Reform and Immigrant Responsibility Act: Acta o Ley de Reforma de Inmigración Ilegal y Responsabilidad del Inmigrante.

Immigration officer: Agente de inmigración. // Oficial de inmigración.

Improper purpose: Propósito indebido.

In absentia order: Orden en ausencia (usualmente cuando usted la persona no se presenta a una vista o audiencia de inmigración.

Inadmisible alien: Extranjero o inmigrante inadmisible. // Persona que no puede entrar o a quien se le prohíbe la entrada al país.

Interactive scheduling: Programación interactiva.

Lawful permanent resident. Residente legal permanente.

Lawful permanent residence: Residencia legal permanente.

Lawfully admitted: Admitido legalmente.

List of free legal service providers: Lista de proveedores de servicios legales gratuitos.

Maintenance of status and departure bond: Conservación de condición migratoria y fianza de salida.

Mandatory detention: Detención obligatoria.

Message for toll-free number: Mensaje para el número de teléfonos gratis o sin cargos.

Moral turpitude: Torpeza moral. // Conducta inmoral.

Motion for termination: Petición de resolución o finalización.

Naturalization ceremony: Ceremonia de naturalización.

Naturalization court: Tribunal de naturalización.

Naturalization papers: Carta o papeles de naturalización.

Non-disclosure of record of proceeding: No divulgación del acta de procedimiento de corte o de inmigración.

Non-disclosure proceeding: Procedimiento en secreto. // Procedimiento sin divulgación.

Non-immigrant: No inmigrante

Non-immigrant exchange alien: Extranjero bajo el programa de intercambio de inmigrantes temporeros.

Non-immigrant exchange visitor: Visitante bajo el programa de intercambio de inmigrantes temporeros.

Notice of asylum-only hearing: Notificación de audiencia para asilo solamente.

Notice of consequences for failure to surrender to the Immigration and Naturalization Service for removal from the United Status: Notificación sobre las consecuencias de no entregarse al Servicio de Inmigración y Naturalización para ser trasladado o deportado fuera de los Estados Unidos.

Notice of consequences for failure to appear: Notificación sobre las consecuencias de no presentarse o comparecer (usualmente a una vista o audiencia sobre su condición como inmigrante o extranjero).

Notice of consequences for knowingly filing a frivolous asylum application: Notificación sobre las consecuencias de presentar una solicitud de asilo sin merito a propósito o sin fundamento.

Notice of consequences for failure to depart: Notificación sobre las consecuencias de no salir del país.

Notice of deportation hearing: Notificación de audiencia de deportación.

Notice of hearing of deportation: Notificación de audiencia de deportación.

Notice of intent to issue a final administrative deportation order (Form 1-851): Notificación de intención de despachar una orden administrativa final de deportación (formulario 1-851).

Notice of intent to rescind: Notificación de intención de desistir.

Notice of intention to rescind and request for hearing by alien: Notificación de intención de desistir y petición de audiencia por parte de la persona inmigrante afectada.

Notice of privilege of counsel. Notificación del privilegio a ser asistido por un abogado.

Notice of referral: Notificación de referido.

Notice of referral to immigration judge: Notificación de referido a un juez de inmigración.

Notice of removal hearing: Notificación de audiencia de deportación o repatriación.

Notice of review of claimed status: Notificación de revisión de la condición reclamada como inmigrante.

Notice to alien detained for exclusion hearing (Form 1-122): Notificación a la persona detenida de la audiencia de exclusión (Formulario 1-122).

Notice to appear: Notificación de comparecer o presentarse. // Citación.

Notice to appear for removal proceedings: Notificación para presentarse al procedimiento de deportación o traslado forzoso.

One year rule: Regla de un ano.

Parole: Accion condicional. // Libertad condicional. // Admitir condicionalmente.

Parole someone into the U.S. Admitir condicionalmente a un inmigrante a los EEUU/

Parole board: Junta que decide casos o situaciones condicionalmente.

Paroled aliens: Extranjeros admitidos condicionalmente.

Parolee: Persona admitida condicionalmente.

Particularly serious crime: Crimen o delito particularmente grave o serio.

Penalty: pena. // Sancion. // Sancion penal. // Multa.

Plausible in light of country conditions: Creíble dadas las condiciones en ese país.

Preclude: Excluir. // Dejar afuera. // Impedir. // Prevenir.

Prima facie eligibility: Elegibilidad a primera vista. // Capacidad aparente. // Evidente sin ninguna otra prueba o evidencia. // Producción de suficiente evidencia a primera vista que indica elegibilidad.

Record of negative credible fear finding and request for review by immigration judge (I-869): Acta o récord de fallo negativo sobre temor creíble y petición de revisión por un juez de inmigración (I-869).

Record of proceeding (ROP): Archivo o récord del procedimiento.

Records check: Verificación, inspección, comprobación, o cotejo de los archivos, actas, o documentos.

Refugee: Refugiado

Refugee status: Condición de refugiado. // Calidad de refugiado.

Removable alien: Extranjero trasladable.

Removal: Traslado o deportación al país de procedencia. // Repatriación. // Expulsión.

Removal hearing: Audiencia de traslado o deportación.

Removal of inadmissible and deportable aliens: Traslado o deportación de extranjeros o inmigrantes inadmisibles o deportables.

Removal proceeding: Procedimiento de traslado.

Removal process: Proceso de traslado, deportación o expulsión.

Remove: Remover. // Trasladar. // Deportar. // Expulsar.

Remove at government expense: Remover o deportar a expensas del gobierno.

Remove from a vessel or aircraft: Remover de un barco o aeronave.

Remove undocumented aliens: Remover o deportar extranjeros indocumentados.

Reserved decision: Decisión reservada. // Decisión a discreción.

Safe third country: Tercer país seguro

Sanctions for contemptuous conduct: Sanciones o penas por conducta personal en contra las reglas o las ordenes de una corte o un tribunal.

Significant possibility: Posibilidad significativa.

Special rule for battered spouses. Reglas especiales para cónyuges (esposas o esposos) que sufren de maltrato.

State Department response: Respuesta del Departamento de Estado.

Status: Condición, Estado; situación social o legal.

Submit documents: Presentar, someter, presentar documentos.

Supplemental asylum application: Solicitud suplementaria de asilo.

Surrender for removal: Presentarse personalmente o entregarse para ser repatriado o deportado.

Swear in citizens: Tomar el juramento de personas que obtienen la ciudadanía.

Swearing-in ceremony: Ceremonia de juramento.

Swearing-in session: Ceremonia o sesión donde se jura la ciudadanía.

Temporary protected status: Condición de protección temporera o provisional.

Transitional period custody rules: Reglas de custodia del periodo de transición.

Vacated: Anulado. // Revocado. // Cancelado. // Rescindido.

Visa waiver pilot program: Programa piloto de exención de visas.

Visa waiver pilot program agreement (Form 1-775): Acuerdo del programa piloto de exencion de visas (Formulario 1-775).

Voluntary departure: Salida voluntaria.

Voluntary departure at the conclusion of proceedings: Salida voluntaria al concluir el proceso.

Voluntary departure bond: Fianza para salida voluntaria.

Voluntary departure order: Orden de salida voluntaria.

Voluntary departure prior to completion of proceedings: Salida voluntaria antes de terminado el proceso de determinación.

Voluntary removal: Traslado voluntario. // Salida voluntaria.

Warning regarding knowingly filing a frivolous asylum application: Advertencia sobre las consecuencias de presentar una solicitud de asilo conociendo que no existen fundamentos para la solicitud.

Withholding of deportation: Aplazamiento de traslado o deportación.

Withholding of removal: Aplazamiento del traslado o deportación.

Apéndice C / Formularios

En las páginas a continuación encuentre los formularios del Servicio de Inmigración más usados. Es recomendable que usted fotocopie el formulario que usted necesita antes de completarlo. De esta manera podrá hacer correcciones si comete un error. La mayoría de los formularios incluidos tienen **instrucciones en inglés**, sin embargo usted encontrará la información necesaria para completar la mayor parte de estos formularios en el capítulo del tema correspondiente.

Recuerde, las **cuotas que hay que pagar** por el procesamiento de los formularios cambian constantemente. Usted tiene que asegurarse de enviar el dinero correcto para el procesamiento de su solicitud. No importa lo que diga el formulario. Si la cantidad correcta no es enviada, su solicitud será rechazada. Recuerde también que el pago por la solicitud no incluye el pago de $70 dólares por la toma de sus huellas digitales o por cualquier otra cuota asociada con su solicitud.

Nuevas Cuotas por Procesamiento

I-90	$185.00*	I-360	$185.00	I-824	$195.00
I-102	$155.00	I-485	†	I-829	$455.00
I-129	$185.00	I-526	$465.00	N-300	$115.00
I-129F	$165.00	I-539	$195.00	N-336	$250.00
I-130	$185.00	I-600	$525.00	N-400	$320.00*
I-131	$165.00	I-600A	$460.00*	N-410	$50.00
I-140	$190.00	I-601	$250.00	N-455	$90.00
I-191	$250.00	I-612	$250.00	N-470	$150.00
I-192	$250.00*	I-751	$200.00	N-565	$210.00
I-193	$250.00	I-765	$175.00	N-600	$240 ó $200
I-212	$250.00	I-817	$195.00*	N-643	$145.00

* Incluir cheque o giro por $70 dólares para la toma de huellas digitales.

† (I-485) Menores de 14 años: $215.00*, 14 años y mayores: $315.00*, Programa de Refugiados: Gratis.

1·800·375·5283

SERVICIO TELEFONICO EN TEXTO:
1·800·767·1833

[1] Solicitudes Pendientes con Inmigración
- **1** Estado de su solicitud
- **2** Cambio de domicilio
- **3** Asuntos relacionados con citas – Instrucciones
- **4** Preguntas sóbre avisos que haya recibido
- **5** Información adicional

[ABC 2] Servicios Locales de Inmigración
- **1** Debe registrarse en persona, y ahora listo para registrarse
- **2** Información local de las oficinas de Inmigración
- **3** Medicos autorizados para hacer examenes de Inmigración
- **4** Información adicional

[DEF 3] Preparandose para Entregar la Solicitud
- **1** Información sobre los formularios o quiere ordenar formulario y sabe quales necesita
- **2** Costo para registrar una solicitud y donde tiene que entregarlo
- **3** Checar numeros de visas y fechas de prioridad
- **4** Tiene las formas pero tiene otras preguntas

[GHI 4] Beneficios de Inmigración y Cómo
- **1** Hacer ciudadanía
- **2** Renovar o reemplazar la Tarjeta Verde
- **3** Traer un familiar, prometido o huérfano a los Estados Unidos
- **4** Viajar fuera de los Estados Unidos
- **5** Servicios a no-inmigrantes mientras estén temporalmente en Estados Unidos
- **6** Otros servicios y beneficios

Formularios por Correo: llame al INS Para Información y Formularios al 1-800-375-5283

1 Busque su formulario.

2 Haga copias de ambos lados de cada página.

3 Complete la primera copia del formulario a lápiz por si tiene que hacer cambios, luego pase su información con un bolígrafo o a maquina de escribir a una copia limpia.

Cómo usar los formularios

1. Encuentre el formulario que necesita. Hay trece (13) formularios incluidos en esta sección. El código numérico de cada formulario está marcado en una de las esquinas de cada página.
2. Si es posible haga dos (2) fotocopias del formulario antes de comenzar a escribir su información.
3. Complete el primer formulario usando lápiz (de esta forma podrá borrar cualquier error).
4. Asegurese que toda su información es correcta y que todas las preguntas necesarias han sido contestadas. Revise sus contestaciones varias veces.
5. Si está satisfecho con sus contestaciones tome una pluma fuente o una maquina de escribir y pase la información a la segunda copia del formulario.
6. Asegurese de enviar todos los documentos requeridos.
7. Haga una copia del formulario antes de enviarlo al INS y de todos los documentos personales que envíe.
8. Si no encuentra el formulario que necesita llame al INS y sigua las instrucciones en la pagina anterior.

Formularios de Inmigración

Páginas

DS-156	Solicitud para Visas Temporeras	2
I-130	Solicitud para Familiares Extranjeros	6
I-131	Solicitud para Documentos de Viaje	9
I-539	Solicitud para Extender o Cambiar la Condición de Inmigrante Temporero o No-inmigrante	10
I-730	Solicitud para Familiares de personas con Refugio o Asilo	6
I-765	Solicitud para una Autorización de Empleo	12
I-821	Solicitud para Protección Temporera	6

U.S. Department of State
NONIMMIGRANT VISA APPLICATION

Approved OMB 1405-0018
Expires 09/30/2007
Estimated Burden 1 hour
See Page 2

PLEASE TYPE OR PRINT YOUR ANSWERS IN THE SPACE PROVIDED BELOW EACH ITEM

Passport Number

2. Place of Issuance:
City   Country   State/Province

Issuing Country

4. Issuance Date *(dd-mmm-yyyy)*

5. Expiration Date *(dd-mmm-yyyy)*

Surnames *(As in Passport)*

First and Middle Names *(As in Passport)*

Other Surnames Used *(Maiden, Religious, Professional, Aliases)*

Other First and Middle Names Used

10. Date of Birth *(dd-mmm-yyyy)*

. Place of Birth:
City   Country   State/Province

12. Nationality

. Sex
[ ] Male
[ ] Female

14. National Identification Number *(If applicable)*

15. Home Address *(Include apartment number, street, city, state or province, postal zone and country)*

. Home Telephone Number   Business Phone Number   Mobile/Cell Number

Fax Number   Business Fax Number   Pager Number

. Marital Status
[ ] Married [ ] Single (Never Married)
[ ] Widowed [ ] Divorced [ ] Separated

18. Spouse's Full Name *(Even if divorced or separated. Include maiden name.)*

19. Spouse's DOB *(dd-mmm-yyyy)*

. Name and Address of Present Employer or School
me: Address:

. Present Occupation *(If retired, write "retired". If student, write "student".)*

22. When Do You Intend To Arrive In The U.S.? *(Provide specific date if known)*

23. E-Mail Address

. At What Address Will You Stay in The U.S.?

. Name and Telephone Numbers of Person in U.S. Who You Will Be Staying With or Visiting for Tourism or Business

Name   Home Phone

Business Phone   Cell Phone

. How Long Do You Intend To Stay in The U.S.?

27. What is The Purpose of Your Trip?

. Who Will Pay For Your Trip?

29. Have You Ever Been in The U.S.? [ ] Yes [ ] No

WHEN? _____

FOR HOW LONG? _____

DO NOT WRITE IN THIS SPACE

B-1/B-2 MAX   B-1 MAX   B-2 MAX

Other _____ MAX

Visa Classification

Mult or _____

Number of Applications

Months _____

Validity

Issued/Refused

On _____ By _____

Under SEC.   214(b)   221(g)

Other _____ INA

Reviewed By _____

BARCODE

DO NOT WRITE IN THIS SPACE

50 mm x 50 mm

PHOTO

staple or glue photo here

S-156
-2004

PREVIOUS EDITIONS OBSOLETE

Page 1 of 2

30. Have You Ever Been Issued a U.S. Visa? ☐ Yes ☐ No
WHEN? _____
WHERE? _____
WHAT TYPE OF VISA? _____

31. Have You Ever Been Refused a U.S. Visa? ☐ Yes ☐ No
WHEN? _____
WHERE? _____
WHAT TYPE OF VISA? _____

32. Do You Intend To Work in The U.S.? ☐ Yes ☐ No
(If YES, give the name and complete address of U.S. employer.)

33. Do You Intend To Study in The U.S.? ☐ Yes ☐ No
(If YES, give the name and complete address of the school.)

34. Names and Relationships of Persons Traveling With You

35. Has Your U.S. Visa Ever Been Cancelled or Revoked? ☐ Yes ☐ No

36. Has Anyone Ever Filed an Immigrant Visa Petition on Your Behalf? ☐ Yes ☐ No If Yes, Who?

37. Are Any of The Following Persons in The U.S., or Do They Have U.S. Legal Permanent Residence or U.S. Citizenship?
Mark YES or NO and indicate that person's status in the U.S. (i.e., U.S. legal permanent resident, U.S. citizen, visiting, studying, working, etc.).

☐ YES ☐ NO Husband/Wife _____
☐ YES ☐ NO Fiance/Fiancee _____
☐ YES ☐ NO

☐ YES ☐ NO Father/Mother _____
☐ YES ☐ NO Son/Daughter _____
Brother/Sister _____

38. IMPORTANT: ALL APPLICANTS MUST READ AND CHECK THE APPROPRIATE BOX FOR EACH ITEM.
A visa may not be issued to persons who are within specific categories defined by law as inadmissible to the United States (except when a waiver is obtained in advance). Is any of the following applicable to you?

● Have you ever been arrested or convicted for any offense or crime, even though subject of a pardon, amnesty or other similar legal action? Have you ever unlawfully distributed or sold a controlled substance (drug), or been a prostitute or procurer for prostitutes? ☐ YES ☐ NO

● Have you ever been refused admission to the U.S., or been the subject of a deportation hearing, or sought to obtain or assist others to obtain a visa, entry into the U.S., or any other U.S. immigration benefit by fraud or willful misrepresentation or other unlawful means? Have you attended a U.S. public elementary school on student (F) status or a public secondary school after November 30, 1996 without reimbursing the school? ☐ YES ☐ NO

● Do you seek to enter the United States to engage in export control violations, subversive or terrorist activities, or any other unlawful purpose? Are you a member or representative of a terrorist organization as currently designated by the U.S. Secretary of State? Have you ever participated in persecutions directed by the Nazi government of Germany; or have you ever participated in genocide? ☐ YES ☐ NO

● Have you ever violated the terms of a U.S. visa, or been unlawfully present in, or deported from, the United States? ☐ YES ☐ NO

● Have you ever withheld custody of a U.S. citizen child outside the United States from a person granted legal custody by a U.S. court, voted in the United States in violation of any law or regulation, or renounced U.S. citizenship for the purpose of avoiding taxation? ☐ YES ☐ NO

● Have you ever been afflicted with a communicable disease of public health significance or a dangerous physical or mental disorder, or ever been a drug abuser or addict? ☐ YES ☐ NO

While a YES answer does not automatically signify ineligibility for a visa, if you answered YES you may be required to personally appear before a consular officer.

39. Was this Application Prepared by Another Person on Your Behalf?
(If answer is YES, then have that person complete item 40.) ☐ Yes ☐ No

40. Application Prepared By:
NAME: _____ Relationship to Applicant: _____
ADDRESS: _____
Signature of Person Preparing Form: _____ DATE *(dd-mmm-yyyy)* _____

41. I certify that I have read and understood all the questions set forth in this application and the answers I have furnished on this form are true and correct to the best of my knowledge and belief. I understand that any false or misleading statement may result in the permanent refusal of a visa or denial of entry into the United States. I understand that possession of a visa does not automatically entitle the bearer to enter the United States of America upon arrival at a port of entry if he or she is found inadmissible.

APPLICANT'S SIGNATURE _____ DATE *(dd-mmm-yyyy)* _____

DS-156

Instructions

> Read the instructions carefully. If you do not follow the instructions, we may have to return your petition, which may delay final action.

1. Who may file?

A citizen or lawful permanent resident of the United States may file this form with the Immigration and Naturalization Service (INS) to establish the relationship to certain alien relatives who wish to immigrate to the United States. You must file a separate form for each eligible relative.

2. For whom may you file?

A. If you are a citizen, you may file this form for:
1) your husband, wife or unmarried child under 21 years old.
2) your unmarried son or daughter over 21, or married son or daughter of any age.
3) your brother or sister if you are at least 21 years old.
4) your parent if you are at least 21 years old.

B. If you are a lawful permanent resident, you may file this form for:
1) your husband or wife.
2) your unmarried child under 21 years of age.
3) your unmarried son or daughter over 21 years of age.

NOTE: If your relative qualifies under paragraph A(2) or A(3) above, separate petitions are not required for his or her husband or wife or unmarried children under 21 years of age. If your relative qualifies under paragraph B(2) or B(3) above, separate petitions are not required for his or her unmarried children under 21 years of age. These persons will be able to apply for the same category of immigrant visa as your relative.

3. For whom may you not file?

You may not file for a person in the following categories.

A. An adoptive parent or adopted child, if the adoption took place after the child's 16th birthday, or if the child has not been in the legal custody and living with the parent(s) for at least two years.

B. A natural parent, if the United States citizen son or daughter gained permanent residence through adoption.

C. A stepparent or stepchild, if the marriage that created the relationship took place after the child's 18th birthday.

D. A husband or wife, if you were not both physically present at the marriage ceremony, and the marriage was not consummated.

E. A husband or wife, if you gained lawful permanent resident status by virtue of a prior marriage to a United States citizen or lawful permanent resident unless:

1) a period of five years has elapsed since you became a lawful permanent resident; or

2) you can establish by clear and covincing evidence that the prior marriage (through which you gained your immigrant status) was not entered into for the purpose of evading any provision of the immigration laws; or

3) your prior marriage (through which you gained your immigrant status) was terminated by the death of your former spouse.

F. A husband or wife, if he or she was in exclusion, removal, rescission or judicial proceedings regarding his or her right to remain in the United States when the marriage took place, unless such spouse has resided outside the United States for a two-year period after the date of the marriage.

G. A husband or wife, if the Attorney General has determined that such an alien has attempted or conspired to enter into a marriage for the purpose of evading the immigration laws.

H. A grandparent, grandchild, nephew, niece, uncle, aunt, cousin or in-law.

4. What are the general filing instructions?

A. Type or print legibly in black or dark blue ink.

B. If extra space is needed to complete any item, attach a continuation sheet, indicate the item number, and date and sign each sheet.

C. Answer all questions fully and accurately. If any item does not apply, please write "N/A."

D. Translations. Any foreign language document must be accompanied by a full English translation, which the translator has certified as complete and correct, and by the translator's certification that he or she is competent to translate the foreign language into English.

E. Copies. If these instructions state that a copy of a document may be filed with this petition and you choose to send us the original, INS will keep that original for our records. If INS requires the original, it will be requested.

5. What documents do you need to show that you are a United States citizen?

A. If you were born in the United States, a copy of your birth certificate, issued by the civil registrar, vital statistics office, or other civil authority. If a birth certificate is not available, see the section below titled "What if a document is not avaliable?"

B. A copy of your naturalization certificate or certificate of citizenship issued by INS.

C. A copy of Form FS-240, Report of Birth Abroad of a Citizen of the United States, issued by an American embassy or

D. A copy of your unexpired U.S. passport; or

E. An original statement from a U.S. consular officer verifying that you are a U.S. citizen with a valid passport.

F. If you do not have any of the above documents and you were born in the United States, see instruction under 9 below, "What if a document is not available?"

6. What documents do you need to show that you are a permanent resident?

If you are a permanent resident, you must file your petition with a copy of the front and back of your permanent resident card. If you have not yet received your card, submit copies of your passport biographic page and the page showing admission as a permanent resident, or other evidence of permanent resident status issued by INS.

7. What documents do you need to prove a family relationship?

You have to prove that there is a family relationship between you and your relative. If you are filing for:

A. **A husband or wife,** give INS the following documentation:
  1) a copy of your marriage certificate.

  2) if either you or your spouse were previously married, submit copies of documents showing that all prior marriages were legally terminated.

  3) a color photo of you and one of your husband or wife, taken within 30 days of the date of this petition. The photos must have a white background and be glossy, unretouched and not mounted. The dimensions of the facial image should be about 1 inch from the chin to top of the hair, in a 3/4 frontal view, showing the right side of the face with the right ear visible. Using pencil or felt pen, lightly print the name (and Alien Registration Number, if known) on the back of each photograph.

  4) a completed and signed G-325A (Biographic Information Form) for you and one for your husband or wife. Except for name and signature, you do not have to repeat on the G-325A the information given on your I-130 petition.

B. **A child and you are the mother:** give a copy of the child's birth certificate showing your name and the name of your child.

C. **A child and you are the father:** give a copy of the child's birth certificate showing both parents' names and your marriage certificate.

D. **A child born out of wedlock and you are the father:** if the child was not legitimated before reaching 18 years old, you must file your petition with copies of evidence that a bona fide parent-child relationship existed between the father and the child before the child reached 21 years. This may include evidence that the father lived with the child, supported him or her, or otherwise showed continuing parental interest in the child's welfare.

E. **A brother or sister:** give a copy of your birth certificate and a copy of your brother's or sister's birth certificate showing that you have at least one common parent. If you and your brother or sister have a common father but different mothers, submit copies of the marriage certificates of the father to each mother and copies of documents showing that any prior marriages of either your father or mothers were legally terminated. If you and your brother or sister are related through adoption or through a stepparent, or if you have a common father and either of you were not legitimated before your 18th birthday, see also H and I below.

F. **A mother:** give a copy of your birth certificate showing your name and your mother's name.

G. **A father:** give a copy of your birth certificate showing the names of both parents. Also give a copy of your parents' marriage certificate establishing that your father was married to your mother before you were born, and copies of documents showing that any prior marriages of either your father or mother were legally terminated. If you are filing for a stepparent or adoptive parent, or if you are filing for your father and were not legitimated before your 18th birthday, also see D, H and I.

H. **Stepparent/stepchild:** if your petition is based on a stepparent-stepchild relationship, you must file your petition with a copy of the marriage certificate of the stepparent to the child's natural parent showing that the marriage occurred before the child's 18th birthday, and copies of documents showing that any prior marriages were legally terminated.

I. **Adoptive parent or adopted child:** if you and the person you are filing for are related by adoption, you must submit a copy of the adoption decree(s) showing that the adoption took place before the child became 16 years old. If you adopted the sibling of a child you already adopted, you must submit a copy of the adoption decree(s) showing that the adoption of the sibling occured before that child's 18th birthday. In either case, you must also submit copies of evidence that each child was in the legal custody of and resided with the parent(s) who adopted him or her for at least two years before or after the adoption. Legal custody may only be granted by a court or recognized government entity and is usually granted at the time the adoption is finalized. However, if legal custody is granted by a court or recognized government agency prior to the adoption, that time may be counted toward fulfilling the two-year legal custody requirement.

8. What if your name has changed?

If either you or the person you are filing for is using a name other than that shown on the relevant documents, you must file your petition with copies of the legal documents that effected the change, such as a marriage certificate, adoption decree or court order.

9. What if a document is not available?

If the documents needed are not available, give INS a statement from the appropriate civil authority certifying that the document or documents are not available. In such situation, you may submit secondary evidence, including:

A. **Church record:** a copy of a document bearing the seal of the church, showing the baptism, dedication or comparable rite occurred within two months after birth, and showing the date and place of the child's birth, date of the religious ceremony and the names of the child's parents.

B. **School record:** a letter from the authority (preferably the first school attended) showing the date of admission to the school, child's date of birth or age at that time, the place of birth, and the names of the parents.

C. **Census record:** state or federal census record showing the names, place of birth, date of birth or the age of the person listed.

D. **Affidavits:** written statements sworn to or affirmed by two persons who were living at the time and who have personal knowledge of the event you are trying to prove. For example, the date and place of birth, marriage or death. The person making the affidavit does not have to be a citizen of the United States. Each affidavit should contain the following information regarding the person making the affidavit: his or her full name, address, date and place of birth and his or her relationship to you, if any, full information concerning the event, and complete details explaining how the person acquired knowledge of the event.

10. Where should you file this form?

If you reside in the U.S., file this form at the INS service Center having jurisdiction over your place of residence.

If you live in Connecticut, Delaware, District of Columbia, Maine, Maryland, Massacusetts, New Hampshire, New Jersey, New York, Pennsylvania, Puerto Rico, Rhode Island, Vermont, Virgin Islands, Virginia or West Virginia, mail this petition to: **USINS Vermont Service Center, 75 Lower Welden Street, St. Albans, VT 05479-0001.**

NOTE: If the I-130 petition is being filed concurrently with Form I-485, Application to Register Permanent Residence or to Adjust Status, submit both forms at the local INS office having jurisdiction over the place where the I-485 applicant resides. Applicants who reside in the jurisdiction of the Baltimore, MD, District Office should submit the I-130 petition and the Form I-485 concurrently to the **USINS Vermont Service Center, 75 Lower Welden Street, St. Albans, VT 05479-0001.**

If you live in Alaska, Colorado, Idaho, Illinois, Indiana, Iowa, Kansas, Michigan, Minnesota, Missouri, Montana, Nebraska, North Dakota, Ohio, Oregon, South Dakota, Utah, Washington, Wisconsin or Wyoming, mail this petition to: **USINS Nebraska Service Center, P.O. Box 87130, Lincoln, NE 68501-7130.**

If you live in Alabama, Arkansas, Florida, Georgia, Kentucky, Louisiana, Mississippi, New Mexico, North Carolina, Oklahoma, South Carolina, Tennessee or Texas, mail this petition to: **USINS Texas Service Center, P.O. Box 850919, Mesquite,TX 75185-0919.**

If you live in Arizona, California, Guam, Hawaii or Nevada, mail this petition to: **USINS California Service Center, P.O. Box 10130, Laguna Niguel, CA 92607-0130.**

Petitioners residing abroad: If you live outside the United States, you may file your relative petition at the INS office overseas or the U.S. consulate or embassy having jurisdiction over the area where you live. For further information, contact the nearest American consulate or embassy.

11. What is the fee?

You must pay $130.00 to file this form. **The fee will not be refunded, whether the petition is approved or not. DO NOT MAIL CASH.** All checks or money orders, whether U.S. or foreign, must be payable in U.S. currency at a financial institution in the United States. When a check is drawn on the account of a person other than yourself, write your name on the face of the check. If the check is not honored, INS will charge you $30.00.

Pay by check or money order in the exact amount. Make the check or money order payable to Immigration and Naturalization Service, unless:

A. you live in Guam, and are filing your petition there, make the check or money order payable to the "Treasurer, Guam" or

B. you live in the U.S. Virgin Islands, and you are filing your petition there, make your check or money order payable to the "Commissioner of Finance of the Virgin Islands."

12. When will a visa become available?

When a petition is approved for the husband, wife, parent or unmarried minor child of a United States citizen, these relatives do not have to wait for a visa number because they are not subject to the immigrant visa limit.

However, for a child to qualify for the immediate relative category, all processing must be completed and the child must enter the United States before his or her 21st birthday.

For all other alien relatives, there are only a limited number of immigrant visas each year. The visas are issued in the order in which the petitions are properly filed and accepted by INS. To be considered properly filed, a petition must be fully completed and signed, and the fee must be paid.

For a monthly report on the dates when immigrant visas are available, call the **U.S. Department of State** at **(202) 647-0508**.

13. Notice to persons filing for spouses, if married less than two years.

Pursuant to section 216 of the Immigration and Nationality Act, your alien spouse may be granted conditional permanent resident status in the United States as of the date he or she is admitted or adjusted to conditional status by an INS Officer. Both you and your conditional resident spouse are required to file Form I-751, Joint Petition to Remove Conditional Basis of Alien's Permanent Resident Status, during the 90-day period immediately before the second anniversary of the date your alein spouse was granted conditional permanent resident status.

Otherwise, the rights, privileges, responsibilites and duties that apply to all other permanent residents apply equally to a conditional permanent resident. A conditional permanent resident is not limited to the right to apply for naturalization, to file petitions on behalf of qualifying relatives or to reside permanently in the United States as an immigrant in accordance with our nation's immigration laws.

NOTE: Failure to file the Form I-751 joint petition to remove the conditional basis of the alien spouse's permanent resident status will result in the termination of his or her permanent resident status and initiation of removal proceedings.

14. What are the penalties for committing marriage fraud or submitting false information or both?

Title 8, United States Code, Section 1325, states that any individual who knowingly enters into a marriage contract for the purpose of evading any provision of the immigration laws shall be imprisoned for not more than five years, or fined not more than $250,000, or both.

Title 18, United States Code, Section 1001, states that whoever willfully and knowingly falsifies a material fact, makes a false statement, or makes use of a false document will be fined up to $10,000, imprisoned for up to five years, or both.

15. What is our authority for collecting this information?

We request the information on the form to carry out the immigration laws contained in Title 8, United States Code, Section 1154(a). We need this information to determine whether a person is eligible for immigration benefits. The information you provide may also be disclosed to other Federal, state, local and foreign law enforcement and regulatory agencies during the course of the investigation required by INS. You do not have to give this information. However, if you refuse to give some or all of it, your petition may be denied.

16. Paperwork Reduction Act Notice.

A person is not required to respond to a collection of information unless it displays a currently valid OMB control number. Public reporting burden for this collection of information is estimated to average 30 minutes per response, including the time for reviewing instructions, searching existing data sources, gathering and maintaining the data needed, and completing and reviewing the collection of information. Send comments regarding this burden estimate or any other aspect of this collection of information, including suggestions for reducing this burden to: U.S. Department of Justice, Immigration and Naturalization Service, Room 4034, Washington, D.C. 20536; OMB No.1115-0054. **DO NOT MAIL YOUR COMPLETED APPLICATION TO THIS ADDRESS.**

Checklist.

- Did you answer each question on the Form I-130 petition?
- Did you sign the petition?
- Did you enclose the correct filing fee for each petition?
- Did you submit proof of your U.S. citizenship or lawful permanent residence?
- Did you submit other required supporting evidence?

If you are filing for your husband or wife, did you include
- your photograph?
- his or her photograph?
- your completed Form G-325A?
- his or her Form G-325A?

Information and Forms: For information on immigration laws, regulations and procedures or to order INS forms, call our National Customer Service Center at 1-800-375-5283 or visit the INS website at _www.ins.usdoj.gov._

DO NOT WRITE IN THIS BLOCK - FOR EXAMINING OFFICE ONLY

A#	Action Stamp	Fee Stamp

Section of Law/Visa Category
- [ ] 201(b) Spouse - IR-1/CR-1
- [ ] 201(b) Child - IR-2/CR-2
- [ ] 201(b) Parent - IR-5
- [ ] 203(a)(1) Unm. S or D - F1-1
- [ ] 203(a)(2)(A)Spouse - F2-1
- [ ] 203(a)(2)(A) Child - F2-2
- [ ] 203(a)(2)(B) Unm. S or D - F2-4
- [ ] 203(a)(3) Married S or D - F3-1
- [ ] 203(a)(4) Brother/Sister - F4-1

Petition was filed on: _____ (priority date)
- [ ] Personal Interview
- [ ] Pet. [ ] Ben. " A" File Reviewed
- [ ] Field Investigation
- [ ] 203(a)(2)(A) Resolved
- [ ] Previously Forwarded
- [ ] I-485 Filed Simultaneously
- [ ] 204(g) Resolved
- [ ] 203(g) Resolved

Remarks:

A. Relationship   You are the petitioner; your relative is the beneficiary.

1. I am filing this petition for my:
- [ ] Husband/Wife [ ] Parent [ ] Brother/Sister [ ] Child

2. Are you related by adoption?
- [ ] Yes [ ] No

3. Did you gain permanent residence through adoption?
- [ ] Yes [ ] No

B. Information about you

1. Name (Family name in CAPS)   (First)   (Middle)

2. Address (Number and Street)   **(Apt.No.)**

(Town or City)   (State/Country)   (Zip/Postal Code)

3. Place of Birth (Town or City)   (State/Country)

4. Date of Birth (Month/Day/Year)

5. Gender
- [ ] Male
- [ ] Female

6. Marital Status
- [ ] Married [ ] Single
- [ ] Widowed [ ] Divorced

7. Other Names Used (including maiden name)

8. Date and Place of Present Marriage (if married)

9. Social Security Number (if any)   **10. Alien Registration Number**

11. Name(s) of Prior Husband(s)/Wive(s)   **12. Date(s) Marriage(s) Ended**

13. If you are a U.S. citizen, complete the following:

My citizenship was acquired through (check one):
- [ ] Birth in the U.S.
- [ ] Naturalization. Give certificate number and date and place of issuance.

_____

- [ ] Parents. Have you obtained a certificate of citizenship in your own name?
  - [ ] Yes. Give certificate number, date and place of issuance. [ ] No

14a. If you are a lawful permanent resident alien, complete the following: Date and place of admission for, or adjustment to, lawful permanent residence and class of admission.

14b. Did you gain permanent resident status through marriage to a United States citizen or lawful permanent resident?
- [ ] Yes [ ] No

C. Information about your relative

1. Name (Family name in CAPS)   (First)   (Middle)

2. Address (Number and Street)   **(Apt. No.)**

(Town or City)   (State/Country)   (Zip/Postal Code)

3. Place of Birth (Town or City)   (State/Country)

4. Date of Birth (Month/Day/Year)

5. Gender
- [ ] Male
- [ ] Female

6. Marital Status
- [ ] Married [ ] Single
- [ ] Widowed [ ] Divorced

7. Other Names Used (including maiden name)

8. Date and Place of Present Marriage (if married)

9. Social Security Number (if any)   **10. Alien Registration Number**

11. Name(s) of Prior Husband(s)/Wive(s)   **12. Date(s) Marriage(s) Ended**

13. Has your relative ever been in the U.S.? [ ] Yes [ ] No

14. If your relative is currently in the U.S., complete the following:
He or she arrived as a:: (visitor, student, stowaway, without inspection, etc.)

Arrival/Departure Record (I-94)   Date arrived (Month/Day/Year)

| | | | ■ | | | | | | | |

Date authorized stay expired, or will expire, as shown on Form I-94 or I-95

15. Name and address of present employer (if any)

Date this employment began (Month/Day/Year)

16. Has your relative ever been under immigration proceedings?
- [ ] No [ ] Yes Where _____ When _____
- [ ] Removal [ ] Exclusion/Deportation [ ] Recission [ ] Judicial Proceedings

C. Information about your alien relative (continued)

17. List husband/wife and all children of your relative.

(Name)	(Relationship)	(Date of Birth)	(Country of Birth)

18. Address in the United States where your relative intends to live.

(Street Address)	(Town or City)	(State)

19. Your relative's address abroad. (Include street, city, province and country)

Phone Number (if any)

20. If your relative's native alphabet is other than Roman letters, write his or her name and foreign address in the native alphabet.

(Name)   Address (Include street, city, province and country):

21. If filing for your husband/wife, give last address at which you lived together. (Include street, city, province, if any, and country):

From: (Month) (Year)   To: (Month) (Year)

22. Complete the information below if your relative is in the United States and will apply for adjustment of status

Your relative is in the United States and will apply for adjustment of status to that of a lawful permanent resident at the office of the Immigration and Naturalization Service in _____. If your relative is not eligible for adjustment of status, he or she

(City)   (State)

will apply for a visa abroad at the American consular post in _____

(City)   (Country)

NOTE: Designation of an American embassy or consulate outside the country of your relative's last residence does not guarantee acceptance for processing by that post. Acceptance is at the discretion of the designated embassy or consulate.

D. Other information

1. If separate petitions are also being submitted for other relatives, give names of each and relationship.

2. Have you ever filed a petition for this or any other alien before? ☐ Yes ☐ No
If "Yes," give name, place and date of filing and result.

WARNING: INS investigates claimed relationships and verifies the validity of documents. INS seeks criminal prosecutions when family relationships are falsified to obtain visas.

PENALTIES: By law, you may be imprisoned for not more than five years or fined $250,000, or both, for entering into a marriage contract f the purpose of evading any provision of the immigration laws. In addition, you may be fined up to $10,000 and imprisoned for up to five years, or both, for knowingly and willfully falsifying or concealing a material fact or using any false document in submitting this petition.

YOUR CERTIFICATION: I certify, under penalty of perjury under the laws of the United States of America, that the foregoing is true and correct. Furthermore, I authorize the release of any information from my records which the Immigration and Naturalization Service needs to determine eligibility for the benefit that I am seeking.

E. Signature of petitioner.

Date   Phone Number

F. Signature of person preparing this form, if other than the petitioner.

I declare that I prepared this document at the request of the person above and that it is based on all information of which I have any knowledg

Print Name _____   Signature _____   Date _____

Address _____   G-28 ID or VOLAG Number, if any. _____

Instructions

Read the instructions carefully. If you do not follow the instructions, we may have to return your petition, which may delay final action.

1. Who may file?

A citizen or lawful permanent resident of the United States may file this form with the Immigration and Naturalization Service (INS) to establish the relationship to certain alien relatives who wish to immigrate to the United States. You must file a separate form for each eligible relative.

2. For whom may you file?

A. If you are a citizen, you may file this form for:
1) your husband, wife or unmarried child under 21 years old.
2) your unmarried son or daughter over 21, or married son or daughter of any age.
3) your brother or sister if you are at least 21 years old.
4) your parent if you are at least 21 years old.

B. If you are a lawful permanent resident, you may file this form for:
1) your husband or wife.
2) your unmarried child under 21 years of age.
3) your unmarried son or daughter over 21 years of age.

NOTE: If your relative qualifies under paragraph A(2) or A(3) above, separate petitions are not required for his or her husband or wife or unmarried children under 21 years of age. If your relative qualifies under paragraph B(2) or B(3) above, separate petitions are not required for his or her unmarried children under 21 years of age. These persons will be able to apply for the same category of immigrant visa as your relative.

3. For whom may you not file?

You may not file for a person in the following categories.

A. An adoptive parent or adopted child, if the adoption took place after the child's 16th birthday, or if the child has not been in the legal custody and living with the parent(s) for at least two years.

B. A natural parent, if the United States citizen son or daughter gained permanent residence through adoption.

C. A stepparent or stepchild, if the marriage that created the relationship took place after the child's 18th birthday.

D. A husband or wife, if you were not both physically present at the marriage ceremony, and the marriage was not consummated.

E. A husband or wife, if you gained lawful permanent resident status by virtue of a prior marriage to a United States citizen or lawful permanent resident unless:

1) a period of five years has elapsed since you became a lawful permanent resident; or

2) you can establish by clear and covincing evidence that the prior marriage (through which you gained your immigrant status) was not entered into for the purpose of evading any provision of the immigration laws; or

3) your prior marriage (through which you gained your immigrant status) was terminated by the death of your former spouse.

F. A husband or wife, if he or she was in exclusion, removal, rescission or judicial proceedings regarding his or her right to remain in the United States when the marriage took place, unless such spouse has resided outside the United States for a two-year period after the date of the marriage.

G. A husband or wife, if the Attorney General has determined that such an alien has attempted or conspired to enter into a marriage for the purpose of evading the immigration laws.

H. A grandparent, grandchild, nephew, niece, uncle, aunt, cousin or in-law.

4. What are the general filing instructions?

A. Type or print legibly in black or dark blue ink.

B. If extra space is needed to complete any item, attach a continuation sheet, indicate the item number, and date and sign each sheet.

C. Answer all questions fully and accurately. If any item does not apply, please write "N/A."

D. **Translations**. Any foreign language document must be accompanied by a full English translation, which the translator has certified as complete and correct, and by the translator's certification that he or she is competent to translate the foreign language into English.

E. **Copies.** If these instructions state that a copy of a document may be filed with this petition and you choose to send us the original, INS will keep that original for our records. If INS requires the original, it will be requested.

5. What documents do you need to show that you are a United States citizen?

A. If you were born in the United States, a copy of your birth certificate, issued by the civil registrar, vital statistics office, or other civil authority. If a birth certificate is not available, see the section below titled "What if a document is not avaiable?"

B. A copy of your naturalization certificate or certificate of citizenship issued by INS.

C. A copy of Form FS-240, Report of Birth Abroad of a Citizen of the United States, issued by an American embassy or

D. A copy of your unexpired U.S. passport; or

E. An original statement from a U.S. consular officer verifying that you are a U.S. citizen with a valid passport.

F. If you do not have any of the above documents and you were born in the United States, see instruction under 9 below, "What if a document is not available?"

6. What documents do you need to show that you are a permanent resident?

If you are a permanent resident, you must file your petition with a copy of the front and back of your permanent resident card. If you have not yet received your card, submit copies of your passport biographic page and the page showing admission as a permanent resident, or other evidence of permanent resident status issued by INS.

7. What documents do you need to prove a family relationship?

You have to prove that there is a family relationship between you and your relative. If you are filing for:

A. A husband or wife, give INS the following documentation:
   1) a copy of your marriage certificate.

   2) if either you or your spouse were previously marrried, submit copies of documents showing that all prior marriages were legally terminated.

   3) a color photo of you and one of your husband or wife, taken within 30 days of the date of this petition. The photos must have a white background and be glossy, unretouched and not mounted. The dimensions of the facial image should be about 1 inch from the chin to top of the hair, in a 3/4 frontal view, showing the right side of the face with the right ear visible. Using pencil or felt pen, lightly print the name (and Alien Registration Number, if known) on the back of each photograph.

   4) a completed and signed G-325A (Biographic Information Form) for you and one for your husband or wife. Except for name and signature, you do not have to repeat on the G-325A the information given on your I-130 petition.

B. A child and you are the mother: give a copy of the child's birth certificate showing your name and the name of your child.

C. A child and you are the father: give a copy of the child's birth certificate showing both parents' names and your marriage certificate.

D. A child born out of wedlock and you are the father: if the child was not legitimated before reaching 18 years old, you must file your petition with copies of evidence that a bona fide parent-child relationship existed between the father and the child before the child reached 21 years. This may include evidence that the father lived with the child, supported him or her, or otherwise showed continuing parental interest in the child's welfare.

E. A brother or sister: give a copy of your birth certificate and a copy of your brother's or sister's birth certificate showing that you have at least one common parent. If you and your brother or sister have a common father but different mothers, submit copies of the marriage certificates of the father to each mother and copies of documents showing that any prior marriages of either your father or mothers were legally terminated. If you and your brother or sister are related through adoption or through a stepparent, or if you have a common father and either of you were not legitimated before your 18th birthday, see also H and I below.

F. A mother: give a copy of your birth certificate showing your name and your mother's name.

G. A father: give a copy of your birth certificate showing the names of both parents. Also give a copy of your parents' marriage certificate establishing that your father was married to your mother before you were born, and copies of documents showing that any prior marriages of either your father or mother were legally terminated. If you are filing for a stepparent or adoptive parent, or if you are filing for your father and were not legitimated before your 18th birthday, also see D, H and I.

H. Stepparent/stepchild: if your petition is based on a stepparent-stepchild relationship, you must file your petition with a copy of the marriage certificate of the stepparent to the child's natural parent showing that the marriage occurred before the child's 18th birthday, and copies of documents showing that any prior marriages were legally terminated.

I. Adoptive parent or adopted child: if you and the person you are filing for are related by adoption, you must submit a copy of the adoption decree(s) showing that the adoption took place before the child became 16 years old. If you adopted the sibling of a child you already adopted, you must submit a copy of the adoption decree(s) showing that the adoption of the sibling occured before that child's 18th birthday. In either case, you must also submit copies of evidence that each child was in the legal custody of and resided with the parent(s) who adopted him or her for at least two years before or after the adoption. Legal custody may only be granted by a court or recognized government entity and is usually granted at the time the adoption is finalized. However, if legal custody is granted by a court or recognized government agency prior to the adoption, that time may be counted toward fulfilling the two-year legal custody requirement.

8. What if your name has changed?

If either you or the person you are filing for is using a name other than that shown on the relevant documents, you must file your petition with copies of the legal documents that effected the change, such as a marriage certificate, adoption decree or court order.

9. What if a document is not available?

If the documents needed are not available, give INS a statement from the appropriate civil authority certifying that the document or documents are not available. In such situation, you may submit secondary evidence, including:

A. **Church record:** a copy of a document bearing the seal of the church, showing the baptism, dedication or comparable rite occurred within two months after birth, and showing the date and place of the child's birth, date of the religious ceremony and the names of the child's parents.

B. **School record:** a letter from the authority (preferably the first school attended) showing the date of admission to the school, child's date of birth or age at that time, the place of birth, and the names of the parents.

C. **Census record:** state or federal census record showing the names, place of birth, date of birth or the age of the person listed.

D. **Affidavits:** written statements sworn to or affirmed by two persons who were living at the time and who have personal knowledge of the event you are trying to prove. For example, the date and place of birth, marriage or death. The person making the affidavit does not have to be a citizen of the United States. Each affidavit should contain the following information regarding the person making the affidavit: his or her full name, address, date and place of birth and his or her relationship to you, if any, full information concerning the event, and complete details explaining how the person acquired knowledge of the event.

10. Where should you file this form?

If you reside in the U.S., file this form at the INS service Center having jurisdiction over your place of residence.

If you live in Connecticut, Delaware, District of Columbia, Maine, Maryland, Massacusetts, New Hampshire, New Jersey, New York, Pennsylvania, Puerto Rico, Rhode Island, Vermont, Virgin Islands, Virginia or West Virginia, mail this petition to: **USINS Vermont Service Center, 75 Lower Welden Street, St. Albans, VT 05479-0001.**

NOTE: If the I-130 petition is being filed concurrently with Form I-485, Application to Register Permanent Residence or to Adjust Status, submit both forms at the local INS office having jurisdiction over the place where the I-485 applicant resides. Applicants who reside in the jurisdiction of the Baltimore, MD, District Office should submit the I-130 petition and the Form I-485 concurrently to the **USINS Vermont Service Center, 75 Lower Welden Street, St. Albans, VT 05479-0001.**

If you live in Alaska, Colorado, Idaho, Illinois, Indiana, Iowa, Kansas, Michigan, Minnesota, Missouri, Montana, Nebraska, North Dakota, Ohio, Oregon, South Dakota, Utah, Washington, Wisconsin or Wyoming, mail this petition to: **USINS Nebraska Service Center, P.O. Box 87130, Lincoln, NE 68501-7130.**

If you live in Alabama, Arkansas, Florida, Georgia, Kentucky, Louisiana, Mississippi, New Mexico, North Carolina, Oklahoma, South Carolina, Tennessee or Texas, mail this petition to: **USINS Texas Service Center, P.O. Box 850919, Mesquite,TX 75185-0919.**

If you live in Arizona, California, Guam, Hawaii or Nevada, mail this petition to: **USINS California Service Center, P.O. Box 10130, Laguna Niguel, CA 92607-0130.**

Petitioners residing abroad: If you live outside the United States, you may file your relative petition at the INS office overseas or the U.S. consulate or embassy having jurisdiction over the area where you live. For further information, contact the nearest American consulate or embassy.

11. What is the fee?

You must pay $130.00 to file this form. **The fee will not be refunded, whether the petition is approved or not. DO NOT MAIL CASH.** All checks or money orders, whether U.S. or foreign, must be payable in U.S. currency at a financial institution in the United States. When a check is drawn on the account of a person other than yourself, write your name on the face of the check. If the check is not honored, INS will charge you $30.00.

Pay by check or money order in the exact amount. Make the check or money order payable to Immigration and Naturalization Service, unless:

A. you live in Guam, and are filing your petition there, make the check or money order payable to the "Treasurer, Guam" or

B. you live in the U.S. Virgin Islands, and you are filing your petition there, make your check or money order payable to the "Commissioner of Finance of the Virgin Islands."

12. When will a visa become available?

When a petition is approved for the husband, wife, parent or unmarried minor child of a United States citizen, these relatives do not have to wait for a visa number because they are not subject to the immigrant visa limit.

However, for a child to qualify for the immediate relative category, all processing must be completed and the child must enter the United States before his or her 21st birthday.

For all other alien relatives, there are only a limited number of immigrant visas each year. The visas are issued in the order in which the petitions are properly filed and accepted by INS. To be considered properly filed, a petition must be fully completed and signed, and the fee must be paid.

For a monthly report on the dates when immigrant visas are available, call the **U.S. Department of State** at **(202) 647-0508.**

13. Notice to persons filing for spouses, if married less than two years.

Pursuant to section 216 of the Immigration and Nationality Act, your alien spouse may be granted conditional permanent resident status in the United States as of the date he or she is admitted or adjusted to conditional status by an INS Officer. Both you and your conditional resident spouse are required to file Form I-751, Joint Petition to Remove Conditional Basis of Alien's Permanent Resident Status, during the 90-day period immediately before the second anniversary of the date your alein spouse was granted conditional permanent resident status.

Otherwise, the rights, privileges, responsibilites and duties that apply to all other permanent residents apply equally to a conditional permanent resident. A conditional permanent resident is not limited to the right to apply for naturalization, to file petitions on behalf of qualifying relatives or to reside permanently in the United States as an immigrant in accordance with our nation's immigration laws.

NOTE: Failure to file the Form I-751 joint petition to remove the conditional basis of the alien spouse's permanent resident status will result in the termination of his or her permanent resident status and initiation of removal proceedings.

14. What are the penalties for committing marriage fraud or submitting false information or both?

Title 8, United States Code, Section 1325, states that any individual who knowingly enters into a marriage contract for the purpose of evading any provision of the immigration laws shall be imprisoned for not more than five years, or fined not more than $250,000, or both.

Title 18, United States Code, Section 1001, states that whoever willfully and knowingly falsifies a material fact, makes a false statement, or makes use of a false document will be fined up to $10,000, imprisoned for up to five years, or both.

15. What is our authority for collecting this information?

We request the information on the form to carry out the immigration laws contained in Title 8, United States Code, Section 1154(a). We need this information to determine whether a person is eligible for immigration benefits. The information you provide may also be disclosed to other Federal, state, local and foreign law enforcement and regulatory agencies during the course of the investigation required by INS. You do not have to give this information. However, if you refuse to give some or all of it, your petition may be denied.

16. Paperwork Reduction Act Notice.

A person is not required to respond to a collection of information unless it displays a currently valid OMB control number. Public reporting burden for this collection of information is estimated to average 30 minutes per response, including the time for reviewing instructions, searching existing data sources, gathering and maintaining the data needed, and completing and reviewing the collection of information. Send comments regarding this burden estimate or any other aspect of this collection of information, including suggestions for reducing this burden to: U.S. Department of Justice, Immigration and Naturalization Service, Room 4034, Washington, D.C. 20536; OMB No.1115-0054. **DO NOT MAIL YOUR COMPLETED APPLICATION TO THIS ADDRESS.**

Checklist.

- Did you answer each question on the Form I-130 petition?
- Did you sign the petition?
- Did you enclose the correct filing fee for each petition?
- Did you submit proof of your U.S. citizenship or lawful permanent residence?
- Did you submit other required supporting evidence?

If you are filing for your husband or wife, did you include:
- your photograph?
- his or her photograph?
- your completed Form G-325A?
- his or her Form G-325A?

Information and Forms: For information on immigration laws, regulations and procedures or to order INS forms, call our National Customer Service Center at 1-800-375-5283 or visit the INS website at _www.ins.usdoj.gov._

U.S. Department of Justice
Immigration and Naturalization Service

OMB #1115-0054

Petition for Alien Relative

DO NOT WRITE IN THIS BLOCK - FOR EXAMINING OFFICE ONLY

A#	Action Stamp	Fee Stamp

Section of Law/Visa Category
- [ ] 201(b) Spouse - IR-1/CR-1
- [ ] 201(b) Child - IR-2/CR-2
- [ ] 201(b) Parent - IR-5
- [ ] 203(a)(1) Unm. S or D - F1-1
- [ ] 203(a)(2)(A)Spouse - F2-1
- [ ] 203(a)(2)(A) Child - F2-2
- [ ] 203(a)(2)(B) Unm. S or D - F2-4
- [ ] 203(a)(3) Married S or D - F3-1
- [ ] 203(a)(4) Brother/Sister - F4-1

Petition was filed on: _____ (priority date)
- [ ] Personal Interview
- [ ] Pet. [ ] Ben. " A" File Reviewed
- [ ] Field Investigation
- [ ] 203(a)(2)(A) Resolved
- [ ] Previously Forwarded
- [ ] I-485 Filed Simultaneously
- [ ] 204(g) Resolved
- [ ] 203(g) Resolved

Remarks:

A. Relationship   You are the petitioner; your relative is the beneficiary.

1. I am filing this petition for my:
[ ] Husband/Wife [ ] Parent [ ] Brother/Sister [ ] Child

2. Are you related by adoption?
[ ] Yes [ ] No

3. Did you gain permanent residence through adoption?
[ ] Yes [ ] No

B. Information about you

1. Name (Family name in CAPS)   (First)   (Middle)

2. Address (Number and Street)   (Apt.No.)

(Town or City)   (State/Country)   (Zip/Postal Code)

3. Place of Birth (Town or City)   (State/Country)

4. Date of Birth (Month/Day/Year)

5. Gender
[ ] Male
[ ] Female

6. Marital Status
[ ] Married [ ] Single
[ ] Widowed [ ] Divorced

7. Other Names Used (including maiden name)

8. Date and Place of Present Marriage (if married)

9. Social Security Number (if any)

10. Alien Registration Number

11. Name(s) of Prior Husband(s)/Wive(s)

12. Date(s) Marriage(s) Ended

13. If you are a U.S. citizen, complete the following:

My citizenship was acquired through (check one):
- [ ] Birth in the U.S.
- [ ] Naturalization. Give certificate number and date and place of issuance.

_____

- [ ] Parents. Have you obtained a certificate of citizenship in your own name?
  - [ ] Yes. Give certificate number, date and place of issuance. [ ] No

14a. If you are a lawful permanent resident alien, complete the following: Date and place of admission for, or adjustment to, lawful permanent residence and class of admission.

14b. Did you gain permanent resident status through marriage to a United States citizen or lawful permanent resident?
[ ] Yes [ ] No

C. Information about your relative

1. Name (Family name in CAPS)   (First)   (Middle)

2. Address (Number and Street)   (Apt. No.)

(Town or City)   (State/Country)   (Zip/Postal Code)

3. Place of Birth (Town or City)   (State/Country)

4. Date of Birth (Month/Day/Year)

5. Gender
[ ] Male
[ ] Female

6. Marital Status
[ ] Married [ ] Single
[ ] Widowed [ ] Divorced

7. Other Names Used (including maiden name)

8. Date and Place of Present Marriage (if married)

9. Social Security Number (if any)

10. Alien Registration Number

11. Name(s) of Prior Husband(s)/Wive(s)

12. Date(s) Marriage(s) Ended

13. Has your relative ever been in the U.S.? [ ] Yes [ ] No

14. If your relative is currently in the U.S., complete the following:
He or she arrived as a::
(visitor, student, stowaway, without inspection, etc.)

Arrival/Departure Record (I-94)   Date arrived (Month/Day/Year)

Date authorized stay expired, or will expire, as shown on Form I-94 or I-95

15. Name and address of present employer (if any)

Date this employment began (Month/Day/Year)

16. Has your relative ever been under immigration proceedings?
[ ] No [ ] Yes Where _____ When _____
[ ] Removal [ ] Exclusion/Deportation [ ] Recission [ ] Judicial Proceedings

INITIAL RECEIPT	RESUBMITTED	RELOCATED: Rec'd	Sent	COMPLETED: Appv'd	Denied	Ret'd

Form I-130 (Rev. 06/05/02) Y

C. Information about your alien relative (continued)

17. List husband/wife and all children of your relative.

(Name)	(Relationship)	(Date of Birth)	(Country of Birth)

18. Address in the United States where your relative intends to live.

(Street Address) (Town or City) (State)

19. Your relative's address abroad. (Include street, city, province and country)

Phone Number (if any)

20. If your relative's native alphabet is other than Roman letters, write his or her name and foreign address in the native alphabet.
(Name) Address (Include street, city, province and country):

21. If filing for your husband/wife, give last address at which you lived together. (Include street, city, province, if any, and country):

From: To:
(Month) (Year) (Month) (Year)

22. Complete the information below if your relative is in the United States and will apply for adjustment of status

Your relative is in the United States and will apply for adjustment of status to that of a lawful permanent resident at the office of the Immigration and Naturalization Service in _____ . If your relative is not eligible for adjustment of status, he or she

(City) (State)

will apply for a visa abroad at the American consular post in _____

(City) (Country)

NOTE: Designation of an American embassy or consulate outside the country of your relative's last residence does not guarantee acceptance for processing by that post. Acceptance is at the discretion of the designated embassy or consulate.

D. Other information

1. If separate petitions are also being submitted for other relatives, give names of each and relationship.

2. Have you ever filed a petition for this or any other alien before? ☐ Yes ☐ No
If "Yes," give name, place and date of filing and result.

WARNING: INS investigates claimed relationships and verifies the validity of documents. INS seeks criminal prosecutions when family relationships are falsified to obtain visas.

PENALTIES: By law, you may be imprisoned for not more than five years or fined $250,000, or both, for entering into a marriage contract for the purpose of evading any provision of the immigration laws. In addition, you may be fined up to $10,000 and imprisoned for up to five years, or both, for knowingly and willfully falsifying or concealing a material fact or using any false document in submitting this petition.

YOUR CERTIFICATION: I certify, under penalty of perjury under the laws of the United States of America, that the foregoing is true and correct. Furthermore, I authorize the release of any information from my records which the Immigration and Naturalization Service needs to determine eligibility for the benefit that I am seeking.

E. Signature of petitioner.

Date Phone Number

F. Signature of person preparing this form, if other than the petitioner.

I declare that I prepared this document at the request of the person above and that it is based on all information of which I have any knowledge.

Print Name Signature Date

Address G-28 ID or VOLAG Number, if any.

Form I-130 (Rev. 06/05/02) Y Page

Purpose of This Form.

You should use this form if you are one of the nonimmigrants listed below and wish to apply to the Immigration and Naturalization Service (INS) for an extension of stay or a change to another nonimmigrant status. In certain situations, you may be able to use this form to apply for an initial nonimmigrant status.

You may also use this form if you are a nonimmigrant F-1 or M-1 student applying for reinstatement.

Who May File/Initial Evidence.

Extension of Stay or Change of Status:

Nonimmigrants in the United States may apply for an extension of stay or a change of status on this form, except as noted in these instructions under the heading, "Who May Not File."

Multiple Applicants.

You may include your spouse and your unmarried children under age 21 years as co-applicants in your application for the same extension or change of status, if you are all now in the same status or they are all in derivative status.

Required Documentation - Form I-94, Nonimmigrant Arrival/ Departure Record.

You are required to submit with your Form I-539 application the original or copy, front and back, of Form I-94 of each person included in your application. If the original Form I-94 or required copy cannot be submitted with this application, include a Form I-102, Application for Replacement/Initial Nonimmigrant Arrival/Departure Document, with the required fee.

Valid Passport.

If you were required to have a passport to be admitted into the United States, you must maintain the validity of your passport during your nonimmigrant stay. If a required passport is not valid when you file the Form I-539 application, submit an explanation with your form.

Additional Evidence.

You may be required to submit additional evidence noted in these instructions.

Nonimmigrant Categories.

This form may be used by the following nonimmigrants listed in alphabetical order:

- **An A, Ambassador, Public Minister, or Career Diplomatic or Consular Officer** and their immediate family members.

  You must submit a copy, front and back, of the Form I-94 of each person included in the application and a Form I-566, Interagency Record of Individual Requesting Change, Adjustment to, or from, A to G Status; or Requesting A, G or NATO Dependent Employment Authorization, certified by the Department of State to indicate your accredited status.

NOTE: An A-1 or A-2 nonimmigrant is not required to pay a fee with the I-539 application.

- **An A-3, Attendant or Servant of an A nonimmigrant** and the A-3's immediate family members.

  You must submit a copy, front and back, of the Form I-94 of each person included in the application.

  The application must be filed with:

  -- a copy of your employer's Form I-94 or approval notice demonstrating A status;

  -- an original letter from your employer describing your duties and stating that he or she intends to personally employ you; and arrangements you have made to depart the U.S.; and

  -- an original Form I-566, certified by the Department of State, indicating your employer's continuing accredited status.

- **A B-1, Visitor for Business or B-2, Visitor for Pleasure.**

  If you are filing for an extension/change, you must file your application with the original Form I-94 of each person included in your application. In addition, you must submit a written statement explaining in detail:

  -- the reasons for your request;

  -- why your extended stay would be temporary, including what arrangements you have made to depart the United States; and

  -- any effect the extended stay may have on your foreign employment or residency.

- **Dependents of an E, Treaty Trader or Investor.**

  If you are filing for an extension/change of status as the dependent of an E, this application must be submitted with:

  -- the Form I-129, Petition for Alien Worker, filed for that E or a copy of the filing receipt noting that the petition is pending with INS;

  -- a copy of the E's Form I-94 or approval notice showing that he or she has already been granted status to the period requested on your application; and

  -- evidence of relationship (example: birth or marriage certificate).

NOTE: An employer or investor should file Form I-129 to request an extension/change to E status for an employee, prospective employee, or the investor. Dependents of E employees should file for an extension/change of status on this form, not Form I-129.

- **An F-1, Academic Student.**

  To request a change to F-1 status or to apply for reinstatement as an F-1 student, you must submit your original Form I-94, as well as the original Form I-94 of each person included in the application.

Your application must include your original Form I-20 (Certificate of Eligibility for Nonimmigrant Student) issued by the school where you will study. To request either a change or reinstatement, you must submit documentation that demonstrates your ability to pay for your studies and support yourself while you are in the United States.

F-1 Extensions:

Do not use this form to request an extension. For information concerning extensions, contact your designated school official at your institution.

F-1 Reinstatement:

You will only be considered for reinstatement as an F-1 student if you establish:

-- that the violation of status was due solely to circumstances beyond your control or that failure to reinstate you would result in extreme hardship;
-- you are pursuing or will pursue a full course of study;
-- you have not been employed without authorization; and
-- you are not in removal proceedings.

- **A G, Designated Principal Resident Representative of a Foreign Government** and his or her immediate family members.

  You must submit a copy, front and back, of the Form I-94, of each person included in the application, and a Form I-566, certified by the Department of State to indicate your accredited status.

  NOTE: A G-1 through G-4 nonimmigrant is not required to pay a fee with the I-539 application.

- **A G-5, Attendant or Servant of a G nonimmigrant** and the G-5's immediate family members.

  You must submit a copy, front and back, of the Form I-94 of each person included in the application.

  The application must also be filed with:

  -- a copy of your employer's Form I-94 or approval notice demonstrating G status;
  -- an original letter from your employer describing your duties and stating that he or she intends to personally employ you; and arrangements you have made to depart the U.S.; and
  -- an original Form I-566, certified by the Department of State, indicating your employer's continuing accredited status.

- **Dependents of an H, Temporary Worker.**

  If you are filing for an extension/change of status as the dependent of an employee who is an H temporary worker, this application must be submitted with:

  -- the Form I-129 filed for that employee or a copy of the filing receipt noting that the petition is pending with INS;
  -- a copy of the employee's Form I-94 or approval notice showing that he or she has already been granted status to the period requested on your application; and

-- evidence of relationship (example: birth or marriage certificate).

NOTE: An employer should file Form I-129 to request an extension/change to H status for an employee or prospective employee. Dependents of such employees should file for an extension/change of status on this form, not on Form I-129.

- **A J-1, Exchange Visitor.**

  If you are requesting a change of status to J-1, your application must be filed with an original Form IAP-66, Certificate of Eligibility for Exchange Visitor Status, issued by your program sponsor. You must also submit your original Form I-94, as well as the original Form I-94 of each person included in the application.

  NOTE: A J-1 exchange visitor whose status is for the purpose of receiving graduate medical education or training, who has not received the appropriate waiver, is ineligible for any change of status. Also, a J-1 subject to the foreign residence requirement, who has not received a waiver of that requirement, is only eligible for a change of status to A or G.

J-1 Extensions:

If you are seeking an extension, contact the responsible officer of your program for information about this procedure.

J-1 Reinstatement:

If you are a J-1 exchange visitor seeking reinstatement, you may need to apply for such approval by the Department of State's Office of Education and Cultural Affairs. Contact the responsible officer at your sponsoring program for information on the reinstatement filing procedure.

- **Dependents of an L, Intracompany Transferee.**

  If you are filing for an extension/change of status as the dependent of an employee who is an L intracompany transferee, this application must be submitted with:

  -- the Form I-129 filed for that employee or a copy of the filing receipt noting that the petition is pending with INS;
  -- a copy of the employee's Form I-94 or approval notice showing that he or she has already been granted status to the period requested on your application; and
  -- evidence of relationship (example: birth or marriage certificate).

  NOTE: An employer should file Form I-129 to request an extension/change to L status for an employee or prospective employee. Dependents of such employees should file for an extension/change of status on this form, not on Form I-129.

- **An M-1, Vocational or Non-Academic Student.**

  To request a change to or extension of M-1 status, or apply for reinstatement as an M-1 student, you must submit your original Form I-94, as well as the original Form I-94 of each person included in the application.

  Your application must include your original Form I-20 issued by the school where you will study. To request either extension/change or reinstatement, you must submit documentation that demonstrates your ability to pay for your studies and support yourself while you are in the United States.

M-1 Reinstatement:

You will only be considered for reinstatement as an M-1 student if you establish:

-- that the violation of status was due solely to circumstances beyond your control or that failure to reinstate you would result in extreme hardship;

-- you are pursuing or will pursue a full course of study;

-- you have not been employed without authorization; and

-- you are not in removal proceedings.

NOTE: If you are an M-1 student, you are not eligible for a change to F-1 status and you are not eligible for a change to any H status, if the training you received as an M-1 helps you qualify for the H status. Also, you may not be granted a change to M-1 status for training to qualify for H status.

- **An N-1 or N-2, Parent or Child of an Alien Admitted as a Special Immigrant** under section 101(a)(27)(I) of the Immigration and Nationality Act (I&NA).

  You must file the application with a copy, front and back, of your Form I-94 and a copy of the special immigrant's permanent resident card and proof of the relationship (example: birth or marriage certificate).

- **Dependents of an O, Alien of Extraordinary Ability or Achievement.**

  If you are filing for an extension/change of status as the dependent of an employee who is classified as an O nonimmigrant, this application must be submitted with:

  -- the Form I-129 filed for that employee or a copy of the filing receipt noting that the petition is pending with INS;

  -- a copy of the employee's Form I-94 or approval notice showing that he or she has already been granted status to the period requested on your application; and

  -- evidence of relationship (example: birth or marriage certificate).

  NOTE: An employer should file Form I-129 to request an extension/change to an O status for an employee or prospective employee. Dependents of such employees should file for an extension/change of status on this form, not on Form I-129.

- **Dependents of a P, Artists, Athletes and Entertainers.**

  If you are filing for an extension/change of status as the dependent of an employee who is classified as a P nonimmigrant, this application must be submitted with:

  -- the Form I-129 filed for that employee or a copy of the filing receipt noting that the petition is pending with INS;

  -- a copy of the employee's Form I-94 or approval notice showing that he or she has already been granted status to the period requested on your application; and

  -- evidence of relationship (example: birth or marriage certificate).

  NOTE: An employer should file Form I-129 to request an extension/change to P status for an employee or prospective employee. Dependents of such employees should file for an extension/change of status on this form, not on Form I-129.

- **Dependents of an R, Religious Worker.**

  If you are filing for an extension/change of status as the dependent of an employee who is classified as an R nonimmigrant, this application must be submitted with:

  -- the Form I-129 filed for that employee or a copy of the filing receipt noting that the petition is pending with INS;

  -- a copy of the employee's Form I-94 or approval notice showing that he or she has already been granted status to the period requested on your application; and

  -- evidence of relationship (example: birth or marriage certificate).

- **TD Dependents of TN Nonimmigrants.**

  TN nonimmigrants are citizens of Canada or Mexico who are coming as business persons to the United States to engage in business activities at a professional level, pursuant to the North American Free Trade Agreement (NAFTA). The dependents (spouse or unmarried minor children) of a TN nonimmigrant are designated as TD nonimmigrants. A TD nonimmigrant may accompany or follow to join the TN professional. TD nonimmigrants may not work in the United States.

  The Form I-539 shall be used by a TD nonimmigrant to request an extension of stay or by an applicant to request a change of nonimmigrant status to TD classification.

  -- If applying for an extension of stay at the same time as the TN professional, the TD dependent shall file Form I-539 along with the Form I-129, for the TN professional. This filing procedure is also followed if the applicant is applying for a change of nonimmigrant status to TD at the same time that the professional is applying for a change of nonimmigrant status to TN.

  -- If the applicant is not applying for an extension of stay at the same time that the TN professional is applying for an extension, or applying for a change of nonimmigrant status to TD after the nonimmigrant obtains status, the applicant must present a copy of the TN's Form I-94 to establish that the TN is maintaining valid nonimmigrant status.

- **A V, Spouse or Child of a Lawful Permanent Resident.**
  Use this Form I-539 if you are physically present in the United States and wish to request initial status or change status to a V nonimmigrant, or to request an extension of your current V nonimmigrant status.

  Applicants should follow the instructions on this form and the attached instructions to Supplement A to Form I-539, Filing Instructions for V Nonimmigrants. The supplement contains additional information and the location where V applicants must file their applications.

  Notice to V Nonimmigrants.
  The Legal Immigration Family Equity Act (LIFE), signed into law on December 21, 2000, created a new V visa. This nonimmigrant status allows certain persons to reside legally in the United States and to travel to and from the United States while they wait to obtain lawful permanent residence.

In order to be eligible for a V visa, all of the following conditions must be met:

- you must be the spouse or the unmarried child of a lawful permanent resident;
- a Form I-130, Petition for Alien Relative, must have been filed for you by your permanent resident spouse on or before December 21, 2000; and
- you must have been waiting for at least three years after the Form I-130 was filed for you;

Or you must be the unmarried child (under 21 years of age) of a person who meets the three requirements listed above.

V visa holders will be eligible to adjust to lawful permanent resident status once an immigrant visa becomes available to them. While they are waiting, V visa holders may be authorized to work following their submission and INS approval of their Form I-765, Application for Employment Authorization.

WARNING: Be advised that persons in V status who have been in the United States illegally for more than 180 days may trigger the grounds of inadmissibility regarding unlawful presence (for the applicable 3-year or 10-year bar to admission) if they leave the United States. Their departure may prevent them from adjusting status as a permanent resident.

Who May Not File.

You may not be granted an extension or change of status if you were admitted under the Visa Waiver Program or if your current status is:

- an alien in transit (C) or in transit without a visa (TWOV);
- a crewman (D); or
- a fiance'(e) or dependent of a fiance'(e) (K)(1) or (K)(2).

A spouse (K-3) of a U.S. citizen and their children (K-4), accorded such status pursuant to the LIFE Act, may not change to another nonimmigrant status.

EXCEPTION: A K-3 and K-4 are eligible to apply for an extension of status. They should file for an extension during the processing of the Form I-130 filed on their behalf and up to completion of their adjustment of status application.

NOTE: Any nonimmigrant (A to V) may not change their status to K-3 or K-4.

General Filing Instructions.

Please answer all questions by typing or clearly printing in black ink. Indicate that an item is not applicable with "N/A." If the answer is "none," please so state. If you need extra space to answer any item, attach a sheet of paper with your name and your alien registration number (A#), if any, and indicate the number of the item to which the answer refers. Your application must be filed with the required initial evidence. Your application must be properly signed and filed with the correct fee. If you are under 14 years of age, your parent or guardian may sign your application.

Copies.
If these instructions state that a copy of a document may be filed with this application and you choose to send us the original, we will keep that original document in our records.

Translations.
Any foreign language document must be accompanied by a full English translation that the translator has certified as complete and correct, and by the translator's certification that he or she is competent to translate the foreign language into English.

When and Where to File.

You must submit an application for extension of stay or change of status before your current authorized stay expires. We suggest you file at least 45 days before your stay expires, or as soon as you determine your need to change status. Failure to file before the expiration date may be excused if you demonstrate when you file the application that:

- the delay was due to extraordinary circumstances beyond your control;
- the length of the delay was reasonable;
- you have not otherwise violated your status;
- you are still a bona fide nonimmigrant; and
- you are not in removal proceedings.

If you are filing as a V applicant, follow the instructions on the Supplement A to Form I-539, Filing Instructions for V Nonimmigrants, on where to file your application.

If you are filing for reinstatement as an **F-1** or **M-1** student, submit this application at your local INS office.

If you are a **TD** filing for an extension of stay or requesting a change to a nonimmigrant **TD** status, mail your application to: **USINS Nebraska Service Center, P.O. Box 87539, Lincoln, NE 68501-7539.**

If you are an **E dependent** filing for an extension of stay and you live in Alabama, Arkansas, Connecticut, Delaware, District of Columbia, Florida, Georgia, Kentucky, Louisiana, Maine, Maryland, Massachusetts, Mississippi, New Hampshire, New Jersey, New Mexico, New York, North Carolina, Oklahoma, Pennsylvania, Puerto Rico, Rhode Island, South Carolina, Tennessee, Texas, the U.S. Virgin Islands, Vermont, Virginia or West Virginia, mail your application to: **USINS Texas Service Center, Box 851182, Mesquite, TX 75185-1182.**

If you are an **E dependent** filing for an extension of stay and you live anywhere else in the United States, mail your application to: **USINS California Service Center, P.O. Box 10539, Laguna Niguel, CA 92607-1053.**

In all other instances, mail your application to the INS Service Center having jurisdiction over where you live in the United States.

If you live in Connecticut, Delaware, District of Columbia, Maine, Maryland, Massachusetts, New Hampshire, New Jersey, New York, Pennsylvania, Puerto Rico, Rhode Island, the U.S. Virgin Islands, Vermont, Virginia or West Virginia, mail your application to: **USINS Vermont Service Center, 75 Lower Welden Street, St. Albans, VT 05479-0001.**

If you live in Alabama, Arkansas, Florida, Georgia, Kentucky, Louisiana, Mississippi, New Mexico, North Carolina, Oklahoma, South Carolina, Tennessee or Texas, mail your application to: **USINS Texas Service Center, Box 851182, Mesquite, TX 75185-1182.**

If you live in Arizona, California, Guam, Hawaii or Nevada, mail your application to: **USINS California Service Center, P.O. Box 10539, Laguna Niguel, CA 92607-1053.**

If you live elsewhere in the United States, mail your application to: **USINS Nebraska Service Center, P.O. Box 87539, Lincoln, NE 68501-7539.**

Fee.

The fee for this application is $120.00, except for certain A and G nonimmigrants who are not required to pay a fee, as noted in these instructions. The fee must be submitted in the exact amount. It cannot be refunded. **DO NOT MAIL CASH.**

All checks and money orders must be drawn on a bank or other institution located in the United States and must be payable in U.S. currency.

The check or money order should be made payable to the Immigration and Naturalization Service, except that:

-- if you live in Guam and are filing this application in Guam, make your check or money order payable to the "Treasurer, Guam."

-- if you live in the U.S. Virgin Islands and are filing this application in the U.S. Virgin Islands, make your check or money order payable to the "Commissioner of Finance of the Virgin Islands."

Checks are accepted subject to collection. An uncollected check will render the application and any document issued invalid. A charge of $30.00 will be imposed if a check in payment of a fee is not honored by the bank on which it is drawn.

Processing Information.

Acceptance.
Any application that is not signed or is not accompanied by the correct fee will be rejected with a notice that the application is deficient. You may correct the deficiency and resubmit the application. An application is not considered properly filed until accepted by INS.

Initial Processing.
Once the application has been accepted, it will be checked for completeness. If you do not completely fill out the form, or file it without the required initial evidence, you will not establish a basis for eligibility and we may deny your application.

Requests for More Information or Interview.
We may request more information or evidence or we may request that you appear at an INS office for an interview. We may also request that you submit the originals of any copy. We will return these originals when they are no longer required.

Decision.
An application for extension of stay, change of status, initial status or reinstatement, may be approved at the discretion of INS. You will be notified in writing of the decision on your application.

Penalties.

If you knowingly and willfully falsify or conceal a material fact or submit a false document with this application, we will deny the benefit you are seeking and may deny any other immigration benefit. In addition, you will face severe penalties provided by law and may be subject to criminal prosecution.

Privacy Act Notice.

We ask for the information on this form and associated evidence to determine if you have established eligibility for the immigration benefit you are seeking. Our legal right to ask for this information is in 8 U.S.C. 1184 and 1258. We may provide this information to other government agencies. Failure to provide this information and any requested evidence may delay a final decision or result in denial of your request.

Information and Forms.

For information on immigration laws, regulations and procedures and to order INS forms, call our **National Customer Service Center** toll-free at **1-800-375-5283** or visit the INS internet web site at **www.ins.gov.**

Paperwork Reduction Act Notice.

An agency may not conduct or sponsor an information collection and a person is not required to respond to a collection of information unless it displays a currently valid OMB control number. We try to create forms and instructions that are accurate, can easily be understood and which impose the least possible burden on you to provide us with information. Often this is difficult because some immigration laws are very complex. The estimate average time to complete and file this application is as follows: (1) 10 minutes to learn about the law and form; (2) 10 minutes to complete the form; and (3) 25 minutes to assemble and file the application; for a total estimated average of 45 minutes per application. If you have comments regarding the accuracy of this estimate, or suggestions for making this form simpler, you can write to Immigration and Naturalization Service, HQPDI, 425 I Street, N.W., Room 4034, Washington, D.C. 20536; OMB No. 1115-0093. **DO NOT MAIL YOUR COMPLETED APPLICATION TO THIS ADDRESS.**

Mailing Label - Complete the following mailing label and submit this page with your application if you are required to submit your original Form I-94.

Name and address of applicant.

Name

Street Number and Name

City, State, and Zip Code

Your Form I-94, Arrival/Departure Record is attached. It has been amended to show the extension of stay/change of status granted.

OMB No. 1115-0093; Expires 7/31/04

Application to Extend/Change Nonimmigrant Status

START HERE - Please Type or Print.	FOR INS USE ONLY

Part 1.   Information about you.

Family Name	Given Name	Middle Initial

Address -
In care of -

Street Number and Name		Apt. #

City	State	Zip Code	Daytime Phone #

Country of Birth	Country of Citizenship

Date of Birth (MM/DD/YYYY)	Social Security # (if any)	A # (if any)

Date of Last Arrival Into the U.S.	I-94 #

Current Nonimmigrant Status	Expires on (MM/DD/YYYY)

FOR INS USE ONLY

Returned	Receipt
Date	
Resubmitted	
Date	
Reloc Sent	
Date	
Reloc Rec'd	
Date	

Part 2. Application type. *(See instructions for fee.)*

1. I am applying for: *(Check one.)*
   a. ☐ An extension of stay in my current status.
   b. ☐ A change of status. The new status I am requesting is: _____
   c. ☐ Other: *(Describe grounds of eligibility.)* _____
2. Number of people included in this application: *(Check one.)*
   a. ☐ I am the only applicant.
   b. ☐ Members of my family are filing this application with me.
   The total number of people (including me) in the application is: _____
   (Complete the supplement for each co-applicant.)

☐ Applicant Interviewed on

_____
Date

☐ *Extension Granted to (Date):*

_____

Change of Status/Extension Granted
New Class: From *(Date)*: _____
_____   To *(Date)*: _____

Part 3. Processing information.

1. I/We request that my/our current or requested status be extended until (MM/DD/YYYY): _____
2. Is this application based on an extension or change of status already granted to your spouse, child or parent?
   ☐ No ☐ Yes, Receipt # _____
3. Is this application based on a separate petition or application to give your spouse, child or parent an extension or change of status? ☐ No ☐ Yes, filed with this I-539.
   ☐ Yes, filed previously and pending with INS. INS receipt number: _____
4. If you answered "Yes" to Question 3, give the name of the petitioner or applicant:

   If the petition or application is pending with INS, also give the following information:

   Office filed at _____ Filed on (MM/DD/YYYY) _____

If Denied:
☐ Still within period of stay
☐ S/D to: _____
☐ Place under docket control

Remarks:

Action Block

Part 4. Additional information.

1. For applicant #1, provide passport information: Valid to: (MM/DD/YYYY)
   Country of Issuance

2. Foreign Address: Street Number and Name	Apt. #

City or Town	State or Province

Country	Zip/Postal Code

To be Completed by
Attorney or Representative, **if any**

☐ Fill in box if G-28 is attached to represent the applicant.

ATTY State License #

Part 4. Additional information.

3.	Answer the following questions. If you answer "Yes" to any question, explain on separate sheet of paper.	Yes	No
a.	Are you, or any other person included on the application, an applicant for an immigrant visa?		
b.	Has an immigrant petition ever been filed for you or for any other person included in this application?		
c.	Has a Form I-485, Application to Register Permanent Residence or Adjust Status, ever been filed by you or by any other person included in this application?		
d.	Have you, or any other person included in this application, ever been arrested or convicted of any criminal offense since last entering the U.S.?		
e.	Have you, or any other person included in this application, done anything that violated the terms of the nonimmigrant status you now hold?		
f.	Are you, or any other person included in this application, now in removal proceedings?		
g.	Have you, or any other person included in this application, been employed in the U.S. since last admitted or granted an extension or change of status?		

- If you answered "Yes" to Question 3f, give the following information concerning the removal proceedings on the attached page entitled "**Part 4. Additional information. Page for answers to 3f and 3g.**" Include the name of the person in removal proceedings and information on jurisdiction, date proceedings began and status of proceedings.

- If you answered "No" to Question 3g, fully describe how you are supporting yourself on the attached page entitled "**Part 4. Additional information. Page for answers to 3f and 3g.**" Include the source, amount and basis for any income.

- If you answered "Yes" to Question 3g, fully describe the employment on the attached page entitled "**Part 4. Additional information. Page for answers to 3f and 3g.**" Include the name of the person employed, name and address of the employer, weekly income and whether the employment was specifically authorized by INS.

Part 5. Signature. (*Read the information on penalties in the instructions before completing this section. You must file this application while in the United States.*)

I certify, under penalty of perjury under the laws of the United States of America, that this application and the evidence submitted with it is all true and correct. I authorize the release of any information from my records which the Immigration and Naturalization Service needs to determine eligibility for the benefit I am seeking.

Signature	Print your Name	Date

Please note: *If you do not completely fill out this form, or fail to submit required documents listed in the instructions, you may not be found eligible for the requested benefit and this application will have to be denied.*

Part 6. Signature of person preparing form, if other than above. *(Sign below.)*

I declare that I prepared this application at the request of the above person and it is based on all information of which I have knowledge.

Signature	Print your Name	Date
Firm Name and Address	Daytime Phone Number *(Area Code and Number)*	
	Fax Number *(Area Code and Number)*	

(Please remember to enclose the mailing label with your application.)

Part 4. Additional information. Page for answers to 3f and 3g.

If you answered "Yes" to Question 3f in Part 4 on page 3 of this form, give the following information concerning the removal proceedings. Include the name of the person in removal proceedings and information on jurisdiction, date proceedings began and status of procedings.

If you answered "No" to Question 3g in Part 4 on page 3 of this form, fully describe how you are supporting yourself. Include the source, amount and basis for any income.

If you answered "Yes" to Question 3g in Part 4 on page 3 of this form, fully describe the employment. Include the name of the person employed, name and address of the employer, weekly income and whether the employment was specifically authorized by INS.

Supplement -1
Attach to Form I-539 when more than one person is included in the petition or application.
(List each person separately. Do not include the person named in the form.)

Family Name	Given Name	Middle Name	Date of Birth (MM/DD/YYYY)
Country of Birth	Country of Citizenship	Social Security # (if any)	A # (if any)
Date of Arrival (MM/DD/YYYY)		I-94 #	
Current Nonimmigrant Status:		Expires On (MM/DD/YYYY)	
Country Where Passport Issued		Expiration Date (MM/DD/YYYY)	

Family Name	Given Name	Middle Name	Date of Birth (MM/DD/YYYY)
Country of Birth	Country of Citizenship	Social Security # (if any)	A # (if any)
Date of Arrival (MM/DD/YYYY)		I-94 #	
Current Nonimmigrant Status:		Expires On (MM/DD/YYYY)	
Country Where Passport Issued		Expiration Date (MM/DD/YYYY)	

Family Name	Given Name	Middle Name	Date of Birth (MM/DD/YYYY)
Country of Birth	Country of Citizenship	Social Security # (if any)	A # (if any)
Date of Arrival (MM/DD/YYYY)		I-94 #	
Current Nonimmigrant Status:		Expires On (MM/DD/YYYY)	
Country Where Passport Issued		Expiration Date (MM/DD/YYYY)	

Family Name	Given Name	Middle Name	Date of Birth (MM/DD/YYYY)
Country of Birth	Country of Citizenship	Social Security # (if any)	A # (if any)
Date of Arrival (MM/DD/YYYY)		I-94 #	
Current Nonimmigrant Status:		Expires On (MM/DD/YYYY)	
Country Where Passport Issued		Expiration Date (MM/DD/YYYY)	

Family Name	Given Name	Middle Name	Date of Birth (MM/DD/YYYY)
Country of Birth	Country of Citizenship	Social Security # (if any)	A # (if any)
Date of Arrival (MM/DD/YYYY)		I-94 #	
Current Nonimmigrant Status:		Expires On (MM/DD/YYYY)	
Country Where Passport Issued		Expiration Date (MM/DD/YYYY)	

If you need additional space, attach a separate sheet(s) of paper.
Place your name, A # if any, date of birth, form number and application date at the top of the sheet(s) of paper.

INSTRUCTIONS

Read these instructions carefully. If you do not follow the instructions, the Immigration and Naturalization Service (INS) may have to return your petition, which may delay final action. If more space is needed to complete an answer, continue on a separate sheet of paper.

1. Who Can File This Petition?

If you have been admitted to the United States as a refugee or if you have been granted status in the United States as an asylee, **within the previous two years and as the principal applicant,** you may file this petition. A separate Form I-730 must be filed for each family member.

You are not eligible to file this petition if:

1) You were granted status in the United States as a derivative beneficiary or as an accompanying or following-to-join family member; or

2) You were admitted to the United States as a refugee more than two years ago (see *NOTE), or

3) You were granted status in the United States as an asylee more than two years ago (see *NOTE).

   *NOTE: The two-year limitation may be waived by INS for humanitarian reasons. If requesting a waiver, please attach a detailed explaination why the waiver should be approved.

2. Who Is Eligible For Accompanying Or Following-To-Join Benefits?

Your spouse and/or your **unmarried children under twenty-one (21) years of age,** whether in or outside of the United States, are eligible for accompanying or following-to-join benefits based on this petition **provided** that the family member(s) qualify under the conditions described below.

- If you are a refugee: The relationship between you and your relative must have existed on the date you were admitted to the United States as a refugee and must continue to exist. If the person you are filing for is a child who was conceived but not yet born on the date you were admitted to the United States, the relationship will be considered to exist as of the date you were admitted to the United States. (The mother of such child is not an eligible relative unless the mother was married to you, the principal refugee, when you were admitted to the United States.)

- If you are an asylee: The relationship between you and your relative must have existed on the date you were granted asylum in the United States and must continue to exist. If the person you are filing for is a child who was conceived but not yet born on the date you were granted asylum in the United States, the relationship will be considered to exist as of the date you were granted asylum in the United States. (The mother of such child is not an eligible relative unless the mother was married to you, the principal asylee, when you were granted asylurn in the United States.)

- In all cases, if the family member you are filing for is your child, the child must continue to be unmarried and under 21 years of age.

- A spouse or child must be otherwise admissible as an immigrant (for refugee relatives) or not subject to the mandatory bars of 8 CFR 208.19 (for asylee relatives).

A petition may not be approved for the following people:

- A spouse or child who has previously been granted refugee or asylee status.

- An adopted child, if the adoption took place after the child became 16 years old, or if the child has not been in the legal custody and living with the adoptive parent(s) for at least two years.

- A stepchild, if the marriage that created this relationship took place after the child became 18 years old.

- A husband or wife, if each was not physically present at the marriage ceremony and the marriage was not consummated.

- A husband or wife, if it is determined that such alien has attempted or conspired to enter into a marriage for the purpose of evading immigration laws.

- A parent, sister, brother, grandparent, grandchild, nephew, niece, uncle, aunt, cousin, or in-law.

3. What Documents Need To Be Submitted?

Certain documents are required to be submitted with this petition to show that you are eligible to file this petition and to show that a relationship exists between you and your relative. (If the documents described below are not available, see Sections 4 and 5 of these instructions.)

- In all cases, submit **evidence of your status as a** refugee or asylee in the United States.

- In all cases, submit a recent clear **photograph** of the family member you are filing for.

- If you are petitioning for your **husband or wife,** submit your marriage certificate. If you and/or your spouse were previously married to other people, submit evidence of the legal termination of the previous marriage(s). Evidence of any legal name change must also be submitted, if applicable.

- If you are petitioning for your **child** and you are the **natural mother,** whether the child was born in or out of wedlock, submit the child's birth certificate showing both the child's name and your name. Evidence of any legal name change must also be submitted if the names on the birth certificate do not match the names on the petition.

- If you are petitioning for your **child** and you are the **natural father,** submit the child's birth certificate showing both the childs name and your name. If you were married to the child!s mother, submit your marriage certificate. If you and/or the child's mother were previously married to other people, submit evidence of the legal termination of the previous marriage(s). If you were not married to the child's mother, submit evidence that the child was legitimated by civil authorities. If the child was not legitimated by civil authorities, submit evidence that a bona fide parent/child relationship exists or existed between you and the child. Evidence of a bona fide parent/child relationship should prove that you have emotional and financial ties to the child, and that you have shown genuine concern and interest in the child's support, instruction, and general welfare. Such evidence may include (but is not limited to) the following:

  1) Money order
  2) Canceled checks showing financial support of the child;
  3) Income tax returns in which you claim the child as a dependent and member of your household;

  4) Medical or insurance records which include the child as a dependent;
  5) School records for the child;
  6) Correspondence between you and the child;
  7) Notarized affidavits of reliable persons who are knowledgeable about the relationship. Evidence of any legal name change must also be submitted, if applicable.

- If you are petitioning for your **stepchild,** whether the child was born in or out of wedlock, submit the child's birth certificate and the marriage certificate between you and the child's natural parent. If you and/or the child's natural parent were ever previously married to other people, submit evidence of the legal termination of the previous marriage(s). Evidence of any legal name changes must also be submitted, if applicable.

- If you are petitioning for your **adopted child,** submit a certified copy of the adoption decree and evidence that you resided together with the child for at least two years. If you were granted legal custody of the child prior to the adoption, submit a certified copy of the court order granting custody. Evidence of any legal name changes must also be submitted, if applicable.

IMPORTANT NOTE: In all cases, you should submit one legible photocopy of each required document to the INS. Where a copy of a document is submitted, the INS may at any time require that the original document be submitted for review. Documents in a foreign language must be accompanied by a complete English translation. The translator must certify that the translation is accurate and that he or she is competent to translate. Original documents submitted when not required will remain a part of the record.

4. What If A Document Is Not Available?

If the documents described above are not available from the civil authorities, you can submit the following, as secondary evidence, along with a statement from the appropriate civil authority certifying that the required document(s) is(are) not available.

- **Church record:** A certificate under the seal of the church where the baptism, dedication, or comparable rite occurred within two months after birth, showing the date and place of the child's birth, the date of the religious ceremony, and the names of the child's parents.

- **School record:** A letter from the authorities of the school(s) attended, showing the date of admission to the school, the child's date and place of birth, and the names of both parents, if shown on the school records.

- **Census record:** State or federal census record showing name, place of birth, and date of birth or the age of the person(s) listed.

5. What If Secondary Evidence Is Not Available?

If the secondary evidence described above is not available, you can submit affidavits. If you submit affidavits, they must overcome the absence of primary and secondary evidence.

Affidavits: Submit written statements sworn to or affirmed by two persons who were living at the time and who have personal knowledge of the event you are trying to prove: for example, the date and place of birth, marriage or death. The persons making the affidavits do not have to be citizens of the United States. Each affidavit should contain the following information regarding the person making the affidavit: his or her full name, address, date and place of birth and his or her relationship to you (if any); full information concerning the event; and complete details concerning how the person acquired the knowledge of the event.

6. How To Prepare This Form?

Type or print clearly in black or blue ink.

Answer all questions completely and accurately. If any item does not apply, please write "N/A."

If you need extra space to complete any item, attach a separate continuation sheet. Indicate the item number, and date and sign each sheet.

7. Where To File This Form?

Send this form along with the required supporting evidence to the following address:

Immigration & Naturalization Service
Nebraska Service Center
P. 0. Box 87730
Lincoln, NE 68501-7730

8. What Are The Penalties For Committing Marriage Fraud Or Submitting False Information Or Both?

- Title 8, United States Code, Section 1325, states that any individual who knowingly enters into a marriage contract for the purpose of evading any provision of the immigration laws shall be imprisoned for not more than five years, or fined not more than $250,000, or both.

- Title 18, United States Code, Section 1001, states that whoever willfully and knowingly falsifies a material fact, makes a false statement or makes use of a false document will be fined up to $ 10,000 or imprisoned up to five years, or both.

9. The INS Authority For Collecting This Information:

The INS requests the information on the form to carry out the immigration laws contained in Title 8, United States Code, Sections 1157(c)(2) and 1158(b)(3). The INS needs this information to determine whether a person is eligible for immigration benefits. The information you provide may also be disclosed to other federal, state, local, and foreign law enforcement and regulatory agencies during the course of the investigation required by the INS. You do not have to give this information. However, if you refuse to give some or all of it, your petition may be denied.

10. Paperwork Reduction Act

An agency may not conduct or sponsor an information collection and a person is not required to respond to a collection of information unless it displays a currently valid OMB control number. The public reporting burden for this collection of information is estimated to average 35 minutes per response, including the time for reviewing instructions, searching existing data sources, gathering and maintaining the data needed, and completing and reviewing the collection of information. Send comments regarding this burden estimate or any other aspect of this collection of information, including suggestions for reducing this burden, to: Immigration and Naturalization Service, HQPDI, 425 I Street, N.W., Room 4034, Washington, DC 20536. OMB No. 1115-0121. **DO NOT MAIL YOUR APPLICATION TO THIS ADDRESS.**

U.S. Department of Justice
Immigration and Naturalization Service

OMB No. 1115-0121

Refugee/Asylee Relative Petition

START HERE - Please Type or Print

Part 1. Information about you.

Family Name	Given Name	Middle Name

Address - C/O

Street Number and Name	Apt.

City	State or Province

Country	ZIP/Postal Code	Sex: a. ☐ Male b. ☐ Female

Date of Birth *(Month/Day/Year)*	Country of Birth

A#	Social Security #

Other names used *(including maiden name)*

Present Status: *(check one)*

a. ☐ Refugee   ☐ Lawful Permanent Resident based on previous Refugee status
b ☐ Asylee   ☐ Lawful Permanent Resident based on previous Asylee status

Date *(Month/Day/Year)* **and Place Refugee or Asylee status was granted:**

If granted Refugee status, Date *(Month/Day/Year)* **and Place Admitted to the United States:**

If Married, Date *(Month/Day/Year)* **and Place of Present Marriage:**

If Previously Married, Name(s) of Prior Spouse(s):

Date(s) Previous Marriage(s) Ended: *(Month/Day/Year)*

Part 2. Information about the relationship.

The alien relative is my: a. ☐ Spouse
                             b. ☐ Unmarried child under 21 years of age

Number of relatives I am filing for: _____ (_____ of _____)

Part 3. Information about your alien relative. *(If you are petitioning for more than one family member you must complete and file a separate Form I-730 for each additional family member.)*

Family Name	Given Name	Middle Name

Address - C/O

Street Number and Name	Apt #

FOR INS USE ONLY

Returned	Receipt
Submitted	
Reloc Sent	
Reloc Rec'd	

☐ Petitioner Interviewed

☐ Beneficiary Interviewed

Consulate

Sections of Law

☐ 207 (c) (2) Spouse
☐ 207 (c) (2) Child
☐ 208 (b) (3) Spouse
☐ 208 (b) (3) Child

Remarks

Action Block

To Be Completed by
Attorney or Representative, If any

☐ Fill in box if G-28 is attached to represent the applicant

Volag #

Atty State License #

Part 3. Information about your alien relative. *Continue*

City	State or Providence
Country	ZIP/Postal Code	Sex: a. ☐ Male b. ☐ Female
Date of Birth (Month/Day/Year)	Country of Birth
Alien # (If any)	Social Security # (If Any)

Other name(s) used(including maiden name)

If Married, Date (Month/Day/Year) and Place of Present Marriage:

If Previously Married, Name(s) of Prior Spouse(s):

Date(s) Previous Marriage(s) Ended:(Month/Day/Year)

Part 4.   Processing Information.

A. Check One: a. ☐ The person named in Part 3 is now in the United States.

b. ☐ The person named in Part 3 is now outside the United States. (Please indicate the location of the American Consulate or Embassy where your relative will apply for a visa.)

American Consulate/Embassy at: _____

City and Country

B. Is the person named in Part 3 in exclusion, deportation, or removal proceedings in the United States?

a. ☐   No

b. ☐   Yes (Please explain on a separate paper.)

Part 5. Signature.   Read the information on penalties in the instructions before completing this section and sign below. If someone helped you to prepare this petition, he or she must complete Part 6.

I certify or, if outside the United States, I swear or affirm, under penalty of perjury under the laws of the United States of America, that this petition and the evidence submitted with it, is all true and correct. I authorize the release of any information from my recod which the Immigration and Naturalization Service needs to determine eligibility for the benefit I am seeking.

Signature	Print Name	Date	Daytime Telephone #
			( )

Please Note: If you do not completely fill out this form, or fail to submit the required documents listed in the instructions, your relativemay not be found eligible for the requested benefit and this petition may be denied.

Part 6. Signature of person preparing form if other than Petitioner above. *(Sign Below)*

I declare that I prepared this petition at the request of the above person and it is based on all of the information of which have knowledge.

Signature	Print Name	Date	Daytime Telephone #
			( )

Firm Name
and Address

Application for Employment Authorization

Instructions for
Application for Employment Authorization

The Immigration and Naturalization Service (INS) recommends that you retain a copy of your completed application for your records.

Index

Part 1. General.

Purpose of the Application. Certain aliens who are temporarily in the United States may file a Form I-765, Application for Employment Authorization, to request an Employment Authorization Document (EAD). Other aliens who are authorized to work in the United States without restrictions should also use this form to apply to the INS for a document evidencing such authorization. Please review Part 2: Eligibility Categories to determine whether you should use this form.

If you are a Lawful Permanent Resident, a Conditional Resident, or a nonimmigrant authorized to be employed with a specific employer under 8 CFR 274a.12(b), please do **NOT** use this form.

Definitions

Employment Authorization Document (EAD): Form I-688, Form I-688A, Form I-688B, Form I-766, or any successor document issued by the INS as evidence that the holder is authorized to work in the United States.

Renewal EAD: an EAD issued to an eligible applicant at or after the expiration of a previous EAD issued under the same category.

Replacement EAD: an EAD issued to an eligible applicant when the previously issued EAD has been lost, stolen, mutilated, or contains erroneous information, such as a misspelled name.

Interim EAD: an EAD issued to an eligible applicant when the INS has failed to adjudicate an application within 90 days of receipt of a properly filed EAD application or within 30 days of a properly filed initial EAD application based on an asylum application filed on or after January 4, 1995. The interim EAD will be granted for a period not to exceed 240 days and is subject to the conditions noted on the document.

Part 2. Eligibility Categories.

The INS adjudicates a request for employment authorization by determining whether an applicant has submitted the required information and documentation, and whether the applicant is eligible. In order to determine your eligibility, you must identify the category in which you are eligible and fill in that category in question 16 on the Form I-765. Enter only **one** of the following category numbers on the application form. For example, if you are a refugee applying for an EAD, you should write "(a)(3)" at question 16.

For easier reference, the categories are subdivided as follows:

Asylee/Refugee Categories

Refugee--(a)(3). File your EAD application with either a copy of your Form I-590, Registration for Classification as Refugee, approval letter or a copy of a Form I-730, Refugee/Asylee Relative Petition, approval notice.

Paroled as a Refugee--(a)(4). File your EAD application with a copy of your Form I-94, Departure Record.

Asylee (granted asylum)--(a)(5). File your EAD application with a copy of the INS letter, or judge's decision, granting you asylum. It is not necessary to apply for an EAD as an asylee until 90 days before the expiration of your current EAD.

Asylum Applicant (with a pending asylum application) who Filed for Asylum on or after January 4, 1995--(c)(8). (For specific instructions for applicants with pending asylum claims, see page 5).

Nationality Categories

Citizen of Micronesia, the Marshall Islands or Palau--(a)(8). File your EAD application if you were admitted to the United States as a citizen of the Federated States of Micronesia (CFA/FSM), the Marshall Islands (CFA/MIS), or Palau, pursuant to agreements between the United States and the former trust territories.

Deferred Enforced Departure (DED) / Extended Voluntary Departure--(a)(11). File your EAD application with evidence of your identity and nationality.

Temporary Protected Status (TPS)--(a)(12). File your EAD application with Form I-821, Application for Temporary Protected Status. If you are filing for an initial EAD based on your TPS status, include evidence of identity and nationality as required by the Form I-821 instructions.

Temporary treatment benefits --(c)(19). For an EAD based on 8 CFR 244.5. Include evidence of nationality and identity as required by the Form I-821 instructions.

- Extension of TPS status: include a copy (front and back) of your last available TPS document: EAD, Form I-94 or approval notice.

- Registration for TPS only without employment authorization: file the Form I-765, Form I-821, and a letter indicating that this form is for registration purposes only. No fee is required for the Form I-765 filed as part of TPS registration. (Form I-821 has separate fee requirements.)

NACARA Section 203 Applicants who are eligible to apply for NACARA relief with INS--(c)(10). See the instructions to Form I-881, Application for Suspension of Deportation or Special Rule Cancellation of Removal, to determine if you are eligible to apply for NACARA 203 relief with INS.

If you are eligible, follow the instructions below and submit your Form I-765 at the same time you file your Form I-881 application with INS:

- If you are filing a Form I-881 with INS, file your EAD application at the same time and at the same filing location. Your response to question 16 on the Form I-765 should be "(c)(10)."

- If you have already filed your I-881 application at the service center specified on the Form I-881, and now wish to apply for employment authorization, your response to question 16 on Form I-765 should be "(c)(10)." You should file your EAD application at the Service Center designated in Part 5 of these instructions.

- If you are a NACARA Section 203 applicant who previously filed a Form I-881 with the INS, and the application is still pending, you may renew your EAD. Your response to question 16 on Form I-765 should be "(c)(10)." Submit the required fee and the EAD application to the service center designated in Part 5 of these instructions.

Dependent of TECRO E-1 Nonimmigrant--(c)(2). File your EAD application with the required certification from the American Institute in Taiwan if you are the spouse, or unmarried dependent son or daughter of an E-1 employee of the Taipei Economic and Cultural Representative Office.

Foreign Students

F-1 Student Seeking Optional Practical Training in an Occupation Directly Related to Studies--(c)(3)(i). File your EAD application with a Certificate of Eligibility of Nonimmigrant (F-1) Student Status (Form I-20 A-B/I-20 ID) endorsed by a Designated School Official within the past 30 days.

F-1 Student Offered Off-Campus Employment under the Sponsorship of a Qualifying International Organization-- (c)(3)(ii). File your EAD application with the international organization's letter of certification that the proposed employment is within the scope of its sponsorship, and a Certificate of Eligibility of Nonimmigrant (F-1) Student Status--For Academic and Language Students (Form I-20 A-B/I-20 ID) endorsed by the Designated School Official within the past 30 days.

F-1 Student Seeking Off-Campus Employment Due to Severe Economic Hardship--(c)(3)(iii). File your EAD application with Form 1-20 A-B/I-20 ID, Certificate of Eligibility of Nonimmigrant (F-1) Student Status--For Academic and Language Students; Form I-538, Certification by Designated School Official, and any evidence you wish to submit, such as affidavits, which detail the unforeseen economic circumstances that cause your request, and evidence you have tried to find off-campus employment with an employer who has filed a labor and wage attestation.

J-2 Spouse or Minor Child of an Exchange Visitor--(c)(5). File your EAD application with a copy of your J-1's (principal alien's) Certificate of Eligibility for Exchange Visitor (J-1) Status (Form IAP-66). You must submit a written statement, with any supporting evidence showing, that your employment is not necessary to support the J-1 but is for other purposes.

M-1 Student Seeking Practical Training after Completing Studies--(c)(6). File your EAD application with a completed Form I-538, Application by Nonimmigrant Student for Extension of Stay, School Transfer, or Permission to Accept or Continue Employment, Form I-20 M-N, Certificate of Eligibility for Nonimmigrant (M-1) Student Status--For Vocational Students endorsed by the Designated School Official within the past 30 days.

Eligible Dependents of Employees of Diplomatic Missions, International Organizations, or NATO

Dependent of A-1 or A-2 Foreign Government Officials--(c)(1).

Submit your EAD application with Form I-566, Inter-Agency Record of Individual Requesting Change/Adjustment to, or from, A or G Status; or Requesting A, G, or NATO Dependent Employment Authorization, through your diplomatic mission to the Department of State (DOS). The DOS will forward all favorably endorsed applications directly to the Nebraska Service Center for adjudication.

Dependent of G-1, G-3 or G-4 Nonimmigrant--(c)(4).

Submit your EAD application with a Form I-566, Inter-Agency Record of Individual Requesting Change/Adjustment to or from A or G Status; or Requesting A, G, or NATO Dependent Employment Authorization, through your international organization to the Department of State (DOS). [In New York City, the United Nations (UN) and UN missions should submit such applications to the United States Mission to the UN (USUN).] The DOS or USUN will forward all favorably endorsed applications directly to the Nebraska Service Center for adjudication.

Dependent of NATO-1 through NATO-6--(c)(7).

Submit your EAD application with Form I-566, Inter-Agency Record of Individual Requesting Change/Adjustment to, or from, A or G Status; or Requesting A, G or NATO Dependent Employment Authorization, to NATO SACLANT, 7857 Blandy Road, C-027, Suite 100, Norfolk, VA 23551-2490. NATO/SACLANT will forward all favorably endorsed applications directly to the Nebraska Service Center for adjudication.

Employment-Based Nonimmigrant Categories

B-1 Nonimmigrant who is the personal or domestic servant of a nonimmigrant employer--(c)(17)(i).

File your EAD application with:

- Evidence from your employer that he or she is a B, E, F, H, I, J, L, M, O, P, R, or TN nonimmigrant and you were employed for at least one year by the employer before the employer entered the United States or your employer regularly employs personal and domestic servants and has done so for a period of years before coming to the United States; and

- Evidence that you have either worked for this employer as a personal or domestic servant for at least one year or, evidence that you have at least one year's experience as a personal or domestic servant; and

- Evidence establishing that you have a residence abroad which you have no intention of abandoning.

B-1 Nonimmigrant Domestic Servant of a U.S. Citizen-- (c)(17)(ii).

File your EAD application with:

- Evidence from your employer that he or she is a U.S. citizen; and

- Evidence that your employer has a permanent home abroad or is stationed outside the United States and is temporarily visiting the United States or the citizen's current assignment in the United States will not be longer than four (4) years; and

- Evidence that he or she has employed you as a domestic servant abroad for at least six (6) months prior to your admission to the United States.

B-1 Nonimmigrant Employed by a Foreign Airline--(c)(17)(iii).

File your EAD application with a letter from the airline fully describing your duties and indicating that your position would entitle you to E nonimmigrant status except for the fact that you are not a national of the same country as the airline or because there is no treaty of commerce and navigation in effect between the United States and that country.

Spouse of an E-1/E-2 Treaty Trader or Investor--(a)(17).

File your EAD application with evidence of your lawful status and evidence you are a spouse of a principal E-1/E-2, such as your I-94. (Other relatives or dependents of E-1/E-2 aliens who are in E status are not eligible for employment authorization and may not file under this category.)

Spouse of an L-1 Intracompany Transferee--(a)(18).

File your EAD application with evidence of your lawful status and evidence you are a spouse of a principal L-1, such as your I-94. (Other relatives or dependents of L-1 aliens who are in L status are not eligible for employment authorization and may not file under this category.)

Family-Based Nonimmigrant Categories

K-1 Nonimmigrant Fiance(e) of U.S. Citizen or K-2 Dependent--(a)(6).

File your EAD application if you are filing within 90 days from the date of entry. This EAD cannot be renewed. Any EAD application other than for a replacement must be based on your pending application for adjustment under (c)(9).

K-3 Nonimmigrant Spouse of U.S. Citizen or K-4 Dependent--(a)(9).

File your EAD application along with evidence of your admission such as copies of your Form I-94, passport, and K visa.

Family Unity Program--(a)(13). File your EAD application with a copy of the approval notice, if you have been granted status under this program. You may choose to file your EAD application concurrently with your Form I-817, Application for Voluntary Departure under the Family Unity Program. The INS may take up to 90 days from the date upon which you are granted status under the Family Unity Program to adjudicate your EAD application. If you were denied Family Unity status solely because your legalized spouse or parent first applied under the Legalization/SAW programs after May 5, 1988, file your EAD application with a new Form I-817 application and a copy of the original denial. However, if your EAD application is based on continuing eligibility under (c)(12), please refer to **Deportable Alien Granted Voluntary Departure.**

LIFE Family Unity--(a)(14). If you are applying for initial employment authorization pursuant to the Family Unity provisions of section 1504 of the LIFE Act Amendments, or an extension of such authorization, you should not be using this form. Please obtain and complete a Form I-817, Application for Family Unity Benefits. If you are applying for a replacement EAD that was issued pursuant to the LIFE Act Amendments Family Unity provisions, file your EAD application with the required evidence listed in Part 3.

V-1, V-2 or V-3 Nonimmigrant--(a)(15). If you have been inspected and admitted to the United States with a valid V visa, file this application along with evidence of your admission, such as copies of your Form I-94, passport, and K visa. If you have been granted V status while in the United States, file this application along with evidence of your V status, such as an approval notice. If you are in the United States but you have not yet filed an application for V status, you may file this application at the same time as you file your application for V status. INS will adjudicate this application after adjudicating your application for V status.

EAD Applicants Who Have Filed For Adjustment of Status

Adjustment Applicant--(c)(9). File your EAD application with a copy of the receipt notice or other evidence that your Form I-485, Application for Permanent Residence, is pending. You may file Form I-765 together with your Form I-485.

Adjustment Applicant Based on Continuous Residence Since January 1, 1972--(c)(16). File your EAD application with your Form I-485, Application for Permanent Residence; a copy of your receipt notice; or other evidence that the Form I-485 is pending.

Other

N-8 or N-9 Nonimmigrant--(a)(7). File your EAD application with the required evidence listed in Part 3.

Granted Withholding of Deportation or Removal --(a)(10). File your EAD application with a copy of the Immigration Judge's order. It is not necessary to apply for a new EAD until 90 days before the expiration of your current EAD.

Applicant for Suspension of Deportation--(c)(10). File your EAD application with evidence that your Form I-881, Application for Suspension of Deportation, or EOIR-40, is pending.

Paroled in the Public Interest--(c)(11). File your EAD application if you were paroled into the United States for emergent reasons or reasons strictly in the public interest.

Deferred Action--(c)(14). File your EAD application with a copy of the order, notice or document placing you in deferred action and evidence establishing economic necessity for an EAD.

Final Order of Deportation--(c)(18). File your EAD application with a copy of the order of supervision and a request for employment authorization which may be based on, but not limited to the following:

- Existence of a dependent spouse and/or children in the United States who rely on you for support; and
- Existence of economic necessity to be employed;
- Anticipated length of time before you can be removed from the United States.

LIFE Legalization applicant--(c)(24). We encourage you to file your EAD application together with your Form I-485, Application to Regsiter Permanent Residence or Adjust Status, to facilitate processing. However, you may file Form I-765 at a later date with evidence that you were a CSS, LULAC, or Zambrano class member applicant before October 1, 2000 and with a copy of the receipt notice or other evidence that your Form I-485 is pending.

T-1 Nonimmigrant--(a)(16). If you are applying for initial employment authorization as a T-1 nonimmigrant, file this form only if you did not request an employment authorization document when you applied for T nonimmigrant status. If you have been granted T status and this is a request for a renewal or replacement of an employment authorization document, file this application along with evidence of your T status, such as an approval notice.

T-2, T-3, or T-4 Nonimmigrant--(c)(25). File this form with a copy of your T-1's (principal alien's) approval notice and proof of your relationship to the T-1 principal.

Part 3. Required Documentation

All applications must be filed with the documents required below, in addition to the particular evidence required for the category listed in Part 2, **Eligibility Categories**, with fee, if required.

If you are required to show economic necessity for your category (See Part 2), submit a list of your assets, income and expenses.

Please assemble the documents in the following order:

Your application with the filing fee. See Part 4, **Fee** for details.

If you are mailing your application to the INS, you must also submit:

- A copy of Form I-94 Departure Record (front and back), if available.

- A copy of your last EAD (front and back).

- 2 photos with a white background taken no earlier than 30 days before submission to the INS. They should be unmounted, glossy, and unretouched. The photos should show a three-quarter front profile of the right side of your face, with your right ear visible. Your head should be bare unless you are wearing a headdress as required by a religious order to which you belong. The photo should not be larger than 1½ X 1 ½ inches, with the distance from the top of the head to just below the chin about 1 1/4 inches. Lightly print your name and your A#, if known, on the back of each photo with a pencil.

Special filing instructions for those with pending asylum applications ((c)(8))

Asylum Applicant (with a pending asylum application) who Filed for Asylum on or after January 4, 1995. _You must wait at leat 150 days following the filing of your asylum claim before you are eligible to apply for an EAD. If you file your EAD application early, it will be denied. File your EAD application with:_

- A copy of the INS acknowledgement mailer which was mailed to you; or

- Other evidence that your Form I-589 was filed with the INS; or

- Evidence that your Form I-589 was filed with an Immigration Judge at the Executive Office for Immigration Review (EOIR); or

- Evidence that your asylum application remains under administrative or judicial review.

Asylum Applicant (with a pending asylum application) who Filed for Asylum and for Withholding of Deportation Prior to January 4, 1995 and is _NOT_ in Exclusion or Deportation Proceedings. You may file your EAD application at any time; however, it will only be granted if the INS finds that your asylum application is not frivolous. File your EAD application with:

- A complete copy of your previously filed Form I-589; AND

- A copy of your INS receipt notice; or

- A copy of the INS acknowledgement mailer; or

- Evidence that your Form I-589 was filed with EOIR; or

- Evidence that your asylum application remains under administrative or judicial review; or

- Other evidence that you filed an asylum application.

Asylum Applicant (with a pending asylum application) who Filed an Initial Request for Asylum Prior to January 4, 1995, and _IS IN_ Exclusion or Deportation Proceedings. If you filed your Request for Asylum and Withholding of Deportation (Form I-589) prior to January 4, 1995 and you ARE IN exclusion or deportation proceedings, file your EAD application with:

- A date-stamped copy of your previously filed Form I-589; or

- A copy of Form I-221, Order to Show Cause and Notice of Hearing, or Form I-122, Notice to Applicant for Admission Detained for Hearing Before Immigration Judge; or

- A copy of EOIR-26, Notice of Appeal, date stamped by the Office of the Immigration Judge; or

- A date-stamped copy of a petition for judicial review or for _habeas corpus_ issued to the asylum applicant; or

- Other evidence that you filed an asylum application with EOIR.

Asylum Application under the ABC Settlement Agreement--(c)(8). If you are a Salvadoran or Guatemalan national eligible for benefits under the ABC settlement agreement, American Baptist Churches v. Thornburgh, 760 F. Supp. 976 (N.D. Cal. 1991), please follow the instructions contained in this section when filing your Form I-765.

You must have asylum application (Form I-589) on file either with INS or with an immigration judge in order to receive work authorization. Therefore, please submit evidence that you have previously filed an asylum application when you submit your EAD application. You are not required to submit this evidence when you apply, but it will help INS process your request efficiently.

If you are renewing or replacing your EAD, you must pay the filing fee.

Mark your application as follows:

- Write "ABC" in the top right corner of your EAD application. You must identify yourself as an ABC class member if you are applying for an EAD under the ABC settlement agreement.

- Write "(c)(8)" in Section 16 of the application.

You are entitled to an EAD without regard to the merits of your asylum claim. Your application for an EAD will be decided within 60 days if: (1) you pay the filing fee, (2) you have a complete, pending asylum application on file, and (3) write "ABC" in the top right corner of your EAD application. If you do not pay the filing fee for an initial EAD request, your request may be denied if INS finds that your asylum application is frivolous. However, if you cannot pay the filing fee for an EAD, you may qualify for a fee waiver under 8 CFR 103.7(c). See Part 4 concerning fee waivers.

Part 4. Fee

Applicants must pay a fee of **$120** to file this form unless noted below. If a fee is required, it will not be refunded. Pay in the exact amount. Checks and money orders must be payable in U.S. currency. Make check or money order payable to **"Immigration and Naturalization Service."** If you live in Guam make your check or money order payable to **"Treasurer, Guam."** If you live in the U.S. Virgin Islands make your check or money order payable to **"Commissioner of Finance of the Virgin Islands."** A charge of $30.00 will be imposed if a check in payment of a fee is not honored by the bank on which it is drawn. Please do **not** send cash in the mail.

Initial EAD: If this is your initial application and you are applying under one of the following categories, a filing fee is not required:

- (a)(3) Refugee;
- (a)(4) Paroled as Refugee;
- (a)(5) Asylee;
- (a)(7) N-8 or N-9 nonimmigrant;
- (a)(8) Citizen of Micronesia, Marshall Islands or Palau;
- (a)(10) Granted Withholding of Deportation;
- (a)(11) Deferred Enforced Departure;
- (a)(16) Victim of Severe Form of Trafficking (T-1);
- (c)(1), (c)(4), or (c)(7) Dependent of certain foreign government, international organization, or NATO personnel; or
- (c)(8) Applicant for asylum [an applicant filing under the special ABC procedures must pay the fee].

Renewal EAD: If this is a renewal application and you are applying under one of the following categories, a filing fee is not required:
- (a)(8) Citizen of Micronesia, Marshall Islands, or Palau;
- (a)(10) Granted Withholding of Deportation;
- (a)(11) Deferred Enforced Departure; or
- (c)(1), (c)(4), or (c)(7) Dependent of certain foreign government, international organization, or NATO personnel.

Replacement EAD: If this is your replacement application and you are applying under one of the following categories, a filing fee is not required:

- (c)(1), (c)(4), or (c)(7) Dependent of certain foreign government, international organization, or NATO personnel.

You may be eligible for a fee waiver under 8 CFR 103.7(c).

The INS will use the Poverty Guidelines published annually by the Department of Health and Human Services as the basic criteria in determining the applicant's eligibility when economic necessity is identified as a factor.

The Poverty Guidelines will be used as a guide, but not as a conclusive standard, in adjudicating fee waiver requests for employment authorization applications requiring a fee.

Part 5. Where to File

If your response to question 16 is: **(a)(3)**, **(a)(4)**, **(a)(5)**, **(a)(7)**, or **(a)(8)** mail your application to:

INS Service Center
P.O. Box 87765
Lincoln, NE 68501-7765

If your response to question 16 is **(a)(9)**, mail your application to:
USINS
P.O. Box 7218
Chicago, IL 60680-7218

If your response to question 16 is **(a)(15)**, mail your application to:
USINS
P.O. Box 7216
Chicago, IL 60680-7216

If your response to question 16 is **(a)(14)** or **(c)(24)**, mail your application to:

USINS
P.O. Box 7219
Chicago, IL 60680-7219

If your response to question 16 is: **(a)(16)** or **(c)(25)** mail your application to:

INS Service Center
75 Lower Welden St.
St. Albans, VT 05479-0001

If your response to question 16 is: **(a)(10)**, **(c)(11)**, **(c)(12)**, **(c)(14)**, **(c)(16)**, **(c)(18)**,

apply at the local INS office having jurisdiction over your place of residence.

If your response to question 16 is: **(a)(12)** or **(c)(19)**, file your EAD application according to the instructions in the Federal Register notice for your particular country's TPS designation.

If your response to question 16 is **(c)(1)**, **(c)(4)**, or **(c)(7)**, submit your application through your principal's sponsoring organization. Your application will be reviewed and forwarded by the DOS, USUN, or NATO/SACLANT to the Nebraska Service Center following certification of your eligibility for an EAD.

If your response to question 16 is **(c)(8)** under the special ABC filing instructions and you are filing your asylum and EAD applications together, mail your application to the office where you are filing your asylum application.

If your response to question 16 is **(c)(9)**, file your application at the <u>same local INS office or Service Center where you submitted your adjustment of status application.</u>

If your response to question 16 is:

(a)(6), (a)(11), (a)(13), (a)(17), (a)(18), (c)(2), (c)(3)(i), (c)(3)(ii), (c)(3)(iii), (c)(5), (c)(6), (c)(8),(c)(17)(i), (c)(17)(ii), or (c)(17)(iii):

mail your application based on your address to the appropriate **Service Center**. The correct **Service Center** is based on the state or territory in which you live.

If you live in:		Mail your application to:
Connecticut D.C. Maryland New Hampshire New York Puerto Rico Vermont West Virginia	Delaware Maine Massachusetts New Jersey Pennsylvania Rhode Island Virginia U.S.V.I.	**INS Service Center** 75 Lower Welden Street St. Albans, VT 05479-0001
Arizona Guam Nevada	California Hawaii	**INS Service Center** P.O. Box 10765 Laguna Niguel, CA 92607-1076
Alabama Florida Kentucky Mississippi North Carolina South Carolina Texas	Arkansas Georgia Lousiana New Mexico Oklahoma Tennessee	**INS Service Center** P.O. Box 851041 Mesquite, TX 75185-1041
Alaska Idaho Indiana Kansas Minnesota Montana North Dakota Oregon Utah Wisconsin	Colorado Illinois Iowa Michigan Missouri Nebraska Ohio South Dakota Washington Wyoming	**INS Service Center** P.O. Box 87765 Lincoln, NE

If your response to question 16 is **(c)(10)**, and you are a NACARA 203 applicant eligible to apply for relief with the INS, or if your I-881 application is still pending with INS and you wish to renew your EAD, mail your EAD application with the required fee to the appropriate INS service center below:

- If you live in Alabama, Arkansas, Colorado, Connecticut, Delaware, the District of Columbia, Florida, Georgia, Louisiana, Maine, Maryland, Massachusetts, Mississippi, New Hampshire, New Jersey, New Mexico, New York, North Carolina, Oklahoma, Pennsylvania, Puerto Rico, Rhode Island, South Carolina, Tennessee, Texas, Utah, the U.S. Virgin Islands, Vermont, Virginia, West Virginia or Wyoming, mail your application to:

  INS Service Center
  75 Lower Welden St.
  St. Albans, VT 05479-0001

- If you live in Alaska, Arizona, California, the Commonwealth of Guam, Hawaii, Idaho, Illinois, Indiana, Iowa, Kansas, Kentucky, Michigan, Minnesota, Missouri, Montana, Nebraska, Nevada, North Dakota, Oregon, Ohio, South Dakota, Washington, or Wisconsin, mail your application to:

  INS Service Center
  P.O. Box 10765
  Laguna Niguel, CA 92607-1076

You should submit the fee for the EAD application on a separate check or money order. Do not combine your check or money order with the fee for the Form I-881.

If your response to question 16 is **(c)(10) and you are not eligible to apply for NACARA 203 relief with INS,** but you are eligible for other deportation or removal relief, apply at the local INS office having jurisdiction over your place of residence.

Part 6. Processing Information

Acceptance. If your application is complete and filed at an INS Service Center, you will be mailed a Form I-797 receipt notice. However, an application filed without the required fee, evidence, signature or photographs (if required) will be returned to you as incomplete. You may correct the deficiency and resubmit the application; however, an application is not considered properly filed until the INS accepts it.

Approval. If approved, your EAD will either be mailed to you or you may be required to appear at your local INS office to pick it up.

Request for evidence. If additional information or documentation is required, a written request will be sent to you specifying the information or advising you of an interview.

Denial. If your application cannot be granted, you will receive a written notice explaining the basis of your denial.

Interim EAD. If you have not received a decision within 90 days of receipt by the INS of a properly filed EAD application or within 30 days of a properly filed initial EAD application based on an asylum application filed on or after January 4, 1995, you may obtain interim work authorization by appearing in person at your local INS district office. You must bring proof of identity and any notices that you have received from the INS in connection with your application for employment authorization.

Part 7. Other Information

Penalties for Perjury. All statements contained in response to questions in this application are declared to be true and correct under penalty of perjury. Title 18, United States Code, Section 1546, provides in part:

... Whoever knowingly makes under oath, or as permitted under penalty of perjury under 1746 of Title 28, United States Code, knowingly subscribes as true, any false statement with respect to a material fact in any application, affidavit, or other document required by the immigration laws or regulations prescribed thereunder, or knowingly presents any such application, affidavit, or other document containing any such false statement-shall be fined in accordance with this title or imprisoned not more than five years, or both.

The knowing placement of false information on this application may subject you and/or the preparer of this application to criminal penalties under Title 18 of the United States Code. The knowing placement of false information on this application may also subject you and/or the preparer to civil penalties under Section 274C of the Immigration and Nationality Act (INA), 8 U.S.C. 1324c. Under 8 U.S.C. 1324c, a person subject to a final order for civil document fraud is deportable from the United States and may be subject to fines.

Authority for Collecting this Information. The authority to require you to file Form I-765, Application for Employment Authorization, when applying for employment authorization is found at sections 103(a) and 274A(h)(3) of the Immigration and Nationality Act. Information you provide on your Form I-765 is used to determine whether you are eligible for employment authorization and for the preparation of your Employment Authorization Document if you are found eligible. Failure to provide all information as requested may result in the denial or rejection of this application. The information you provide may also be disclosed to other federal, state, local and foreign law enforcement and regulatory agencies during the course of the INS investigations.

Paperwork Reduction Act. An agency may not conduct or sponsor an information collection and a person is not required to respond to a collection of information unless it displays a currently valid OMB control number. The Immigration and Naturalization Service (INS) tries to create forms and instructions which are accurate and easily understood. Often this is difficult because immigration law can be very complex. The public reporting burden for this form is estimated to average three (3) hours and twenty-five (25) minutes per response, including the time for reviewing instructions, gathering and maintaining the data needed, and completing and reviewing the collection of information. The INS welcomes your comments regarding this burden estimate or any other aspect of this form, including suggestions for reducing this burden to Immigration and Naturalization Service, HQPDI, 425 I Street, N.W., Room 4034, Washington, DC 20536; OMB No. 1115-0163. **DO NOT MAIL YOUR COMPLETED APPLICATION TO THIS ADDRESS.**

U.S. Department of Justice
Immigration and Naturalization Service

OMB No. 1115-0163; Expires 04/30/05

Application for Employment Authorization

Do Not Write in This Block.

Remarks	Action Stamp	Fee Stamp
A#		

Applicant is filing under §274a.12 _____

☐ Application Approved. Employment Authorized / Extended *(Circle One)*   until ——————————————— (Date).
——————————————— (Date).

Subject to the following conditions: _____

☐ Application Denied.
   ☐ Failed to establish eligibility under 8 CFR 274a.12 (a) or (c).
   ☐ Failed to establish economic necessity as required in 8 CFR 274a.12(c)(14), (18) and 8 CFR 214.2(f)

I am applying for:
☐ Permission to accept employment.
☐ Replacement *(of lost employment authorization document)*.
☐ Renewal of my permission to accept employment *(attach previous employment authorization document)*.

1. Name (Family Name in CAPS) (First) (Middle)

2. Other Names Used (Include Maiden Name)

3. Address in the United States (Number and Street) (Apt. Number)

(Town or City) (State/Country) (ZIP Code)

4. Country of Citizenship/Nationality

5. Place of Birth (Town or City) (State/Province) (Country)

6. Date of Birth   7. Sex ☐ Male ☐ Female

8. Marital Status ☐ Married ☐ Single ☐ Widowed ☐ Divorced

9. Social Security Number (Include all Numbers you have ever used) (if any)

10. Alien Registration Number (A-Number) or I-94 Number (if any)

11. Have you ever before applied for employment authorization from INS?
☐ Yes (If yes, complete below) ☐ No
Which INS Office? Date(s)

Results (Granted or Denied - attach all documentation)

12. Date of Last Entry into the U.S. (Month/Day/Year)

13. Place of Last Entry into the U.S.

14. Manner of Last Entry (Visitor, Student, etc.)

15. Current Immigration Status (Visitor, Student, etc.)

16. Go to Part 2 of the Instructions, Eligibility Categories. In the space below, place the letter and number of the category you selected from the instructions (For example, (a)(8), (c)(17)(iii), etc.).

Eligibility under 8 CFR 274a.12

( ) ( ) ( )

Certification.

Your Certification: I certify, under penalty of perjury under the laws of the United States of America, that the foregoing is true and correct. Furthermore, I authorize the release of any information which the Immigration and Naturalization Service needs to determine eligibility for the benefit I am seeking. I have read the Instructions in Part 2 and have identified the appropriate eligibility category in Block 16.

Signature   Telephone Number   Date

Signature of Person Preparing Form, If Other Than Above: I declare that this document was prepared by me at the request of the applicant and is based on all information of which I have any knowledge.

Print Name   Address   *Signature*   Date

Initial Receipt	Resubmitted	Relocated		Completed		
		Rec'd	Sent	Approved	Denied	Returned

Form I-765 (Rev. 5/09/02)Y

Instructions

NOTE: Please read these instructions carefully to properly complete this form. If you need more space to answer a question, use a seprate sheet(s) of paper. Write your name and Alien Registration Number (A#) at the top of each sheet and indicate the number of the item to which the answer refers. An incomplete application may be returned to you, causing a delay in the processing of your application. The Bureau of Citizenship and Immigration Services (CIS) is comprised of offices of the former Immigration and Naturalization Service (INS).

---

1. Who May File for TPS?

You must be an eligible national of a foreign state (or parts thereof) or an alien having no nationality who last habitually resided in a foreign state that has been designated for Temporary Protected Status (TPS) by the Secretary of the Department of Homeland Security pursuant to section 244A of the Immigration and Nationality Act. You should check with the nearest office of the CIS for designations currently in force or visit our website at **www.uscis.gov**.

2. What Documents Should You Submit?

You do not need to provide original documents with this application.

You must give the CIS copies of documents to prove you are a national of the country designated for TPS, your date of entry into the United States, and your U.S. residence. In addition:

A. In certain circumstances, the CIS may ask you original to submit documents.

B. Copies of documents in a foreign language must be accompanied by an English translation. The translator must certify that the translation is accurate and that he or she is competent to translate the foreign language into English.

C. **Documentation exception:** If you are filing this application for annual registration, re-registration, or renewal of temporary treatment benefits (**Parts 1 and 2** on Form I-821), you do not have to submit any copies of documentation. You may, however, be asked for additional information and/or documentation in certain circumstances.

3. What Documents Do You Need to Prove Identity and Nationality?

Submit any of the following:

A. Passport;

B. Birth certificate accompanied by photo identification; or

C. Any national identity document from your country of origin bearing your photo and/or fingerprint.

4. What Documents Do You Need to Prove Date of Entry Into the United States?

Submit any of the following documents:

A. Passport;

B. I-94 Arrival/Departure Record; or

C. Copies of documents specified in item **Number 5** below.

5. What Documents Do You Need to Prove Residence in the United States?

Submit any relevant documents such as:

A. Employment records (e.g., pay stubs, W-2 Forms, certification of the filing of Federal income tax returns, state verification of the filing of state income tax returns, letters from employer(s) or, if you are self employed, letters from banks and other firms with whom you have done business.

NOTE: In all of these documents, your name and the name of the employer or other interested organization must appear on the form or letter, as well as relevant dates. Letters from employers must be in affidavit form and shall be signed and attested to by the employer under penalty of perjury.

Such letters must include: **(1)** your address(es) at the time of employment; **(2)** exact period(s) of employment; **(3)** period(s) of layoff; **(4)** duties with the company. If the employment records are unavailable, submit an affidavit form-letter explaining why these records cannot be obtained. This affidavit form-letter shall be signed and attested to by the employer under penalty of perjury.

B. Rent receipts, utility bills (gas, electric, phone, etc.), receipts, or letters from companies showing the dates during which you received service.

C. School records (letters, report cards, etc.) from the schools that you or your children have attended in the United States, showing the name(s) of the schools and periods of school attendance.

D. Hospital or medical records concerning treatment or hospitalization of you or your children, showing the name of the medical facility or physician and the date(s) of the treatment or hospitalization.

E. Attestations by churches, unions or other organizations to your residence identifing you by name. The attestation must be signed by an official (whose title is shown); show inclusive dates of membership; state the address where you resided during membership period(s); include the seal of the organization impressed on the letter or the letterhead of the organization, if the organization has letterhead stationery; establish how the author knows you; and establish the origin of the information being attested to.

F. Additional documents may include money order receipts for money sent in or out of the country; passport entries; birth certificates of children born in the United States; dated bank transactions; correspondence between you and another person or organization; U.S. Social Security card; Selective Service card; automobile license receipts, title, vehicle registration, etc.; deeds, mortgages, contracts to which you have been a party; tax receipts; insurance policies; receipts; letters; or

G. Any other relevant document.

6. What If Documents Are Not Available?

If documents are not available, you may give the CIS an affidavit showing proof of unsuccessful efforts to obtain the documents, explaining why the consular process is unavailable (for identity documents), and affirming that you are a national of the designated state. (The CIS may require a statement from the appropriate issuing authority, certifying that the document is not available.) Affidavits may also be used to help prove your date of entry into the United States and residence in the United States.

7. Are Photos Required to Be Submitted With This Application?

Yes. Attach two standard passport-style color photos of you taken within 30 days of submission of this application. The photos should be 2x2 inches in size and have a white background. The photos should be glossy and not retouched or mounted. The dimension of the facial image should be about 1 inch to 1 3/8 inches from the chin to the top of the hair in a full frontal view. Using a pencil or felt pen, lightly print your name and Alien Registration Number (A#), if any, on the back of the photographs.

NOTE: The Federal Register notice announcing the initial registration or extension period during which the applicant is applying for initial registration, re-registration or renewal of temporary treatment benefits (including an Employment Authorization Document) stated that the CIS may, in lieu of direct attachment of photos to your application, instead require you to submit photographs through a specified CIS office (see Question and Answer Number 13 on Page 3 of these instructions).

8. How Should You Prepare This Form?

A. Type or print legibly in black ink.

B. If you need extra space to complete any item, attach a continuation sheet, indicate the item number and date and sign each sheet.

C. Answer all questions fully and accurately. If any item does not apply, please write "N/A."

9. Where Should You File This Form?

The CIS office having jurisdiction over your place of residence will accept this application, either in person or through the mail, or both. For filing instructions, please inquire by calling the CIS call center at **1-800-375-5283** or by visiting a local CIS office.

10. What Is the Fee?

- An initial (i.e., first-time) applicant must submit:

  A. A **$50.00** application fee for the Form I-821; and

  B. A **$70.00** fee for biometric services, including fingerprints, photograph and signature, if required. (See **No. 13**, Do TPS Applicants Need to Be Fingerprinted?); and

  C. A **$175.00** fee for the Form I-765, Application for Employment Authorization, if you are between the ages of 14 and 65 years and seeking employment.

- An applicant for TPS re-registration or renewal of temporary treatment benefits must submit:

  A. A **$70.00** fee for biometric services, including fingerprint, photograph and signature, if required (see **No. 13**, Do TPS Applicants Need to Be Fingerprinted?); and

  B. A **$175.00** fee for the Form I-765, Application for Employment Authorization, if you are between the ages of 14 and 65 and wish to apply for employment authorization.

The fee must be submitted in the exact amount. It cannot be refunded. **Do Not Mail Cash**. All checks and money orders must be drawn on a bank or other institution located in the United States and must be payable in United States currency. Please assure that if a check or money order is drawn on the account of a person other than yourself, your name appears in the lower left corner on the face of the check or money order. If the check is not honored, the CIS will charge you $30.00.

Make the check or money order payable to **U.S. Department of Homeland Security**, except:

A. If you live in Guam and are filing your application there, make the check or money order payable to "Treasurer, Guam" or;

B. If you live in the U.S. Virgin Islands and you are filing your application there, make the check or money order payable to "Commissioner of Finance of the Virgin Islands."

NOTE: When preparing a check or money order, spell out U.S. Department of Homeland Security. Do not use the initials "USDHS" or "DHS."

11. Are You Also Required to File Form I-765, Application for Employment Authorization?

A. Yes. Each applicant, regardless of age, must also submit a completed Form I-765, even if employment authorization is not being requested.

If your application for TPS is granted and you want to travel outside the United States and return, you must request advance parole from the CIS by filing a Form I-131, Application for Travel Document, with the appropriate CIS office. A Form I-512 travel document will be issued to you if your request is granted.

B. As noted in **No. 10**, What Is the Fee?, only those applicants requesting employment authorization must pay the fee for Form I-765.

12. May the Filing Fees for Forms I-821 and I-765 Be Waived?

Yes. If you are unable to pay the filing fees, 8 CFR 103.7(c) states that you may apply for a waiver of the filing fees. In order to obtain a fee waiver, you must submit with these forms a written statement, made under oath, affirmation, or pursuant to 28 USC 1746, under penalty of perjury. In the written statement you must state that you believe you are eligible for TPS and that you want the filing fees waived. You must also explain why you are unable to pay the required fees.

13. Do TPS Applicants Need to Be Fingerprinted?

Yes. Each applicant for initial registration, re-registration or renewal of temporary treatment benefits (including an Employment Authorization Document) who is 14 years or older must be fingerprinted as part of the biometric services, if required by the CIS. Each such applicant must include the **$70.00** biometric services fee with their application. The CIS may also require applicants to be photographed and have them submit their signature at a specified CIS office. The CIS may, in its discretion, modify the photograph requirement.

14. What If I Change My Address?

If you change your address after filing for TPS, you must complete and mail us a Form AR-11, Alien's Change of Address Card. Enclose the AR-11 in an envelope addressed to the office having jurisdiction over your residence. Include copies of your application and any CIS documents or correspondence relating to your case.

NOTE: If you informed your U.S. Post Office but not the CIS about your address change, please be advised that the Postal Service will not forward CIS mail to you. The mail will be returned to the CIS as undeliverable.

15. What Is Our Authority for Collecting This Information?

We request the information on the form to carry out the immigration laws contained in Title 8, United States Code, Section 1154(a). We need this information to determine whether you are eligible for immigration benefits.

The information you provide may also be disclosed to other federal, state, local, and foreign law enforcement and regulatory agencies. You do not have to give this information. However, if you do not give some or all of the requested information, your application may be denied.

16. Do You Need Information or CIS Forms?

For information on immigration laws, regulations and procedures and to order CIS forms, call our National Customer Service Center at **1-800-375-5283** or visit our internet website at **www.uscis.gov**.

17. Reporting Burden.

Under the Paperwork Reduction Act, an agency may not conduct or sponsor an information collection. A person is not required to respond to an information collection unless it displays a currently valid OMB control number. We try to create forms and instructions that are accurate, can easily be understood and impose the least possible burden on you to provide us with information. Often this is difficult because some immigration laws are very complex. The estimated average time to complete this application is 1 hour and 30 minutes computed as follows: 1) learning about the form and understanding the instructions, 30 minutes; 2) collecting the necessary supporting documents 15 minutes; 3) completing the form, 15 minutes; and 4) traveling to and waiting at a preparer's office (e.g. attorney or voluntary agency), 30 minutes. If you have comments regarding the accuracy of this estimate, or suggestions for making this form simpler, you can write to the Bureau of Citizenship and Immigration Services, HQRFS, 425 I Street, N.W; Room 4034, Washington, DC 20529; OMB No. 1615-0043. **Do not mail your completed application to this address.**

U.S. Department of Homeland Security
Bureau of Citizenship and Immigration Services

OMB No. 1615-0043; Exp. 07/31/07

I-821, Application for Temporary Protected Status

START HERE - Please type or print in black ink.

Part 1. Type of application. *(check one)*

a. ☐ This is my first application to register for Temporary Protected Status (TPS).

b. ☐ This is my application for re-registration or renewal of temporary treatment benefits. I have previously been granted TPS or temporary treatment benefits. I have maintained and continue to maintain eligibility for TPS.

Part 2. Information about you.

Family Name (Last Name)

Given Name (First Name)

Full Middle Name

U.S. Mailing Address: (Street Number and Name)

Apt. #

C/O: (In Care Of)

Town/City

State

County

Zip Code

Date of Birth *(mm/dd/yyyy)*

Gender
☐ Male   ☐ Female

Place of Birth (Town or City)

State/Country

Country of Residence

Country of Citizenship/Nationality

Marital Status
☐ Single   ☐ Married   ☐ Divorce   ☐ Widowed

Other Names Used *(including maiden name)*

Date of Entry Into the U.S. *(mm/dd/yyyy)*

Place of Entry Into the U.S.

Manner of Arrival *(Visitor, student, stowaway, without inspection, etc.)*

Arrival/Departure Record (I-94) Number

Date authorized stay expired/or will expire, as shown on Form I-94 or I-95 *(mm/dd/yyyy)*

Your Current Immigration Status:
In Status *(state nonimmigrant classification, e.g. F-1, etc.)*

Out of Status *(state nonimmigrant violation, e.g., overstay student, EWI etc.)*

Alien Registration Number (A#) *(if any)*

Social Security Number *(if any)*

Are you now or have you ever been under immigration proceedings?
☐ Yes   ☐ No

If you answered "Yes" to the above question, provide the following information.
Type of proceedings:
☐ Exclusion   ☐ Removal/Deportation   ☐ Recission   ☐ Judicial Proceedings

Location of Proceedings

Date of Proceedings *(mm/dd/yyyy)*

FOR CIS USE ONLY

Returned	Receipt
Date	
Date	
Resubmitted	
Date	
Date	
Reloc Sent	
Date	
Date	
Reloc Rec'd	
Date	
Date	

☐ Applicant Interviewed on _____

Case ID #:

A #:

Remarks

Action Block

To Be Completed By
Attorney or Representative, if any.

☐ Fill in box if G-28 is attached to represent the applicant.

ATTY State License #

Part 3.   Information about your spouse and children. *(if any)*

1. Provide the following information about your spouse *(if married)*.

Last Name of Spouse

First Name

Middle Name

Address (Street Number and Name)

Apt #

Town/City

State/Province

Country

Zip/Postal Code

Your Spouse's Birth Date *(mm/dd/yyyy)*

Date and Place of Present Marriage

Name of Prior Husbands/Wives

Date(s) Marriage(s) Ended *(mm/dd/yyyy)*

2. List the names, ages and current residence of children *(if any)*.

Name *(First/Middle/Last)*	Date of Birth(mm/dd/yyyy)	Residence

Part 4.   Eligibility standards.

1. Provide the following information:

I am a national of, or an alien having no nationality, who last habitually resided in the foreign state of:

I entered the United States on the following date (provide month/day/year), and have resided in the United States since that time.

2. To be eligible for Temporary Protected Status, you must be admissible as an immigrant to the United States, with certain exceptions.

If any of the questions beginning below on this page and continuing on **Page 3** apply to you, number which one(s) in the box(es): (for example, 2k for— Have you entered the United States as a stowaway;) and include a full explanation on a separate sheet(s) of paper. Use the number **2** before each letter referring to the specific question (2a, 2b, etc.).

If you were ever arrested, provide the disposition (outcome) of the arrest. For example, "case dismissed" from the appropriate authority.

NOTE: For information about waivers concerning the grounds of inadmissibility, see **Page 3.**

2a. Have you been convicted of any felony or two or more misdemeanors committed in the United States;

2b. (i) Have you ordered, incited, assisted or otherwise participated in the persecution of any person on account of race, religion, nationality, membership in a particular social group or political opinion;

(ii) Have you been convicted by a final judgment of a particularly serious crime, constituting a danger to the community of the United States (an alien convicted of an aggravated felony is considered to have committed a particularly serious crime);

(iii) Have you committed a serious nonpolitical crime outside of the United States prior to your arrival in the United States; or

(iv) Have you engaged in or are you still engaged in activities that could be reasonable grounds for concluding that you are a danger to the security of the United States?

Part 4.   Eligibility standards.   *(Continued)*

2c. (i) Have you been convicted of, or have you committed acts which constitute the essential elements of a crime (other than a purely political offense) or a violation of or a conspiracy to violate any law relating to a controlled substance as defined in Section 102 of the Controlled Substance Act;

(ii) Have you been convicted of two or more offenses (other than purely political offenses) for which the aggregate sentences to confinement actually imposed were five years or more;

(iii) Have you trafficked in or do you continue to traffic in any controlled substance or are or have been a knowing assister, abettor, conspirator, or colluder with others in the illicit trafficking of any controlled substance;

(iv) Have you engaged or do you continue to engage solely, principally, or incidentally in any activity related to espionage or sabotage or violate any law involving the export of goods, technology, or sensitive information, any other unlawful activity, or any activity the purpose of which is in opposition, or the control, or overthrow of the government of the United States;

(v) Have you engaged in or do you continue to engage in terrorist activities;

(vi) Have you engaged in or do you continue to engage or plan to engage in activities in the United States that would have potentially serious adverse foreign policy consequences for the United States;

(vii) Have you been or do you continue to be a member of the Communist or other totalitarian party, except when membership was involuntary; and

(viii) Have you participated in Nazi persecution or genocide;

2d. Have you been arrested, cited, charged, indicted, fined, or imprisoned for breaking or violating any law or ordinance, excluding traffic violations, or been the beneficiary of a pardon, amnesty, rehabilitation decree, other act of clemency or similar action;

2e. Have you committed a serious criminal offense in the United States and asserted immunity from prosecution;

2f. Have you within the past ten years engaged in prostitution or procurement of prostitution or do you continue to engage in prostitution or procurement of prostitution;

2g. Have you been or do you intend to be involved in any other commercial vice;

2h. Have you been excluded and deported from the United States within the past year, or have you been deported or removed from the United States at government expense within the last five years (20 years if you have been convicted of an aggravated felony);

2i. Have you ever assisted any other person to enter the United States in violation of the law;

2j. (i) Do you have a communicable disease of public health significance.

(ii) Do you have or have you had a physical or mental disorder and behavior (or a history of behavior that is likely to recur) associated with the disorder which has posed or may pose a threat to the property, safety or welfare of yourself or others;

(iii) Are you now or have you been a drug abuser or drug addict;

2k Have you entered the United States as a stowaway;

2l. Are you subject to a final order for violation of section 274C (producing and/or using false documentation to unlawfully satisfy a requirement of the Immigration and Nationality Act);

2m. Do you practice polygamy;

2n. Were you the guardian of, and did you accompany another alien who was ordered excluded and deported (or removed) from the United States;

2o. Have you detained, retained, or withheld the custody of a child, having a lawful claim to United States citizenship, outside the United States from a United States citizen granted custody?

NOTE ABOUT WAIVERS: If you placed any of the following numbered references in the boxes on Page **2**, you may be eligible for a waiver of the grounds described in the questions: 2e; 2f; 2g; 2h; 2i; 2j; 2k; 2l; 2m; 2n or 2o. The Form I-601 is the CIS application used to request a waiver. The form is available at local CIS offices, on our website at **www.uscis.gov** or by calling the CIS toll-free forms line at **1-800-870-3176.**

Part 5. Signature.

Read the information on penalties in the instructions before completing this section. If someone helped you prepare this petition, he or she must complete Part 6.

Your certification: I certify, under penalty of perjury under the laws of the United States of America, that the foregoing is true and correct. Copies of documents submitted are exact photocopies of unaltered original documents and I understand that I may be required to submit original documents to the CIS at a later date. Furthermore, I authorize the release of any information from my records that the Bureau of Citizenship and Immigration Services needs to determine eligibility for the benefit that I am seeking.

Signature	Daytime Phone Number *(Area/Country Code)*	Date *(mm/dd/yyyy)*

NOTE: If you do not completely fill out this form or fail to submit required documents listed in the instructions, you may not be found eligible for the requested benefit and this petition may be denied.

Part 6. Signature of person preparing form, if other than above.

I declare that I prepared this petition at the request of the above person and it is based on all information of which I have knowledge.

Attorney or Representative: In the event of a Request for Evidence (RFE), may the CIS contact you by Fax or E-mail? ☐ Yes ☐ No

Signature	Print Your Name	Date *(mm/dd/yyyy)*

Firm Name and Address

Daytime Phone Number *(Area/Country Code)*	Fax Number *(Area/Country Code)*	E-mail Address

Part 7. Checklist.

☐ Did you answer each question?

☐ Did you sign the Form I-821 application?

☐ Did you submit the required application and biometric services (fingerprinting) fees?

☐ Did you submit the necessary documents and photos, if so required?

☐ Did you also submit the Form I-765 with the filing fee or a written request for a waiver of the filing fee (See instructions, items **10, 11** and **12**)?

Have you submitted:

☐ The filing fee for this application or a written request for a waiver of the filing fee (see instructions, items **10** and **12**)?

☐ Supporting evidence to prove identity, nationality, date of entry and residence?

☐ Other required supporting documents (photos, etc.) for each application?